Marita
CONLON-McKENNA

Dom przy placu Przyjemnym

Przekład
ALINA SIEWIOR-KUŚ

AMBER

Redakcja stylistyczna
Dorota Kielczyk

Korekta
Jolanta Kucharska
Elżbieta Steglińska

Projekt graficzny okładki
Małgorzata Foniok

Zdjęcie na okładce
© Zbigniew Foniok

Skład
Wydawnictwo Amber
Jacek Grzechulski

Druk
Opolgraf SA, Opole

Tytuł oryginału
The Matchmaker

ISBN 978-83-241-3394-9

Warszawa 2009. Wydanie I

Wydawnictwo AMBER Sp. z o.o.
00-060 Warszawa, ul. Królewska 27
tel. 620 40 13, 620 81 62

www.wydawnictwoamber.pl

Matkom i córkom na całym świecie

Najcudowniejszą rzeczą na świecie jest stworzenie dobranej pary.

Jane Austen *Emma*

Rozdział 1

*M*aggie Ryan całe życie dopasowywała różne rzeczy: od prostego układania skarpetek i bielizny w szufladach, poprzez dobieranie serwetek do stołowych podkładek, serwisów do menu, zasłon do mebli czy stroju do okazji, po bardziej skomplikowany wybór najlepszych prezentów dla bliskich czy odpowiednich szkół dla dzieci. Co innego łączenie ludzi; tu zawsze pojawiały się komplikacje, ale Maggie była w tym dobra i sprawiało jej to przyjemność. Uśmiechnęła się na myśl o dzisiejszym niedzielnym obiedzie, z rodziną i przyjaciółmi zebranymi wokół starego stołu.

Patrząc na eleganckie georgiańskie domy z czerwonej cegły, otoczone wąskim pierścieniem soczystych żywopłotów i bujnej zieleni placu Przyjemnego, znów się uśmiechnęła. Idealna nazwa dla tego historycznego placu między Leeson Street a Ranelagh. Mieszkała tu od trzydziestu dwóch lat. Razem z Leo wychowali dzieci w domu naprzeciwko wschodniej bramy parku z cudownym widokiem na klomby i krzewy.

Sam plac, choć niezbyt duży, wciąż był jedną z najbardziej atrakcyjnych dublińskich lokalizacji. Okryte zielenią dęby, jesiony, brzozy i kasztany tworzyły zacienione alejki w małym parku, który od pokoleń cieszył mieszkańców. Plac Przyjemny niewiele się zmienił od stu pięćdziesięciu lat i Maggie nie wyobrażała sobie, że mogłaby mieszkać gdzie indziej.

Spojrzała na tablicę z napisem „Sprzedane" przed numerem 29 na przeciwległym rogu. Ciekawe, kto kupił dom O'Connorów? Licytacja odbyła się dwa tygodnie temu, wcześniej przez cały miesiąc tłumy potencjalnych nabywców i ciekawskich oglądały trzy piętra budynku. Ceny nieruchomości w mieście skoczyły gwałtownie, więc stary dom z charakterem położony tak blisko centrum musiał wzbudzić zainteresowanie. Chociaż prawie się walił i przypominał ruinę, został sprzedany za fortunę, a plotka głosiła, że kupił go jakiś nadziany inwestor. Kimkolwiek był tajemniczy nabywca, podjął mądrą decyzję!

Maggie pamiętała, jak sama wprowadziła się do domu numer 23. Była wtedy panną młodą; świeżo poślubiony mąż Leo Ryan wziął ją w szerokie ramiona i przeniósł przez próg. Potem oboje na wyścigi pognali po schodach do olbrzymiej sypialni z wielkim łożem, z której nie wychodzili godzinami; ledwo mogli uwierzyć, że od teraz naprawdę są mężem i żoną.

Przez lata dom był podzielony na mieszkania do wynajęcia i kiedy pierwszy raz go zobaczyli, wyglądał fatalnie, ale Leo, który miał nosa do interesów, dostrzegł w nim potencjał. Oboje włożyli wiele serca, by przywrócić go do pierwotnego stanu: wyburzyli prowizoryczne ścianki działowe, wyrzucili umywalki i piecyki gazowe z dwoma palnikami, pstrokate dywany i linoleum zastąpili polerowanymi podłogami z drewna, odnowili oryginalne tynki i udrożnili wspaniałe kominki w salonie i jadalni. Z czasem tani pensjonat przekształcili w wygodny rodzinny dom, równocześnie pracując i wychowując trzy córki.

Teraz dziewczyny już dorosły. Grace, Anna i Sara były niezależnymi młodymi kobietami, inteligentnymi, pięknymi, dobrymi i serdecznymi, takimi, jakimi powinny być córki. Maggie była z nich dumna, z każdej z innego powodu. Grace robiła karierę jako architekt, Anna pogrążyła się w świecie literatury i akademickim życiu, Sara wciąż usilnie szukała miejsca dla siebie, ale z oddaniem wychowywała pięcioletnią córeczkę Evie – oczko w głowie babci. Maggie kochała córki, ale ich samotność ją zdumiewała.

Czasami żałowała, że nie potrafi cofnąć zegara, wrócić do czasów, kiedy Leo jeszcze żył, a dzieci były małe. Ale wszystko się zmienia. Kolejny przykład: Detta i Tom O'Connorowie postanowili przeprowadzić się do Anglii, żeby być blisko syna Cormaca i jego rodziny, i sprzedali dom. Wkrótce zamieszka tu nowy sąsiad. To głupie wzruszać się i smucić z tego powodu. Weź się w garść, nakazała sobie. Masz jeszcze mnóstwo do zrobienia. Zaprosiła gości na lunch, żeby serdecznie pożegnać Dettę i Toma, którzy za tydzień wyjeżdżali do Bath. Bóg wie, że zasługują na porządny posiłek i uroczyste rozstanie z placem.

Wzięła z progu niedzielną gazetę i wróciła do ciepłej kuchni; przy kubku świeżo palonej kawy i dwóch pełnoziarnistych grzankach z miodem jeszcze sobie poczyta, zanim pójdzie na mszę o dziesiątej. Po powrocie wsadzi do piekarnika potężny udziec jagnięcy od rzeźnika Johna Flanagana, dorzuci trochę rozmarynu z ogrodu i zajmie się przygotowaniem lunchu.

Rozdział 2

*A*nna Ryan naciągnęła kołdrę po same uszy. Próbowała odgrodzić się od wstrętnego świata, który tylko czekał, aż wynurzy się z ciepłego kokonu snu, alkoholu i rojeń na jawie. Czuła, jakby w ustach, na języku i w gardle nabrzmiewały obrzydliwe bakterie; żałowała, że wieczorem przezornie nie postawiła przy łóżku szklanki wody. Tępo wpatrywała się w zegar i wąską smugę światła, które przedzierało się przez ciężkie czekoladowe zasłony. Już południe.

Dlaczego to zrobiła? Dlaczego marnowała czas na okropnej studenckiej imprezie w zatłoczonym mieszkaniu w Temple Bar, gdzie trzeba było przekrzykiwać Killersów, żeby się usłyszeć, a wszyscy ubrani na czarno, przy tanim czerwonym winie silili się na intelektualne dyskusje o teatrze? Dlaczego jej studenci zawsze muszą być tak przewidywalni! Powinna wyjść wcześnie, tak jak planowała – uprzejmie się pokazać, po czym wrócić do domu taksówką, zamiast do czwartej nad ranem spierać się do upadłego o kondycję Abbey Theatre i o to, czy wystawiane tam spektakle trafią na Broadway, czy okażą się klapą. Chyba oszalała, żeby w sobotnią noc omawiać z dwudziestolatkami skomplikowane wpływy oddziałujące na strukturę irlandzkiego dramatu. Była żałosna. Miała nadzieję, że przyjdzie Philip. Dopiero o północy, kiedy napisała do niego esems, dowiedziała się, że pojechał do Kilkenny na weekendowe warsztaty teatralne, o czym zapomniał wspomnieć. Philip Flynn pracował z nią na wydziale anglistyki, oboje byli samotni i w rezultacie zrodziła się między nimi nietypowa więź. Połączeni pasją do teatru i literatury, często po imprezach wypijali we dwoje butelkę wina albo szli na kolację. Raz czy dwa po alkoholu wpadli w romantyczny nastrój, ale zdrowy rozsądek zwyciężył i jakimś cudem zdołali nie zepsuć łączącej ich przyjaźni. Philip był ciekawym człowiekiem i chociaż inni uważali go za ogarniętego pasją egocentryka, Anna rozumiała jego fascynację dramatem i poezją. Mimo to byłoby miło, gdyby zadzwonił i uratował ją przed zrobieniem z siebie kompletnej idiotki!

Jęknęła, gapiąc się w ścianę i marząc, by ten dzień się skończył, zanim jeszcze się zaczął. Z największą rozkoszą wylegiwałaby się do wieczora w łóżku i leczyła kaca, ale przecież obiecała pójść na obiad do matki. Gdyby się nie pojawiła, Maggie Ryan wysłałaby oddział zwiadowczy, a to znaczyło, że jedna z sióstr zapuka do drzwi, walnie jej wykład, a w dodatku na własne oczy zobaczy kosmiczny bałagan w domu. Anna za wszelką cenę chciała tego uniknąć.

Powoli się przeciągnęła i wstała ostrożnie. Wyglądała i czuła się po prostu okropnie. Trzymając się ścian jak kaleka, doczłapała do łazienki. Brązowe włosy skręciły się w baranka, którego nie tknąłby najodważniejszy fryzjer, piegi kontrastowały z bladą cerą i przypominały plamy farby. Oczy były podkrążone, powieki poznaczone smugami tego idiotycznego naturalnego tuszu z jakichś roślin, który ostatnio testowała. Ochlapała zimną wodą twarz i kark. Gwałtownie potrzebowała kawy i węglowodanów. Otulona kołdrą chwiejnie powlokła się do kuchni. Znalazła rozpuszczalną kawę i pół kartonu mleka, za to razowy chleb był w takim stanie, że brzydziłaby się wziąć go do ręki, a co dopiero zjeść. Rozpaczliwie przeszperała szafki i lodówkę. Sucharki czy baton z orzechami pekanu? Wybrała sucharki. Posmarowała je masłem orzechowym i obłożyła serem, z wyglądu dość starym, choć z ważnym terminem przydatności.

Porządny gorący prysznic i może za godzinę poczuje się jak człowiek. Grzebała w stosach gazet i książek na stole kuchennym, szukając nowego tomu wierszy niesamowitej rosyjskiej poetki, która wyemigrowała do Irlandii. Gdzieś tu był... Ach! Jest! Westchnęła z zadowoleniem, czując magiczne działanie kofeiny. Zwinęła się na fotelu i zaczęła czytać.

Rozdział 3

Na ulicach panował niedzielny spokój, gdy Grace wyglądała przez okno swojego apartamentu z widokiem na Spencer Docks. Boso, w jedwabnym szlafroczku koloru ostrygi nasłuchiwała kościelnych dzwonów wzywających wiernych na mszę i patrzyła na łódź, która sunęła po wodzie. Załoga pracowała jak jeden człowiek, wiosła unosiły się i zanurzały równocześnie. Idealny niedzielny poranek, suchy i przejrzysty, zaledwie z małymi smugami chmur na niebie.

Ekspres do kawy był włączony, zapach grzanek unosił się w powietrzu. Grace otworzyła lodówkę: jajka są, bekonu ani śladu. Trudno, zrobi samą jajecznicę. Wzięła trzy jajka i energicznie zmieszała je z masłem na małej patelni. Jajecznica była prawie gotowa, kiedy do kuchni wszedł Shane.

Zamrugała zaskoczona, że już się ubrał, choć planowała śniadanie w łóżku. Najwyraźniej zdążył wziąć prysznic, bo wilgotne kosmyki jasnych włosów przylegały mu do czoła i karku. Objął ją i pocałował.

– Mmm, pachnie smakowicie. – Usiadł na krześle.

Nałożyła mu jajecznicę i grzanki, podała kawę i masło.

– Umieram z głodu – przyznał, zabierając się do jedzenia.

Grace usiadła obok niego.

– Dlaczego tak szybko się ubrałeś?

– Muszę wyskoczyć. – Smarował masłem drugą grzankę. – Wczoraj wieczorem zadzwonił Johnny, w Howth jest wyprzedaż kijów golfowych. Chcemy sprawdzić, co tam mają, potem może zaliczymy kilka dołków. Wygląda na to, że pogoda się utrzyma.

– Na wpół do trzeciej jesteśmy zaproszeni na obiad u mojej mamy – przypomniała.

– Przepraszam, Grace, nie dam rady.

Z głosu Shane'a wcale nie wynikało, że jest mu przykro, i przyglądając się jego przystojnej twarzy, Grace zdała sobie sprawę, że od początku nie miał zamiaru spędzić z nią niedzieli.

– Mama będzie rozczarowana. – Usiłowała ukryć gniew. – Zaprosiła sporo ludzi.

– Sama widzisz. – Roześmiał się, sięgając po filiżankę. – Nic złego się nie stanie.

Chciała mu powiedzieć: zapomnij o Johnnym, o golfie, o obiedzie u mojej mamy. Dlaczego nie możemy zostać tutaj, patrzeć na wodę, być razem. Ale się nie odezwała.

– Wczorajszy wieczór był wspaniały – stwierdził Shane, zanurzając grzankę w jajecznicy; na ustach miał masło. Jego beżowe sztruksowe spodnie ocierały się o opaloną, wypielęgnowaną skórę jej gołej nogi.

Grace myślała o wczorajszej drogiej kolacji w Peploe na St. Stephen's Green. W restauracji panował tłok, mieli szczęście, że dostali stolik. Długo rozmawiali, opowiadali sobie śmieszne historie, na zmianę usiłowali się zadziwić większymi ekstrawagancjami.

– No nie wiem, czy te kawy po irlandzku to był taki dobry pomysł.

– Ależ wręcz przeciwnie – zaprotestował Shane.

14

Roześmiała się, wspominając, jak w taksówce, w drodze do domu Shane mocno ją przytulał. Wbiegli po schodach i tańczyli do piosenek Sade. Potem Shane skłonił Grace, żeby zdjęła buty i pończochy, usiadła z nim na tarasie i patrzyła na księżyc. Bardzo romantyczna noc. Shane, zabawny i czuły, nie wypuszczał Grace z objęć, aż zasnęła.

– Zobaczymy się później? – Wstała od stołu, żeby zaparzyć jeszcze kawy.

– Wyślę ci esems. To zależy, o której z Johnnym skończymy. Może zjemy steki w klubie. Więc mną się nie przejmuj, dobrze?

Nie, nie dobrze. Ale nie chciała zrzędzić i kłócić się jak kobieta, której rozpaczliwie zależy na partnerze.

– Posłuchaj, Grace, dam znać, czy będę mógł później wpaść. Jeśli nie, zobaczymy się jutro.

– Świetnie. – Uśmiechnęła się promiennie, smarując złotą grzankę marmoladą.

Shane pogłaskał jej splątane, sięgające ramion jasne włosy, nachylił się i pocałował ją w usta. Jego wargi smakowały kawą i cukrem, skóra i włosy pachniały jej drogim markowym płynem do kąpieli z pomarańczą i limetką.

– Dzięki za śniadanie i całą resztę. – Pocałował ją po raz ostatni, potem wziął marynarkę, portfel i kluczyki.

Walcząc z ochotą do kłótni, Grace odprowadziła go do drzwi i patrzyła, jak wsiada do windy.

Później bardzo długo siedziała nad stygnącą kawą i rozmyślała o związku z Shane'em. Nad rzeką krzyczały mewy, kormoran raz po raz nurkował, jakby szukał skarbu. Shane pojechał wymachiwać kijem, całkowicie obojętny na to, że sprawił jej przykrość. Wiedziała, że nie powinna tak się czuć. Nie zrobił ani nie powiedział nic, czym świadomie chciałby ją dotknąć. Chodziło raczej o to, czego nie zrobił i nie powiedział.

Spotykali się od dziewięciu miesięcy. Grace zdawała sobie sprawę, że to wcale nie znaczy, iż posiadała go na własność, ale miała nadzieję, że on lubi przebywać z nią tak samo jak ona z nim. Często widywali się w pracy i tak też zaczął się ich związek. Tylko że poza pracą było inaczej: musieli bardzo się starać, żeby znaleźć dla siebie czas w natłoku spotkań i projektów. Grace gotowa była na ten wysiłek. Ale czy Shane O'Sullivan też?

Spojrzała na zegarek – minęło już południe. Promienie słońca wpadały przez okno szeroką smugą. Może do wieczora tak siedzieć i snuć smętne rozważania albo ubrać się i pójść na spacer po Sandymount Strand, a stamtąd do domu matki. Wabił ją luksus niedzielnego posiłku.

Rozdział 4

Z progu sypialni Sara obserwowała śpiącą córeczkę: długie ciemne rzęsy rzucały cień na policzki; czarne włosy rozsypane na poduszce, uśmiechnięte usta. Czasami widok dziecka zapierał jej dech w piersiach. Evie była absolutnie przepiękna.

– Mamusiu, czy ty mi się przyglądasz? – zapytała sennym głosikiem.

– Oczywiście. – Sara wsunęła się pod różową bawełnianą kołdrę.

– Dlaczego?

– Bo cię kocham, a kiedy śpisz i coś ci się śni, robisz śmieszne minki.

– Jakie?

Sara wykrzywiła się. Evie roześmiała się głośno.

– Śnił mi się pies – powiedziała wolno, a niebieskie oczy aż się zaświeciły. – Wielki, biały, z długą sierścią i czarnym nosem...

– Więc to był miły sen – zgodziła się Sara.

Evie przechodziła psią fazę. Sara przewertowała poradniki dla matek, ale nigdzie nie znalazła wskazówki, jak postępować z dzieckiem, które tak bardzo pragnie psa, że ciągle o nim śni.

– Na imię miał Śnieżek.

Akurat w tym momencie Sara po prostu nie mogła sobie pozwolić na psa i wszystkie związane z tym koszty: karma, szczepienia, weterynarz. Evie nie rozumiała, że kiepsko stoją finansowo, a głodny pies zdecydowanie mógłby zachwiać niepewną równowagę ich budżetu.

– Któregoś dnia, słoneczko, kupimy psa – obiecała. – Ale jeszcze nie teraz.

– A kiedy?

Czasami Sara wolałaby, żeby Evie nie była taka mądra.

– No wiesz, nie możemy mieć psa, dopóki u babci jest Podge. To bardzo stary i niedołężny kot. Zachowałybyśmy się nieładnie, gdybyśmy przyprowadziły szczeniaka, który biegałby po domu i ogrodzie. Przestraszyłby kotka, prawda? Na pewno by szczekał i gonił Podge'a. Biedny stary Podge nie zdążyłby nawet uciec na drzewo. To byłoby okrutne. Nie rozumiesz?

– Rozumiem, mamusiu – Evie pokiwała główką i rozczarowana wzruszyła ramionami.

– A to co znowu? – zażartowała Sara. – Babcia gotuje dla nas smaczny obiad. Przyjdą też Grace, Anna i Oscar.

– Czy mogę włożyć różową sukienkę i nowe różowe rajstopy? – zapytała błagalnie Evie, podskakując z podnieceniem na łóżku.

– Jasne, ale po śniadaniu musisz się wykąpać i umyć włosy – odparła Sara.

Evie zasypała ją gradem pocałunków.

Sara patrzyła, jak córka w podskokach wychodzi z pokoju. Zabawne, ale najgorsza rzecz, jaka mogłaby się jej przydarzyć, okazała się najlepsza. Kiedy jako dziewiętnastolatka, na drugim roku college'u dowiedziała się, że jest w ciąży, myślała, że to katastrofa. Wtedy zdecydowanie nie chciała mieć dziecka, a teraz – cóż, nie wyobrażała sobie życia bez Evie.

Zakochała się do szaleństwa w starszym o rok Mauriziu, studencie technologii mediów, który w ramach wymiany przyjechał na pół roku z Włoch do Dublina. Szczupły, śniady i bardzo przystojny, poprosił, by pokazała mu, jak działa kapryśna fotokopiarka. Pomogła chłopakowi zrobić ksero, za co zrewanżował się kawą i kanapką w studenckiej kafejce. Powiedział, że irlandzkie dziewczyny to najcudowniejsze istoty na świecie, a Sara naturalnie mu uwierzyła. Kompletnie zbzikowała na jego punkcie. Kiedy oznajmiła, że będą mieli dziecko, poprosił, żeby pojechała z nim do Mediolanu i przeniosła się na tamtejszy uniwersytet.

– Poczekaj, aż urodzi się dziecko – poradzili rodzice.

Sara, bardzo wzruszona ich wsparciem, miłością i zapewnieniami, że pomogą pokryć wszelkie koszty związane z dzieckiem, posłuchała.

Maurizio wrócił do Mediolanu; do Dublina przyjechał na trzy dni po narodzinach córki. Evie miała po ojcu ciemne, niemal czarne włosy i długie rzęsy, a także, jak podejrzewała Sara, włoski temperament, za to błękitne oczy, buzię w kształcie serca i jasną irlandzką cerę odziedziczyła po matce. Na początku Maurizio przysyłał pieniądze, Sara natomiast wybrała się na tydzień z wizytą do jego rodziców. Wizyta okazała się klęską. Ojciec Maurizia nie czuł się dobrze, mieszkanie w centrum Mediolanu, na dziesiątym piętrze, było mniejsze, niż Sara się spodziewała; płacz Evie, która w nocy domagała się karmienia, budził całą rodzinę Carluccich i pewnie połowę sąsiedztwa.

Do domu wróciła wykończona. Latem Maurizio zdołał przyjechać tylko na pięć dni. Robił magisterium, przenosił się do Rzymu, z podnieceniem myślał o przyszłości. Sara zrozumiała, że obie z Evie nie stanowią części jego planów. Bez wielkich kłótni czy wykrzyczanych w gniewie pretensji każde poszło w swoją stronę. Przez lata kontakty Maurizia z córką rozluźniły się, pomoc finansowa zmalała, co Sara przyjęła z rozczarowaniem, choć bez zaskoczenia.

Macierzyństwo zupełnie ją odmieniło. Kiedy Evie się urodziła, Sara pragnęła spędzać z nią każdą chwilę. Nie chciała oddać córeczki do żłobka czy pod opiekę niani. Burza uczuć dla tej małej istotki sprawiła, że Sara postanowiła rzucić studia i zająć się wychowaniem córki.

– Na pewno tego chcesz? – zapytał ojciec.

– Na pewno.

I do tej pory nie żałowała ani jednej godziny poświęconej córeczce. Rodzice okazali się bardziej niż szczodrzy. Na poddaszu urządzili mieszkanie dla Sary i Evie, za które nie chcieli czynszu.

– Przecież trzymamy tam tylko różne graty – powiedział Leo Ryan.

I tak poddasze przekształciło się w dwie sypialnie, mały salon i jasną kuchnię. Kiedy Evie miała dwa i pół roku, Sara podjęła studia wieczorowe; matka zachęcała ją, by zrobiła dyplom, a sama przejęła opiekę nad Evie we wtorkowe i czwartkowe wieczory, dzięki czemu Sara mogła spokojnie zająć się nauką.

Żyła ze skromnej pensji, którą otrzymywała za pomoc w szkolnej bibliotece i prowadzenie zajęć plastycznych dla dzieci, krótko mówiąc, przez większość czasu była spłukana. Przez znajomych z college'u czasami dostawała zlecenia, a jeśli potrzebowała dodatkowych pieniędzy, zawsze mogła się zatrudnić u swojej przyjaciółki Cory, która prowadziła cieszącą się powodzeniem firmę cateringową i chętnie przyjmowała kolejną parę rąk do pomocy w kuchni lub przy serwowaniu dań na wytwornych domowych przyjęciach. Mimo to Sara niczego nie żałowała. Obserwowała, jak kariery jej przyjaciółek nabierają rozpędu, ale za żadne skarby świata nie zamieniłaby się z nimi, bo miała Evie.

Rozdział 5

Niedzielny obiad. Maggie Ryan głęboko wierzyła w sens tradycyjnych niedzielnych obiadów. Dla niektórych było to staroświeckie, Maggie natomiast uważała, że gromadzenie się przy stole na koniec pracowitego tygodnia to najlepszy sposób cementowania rodziny. Dzięki temu mogła spędzać czas z dziećmi, utrzymywać kontakty z krewnymi, przyjmować przyjaciół. Leo zawsze bardzo to lubił; zajadał wołowinę, jagnięcinę, indyka czy wieprzowinę, popijał czerwone wino i zapominał o codziennych problemach. Po jego śmierci Maggie zrezygnowała z przyjmowania gości, bo serdecznie nienawidziła niedziel, kiedy jeszcze bardziej odczuwała nieobecność męża. Przez lata jednak jej gniew i żal stopniowo słabły. W końcu uświadomiła sobie, że nie cierpi samotności w świąteczne dni, i wróciła do dawnych zwyczajów.

Dzisiaj kuchnię wypełniał aromat pieczonej jagnięciny i ziemniaków; przed chwilą Maggie dodała pokrojoną cebulę. Przygotowane na deser ciasto z rabarbarem czekało na włożenie do piekarnika, a w lodówce stały gęste lody z toffi, które uwielbiała jej wnuczka.

Wielki mahoniowy stół w jadalni był już zastawiony, w kominku płonął ogień, bo wciąż panował chłód. Zadowolona z postępów w kuchni postanowiła przeczytać niedzielną gazetę i trochę odpocząć przed przyjściem gości. Podge, stary rudy kocur, drzemał obok niej na fotelu.

Oczywiście pierwsze przyszły Sara i Evie, miały do pokonania tylko kilka stopni. Sara była jak zwykle ubrana w dżinsy i T-shirt, na który włożyła śliczną kamizelkę.

– Wyobraź sobie, że znalazłam ją w sklepie Oxfamu – oznajmiła z dumą, ściskając matkę na powitanie. Długie i proste jasne włosy Sary kontrastowały z kaskadą czarnych loków Evie.

Dziewczynka ruszyła w stronę Podge'a pogrążonego w kociej zadumie.

– Ile on ma lat, babciu?

– Chyba ze dwanaście.

– I niedługo umrze?

Maggie rzuciła zaniepokojone spojrzenie na Sarę. Nie chciała zasmucić wnuczki. Może rozmawiali o śmierci w przedszkolu?

– Nie przejmuj się, Evie – odparła. – Mam nadzieję, że Podge pożyje jeszcze kilka lat.

Sara spojrzała na nią z wdzięcznością i zaproponowała pomoc. Evie straciła zainteresowanie kotem. Buzia się jej nie zamykała, kiedy jak żywe srebro skakała wokół stołu.

– Babciu, dlaczego wyjęłaś specjalne talerze? – zapytała, przyglądając się badawczo zastawie.

– Bo dzisiaj przychodzą specjalni goście i pomyślałam, że spodoba im się ten śliczny wzór.

– Jest na etapie wypytywania o wszystko – roześmiała się Sara. – Nie przestaje nawet na minutę.

– Nie ma nic gorszego niż ciche dzieci – stwierdziła Maggie wesoło. – Rodzice ciągle się o nie martwią. Ty przynajmniej nie masz takiego problemu!

Rozległ się dzwonek do drzwi i Sara pobiegła otworzyć. Przyszli sąsiedzi Maggie, Gerry i Helen Byrne'owie z synem Barrym, który przyjechał z Londynu. Gerry wręczył gospodyni butelkę dobrego czerwonego wina, Helen – bukiet fioletowych i żółtych frezji.

Barry niemal podniósł Sarę w niedźwiedzim uścisku. Sara wzięła od gości okrycia i zaproponowała, że włoży kwiaty do wody. Barry poszedł z nią do kuchni po wazon. Sara znała Byrne'ów od zawsze: byli dobrymi przyjaciółmi Maggie i wielką podporą po śmierci Leo.

– Jak za starych czasów! – zawołał Gerry, grzejąc się przy kominku.

– Podać wam drinka? – zapytała Maggie.

– Kieliszek wina dla mnie, a dla Helen jak zwykle dżin z tonikiem.

Maggie miała nadzieję, że w paterze z owocami w kuchni jest też cytryna, bo Helen musiała mieć plasterek do drinka.

Następna przyszła Grace. Wyglądała oszałamiająco w dopasowanych kremowych sztruksach i beżowym żakiecie. Pachniała swoimi ulubionymi amerykańskimi perfumami.

– Zrobiłam sobie uroczy spacer po Sandymount Strand – powiedziała, obejmując matkę na powitanie.

– A gdzie ten twój chłopak? – zapytała Maggie. – Też miał przyjść.

– Przykro mi, mamo; coś mu wypadło w ostatniej chwili.

Maggie nic nie powiedziała. Wyraźnie odczytywała rozczarowanie w oczach najstarszej córki.

Nie rozumiała, dlaczego Grace związała się z takim egocentrykiem. Pracowali w tym samym biurze architektonicznym. Maggie nie była przekonana, czy córka postępuje rozsądnie, romansując z kolegą z pracy, w dodatku takim, na którym najwyraźniej nie można polegać. Spotykali się prawie od roku, ale Maggie nie potrafiła go polubić. Z pozoru Grace sprawiała wrażenie chłodnej i zdystansowanej, w gruncie rzeczy jednak była wrażliwa i troskliwa. Zasługiwała na partnera lepszego niż przystojny podrywacz Shane. Maggie musiała gryźć się w język, żeby nie wypowiedzieć na głos swojej opinii, ale jej zdaniem Shane wciąż zawodził Grace, a dzisiejsza sytuacja była kolejnym tego przykładem.

– Kto jeszcze przyjdzie? – zapytała Grace.

– Detta i Tom. Naprawdę będzie mi ich brakowało. Byli dobrymi sąsiadami, a kiedy pomyślę, jaką serdeczność mi okazali, kiedy umarł twój ojciec i nie potrafiłam się pozbierać...

– Słyszałam, że już sprzedali dom – zagadnęła Grace z zainteresowaniem. – Kto go kupił?

– Powiedzą nam. Oczywiście przyjdzie też Oscar. Uwielbia niedzielną pieczeń. Anna też powinna niedługo tu być.

Grace uśmiechnęła się; mama lubiła mieć wokół siebie ludzi, gotować, zabawiać i rozmawiać. Rodzice zawsze byli bardzo towarzyscy, choć teraz mama musiała dokładać wielu starań, by zapełnić pustkę po śmierci ojca.

– Pomóc ci w czymś? – zapytała.

– Nie, odpoczywaj – odparła Maggie.

Najstarsza córka o wiele za dużo pracowała. Jako jedna z najlepszych w swoim zawodzie, została pochłonięta przez wziętą firmę architektoniczną. Realizowała projekt za projektem, ciągle zostawała po godzinach i miała niewiele czasu na życie osobiste. Przepełnione macierzyńską troską rozważania Maggie przerwało przybycie Detty i Toma O'Connorów. Przynieśli dwie butelki szampana. Wyglądały na dość wiekowe.

– Znaleźliśmy w tej starej piwniczce pod schodami, a uważamy, że taką okazję trzeba uczcić, Maggie. W głowie się nie mieści, że w naszym wieku sprzedajemy dom, pakujemy manatki i zaczynamy wszystko od nowa – oznajmił rozpromieniony Tom. W granatowym swetrze wyglądał jak otyły uczeń. Okrągłą twarz miał zarumienioną z podniecenia.

– Kiedy się przeprowadzacie? – zapytał Gerry.

– Ekipa przyjeżdża w czwartek – odparła Detta, której z emocji aż trząsł się podwójny podbródek. – Tyle jest do spakowania i opisania, ale oni nam pomogą, i wsiadamy na prom do Holyhead. Spędzimy tam noc i rano ruszamy do Bath.

– W przyszłą niedzielę, jak Bóg pozwoli, będziemy z Cormakiem, Lynn i trzema wnukami. Z naszego domu jest do nich niecałe osiemset metrów.

Maggie przy pomocy Gerry'ego otworzyła dobrze schłodzone butelki moëta. Podawała kieliszek Detcie, kiedy przyszedł mieszkający w sąsiednim domu Oscar – wysoki i chudy, w ciepłej tweedowej marynarce. Poruszał się wolno, bo znowu dokuczał mu artretyzm. Minutę później pojawiła się Anna.

Maggie powitała oboje serdecznie. Przytuliła średnią córkę, nie zadając żadnych pytań, choć nie uszły jej uwagi ciemne kręgi pod oczyma i bladość twarzy, a także wygnieciona oliwkowa spódnica, do której Anne włożyła czarny T-shirt i botki.

– Jak się masz, Anno? Napijesz się szampana? – zapytała Sara. Nie zdziwiło jej, gdy siostra odmówiła.

Potężny jagnięcy udziec był idealnie miękki i soczysty, pieczone ziemniaki chrupiące. Maggie zaprosiła więc gości do stołu. Sara i Grace pomogły matce pokroić mięso.

– Za zdrowie Detty i Toma! – wzniosła toast Maggie. – Smutno jest żegnać najlepszych sąsiadów, ale życzymy im wszelkiej pomyślności w Anglii.

Gerry i Helen pokiwali głowami, a siedemdziesięciopięcioletni Oscar wygłosił krótką mowę.

– Niech los wam sprzyja – powiedział. – Bez was, drodzy przyjaciele, plac już nie będzie taki sam. Nie wiem, jak wytrzymam

23

u O'Briena w środowy wieczór, skoro Tom nie przyjdzie jak zwykle na kufelek guinnessa.

– Więc teraz Gerry będzie musiał ci stawiać piwo – odparła Helen, ściskając staruszka za ramię.

Rozmowa przy stole toczyła się gładko, goście wspominali rozmaite wyczyny sąsiadów i ich synów.

– Strasznie się wstydziłam za naszych pięciu urwisów – przyznała Helen. – Pewnie wybili więcej szyb niż jakikolwiek inny mieszkaniec placu. Niszczyli rabatki z kwiatami, sadzonki i skrzynki na oknach, a pracownicy z parku Bóg wie ile razy przychodzili do nas z powodu bramek, które chłopcy ustawiali na skwerze. Nie wspominając już o wyścigach rowerowych... a pamiętacie ten wielki domek na drzewie?

– Nie byliśmy tacy źli – zaprotestował Barry. – Tylko trochę dzicy, a ty i tata za miękcy!

Sara wybuchnęła śmiechem. Zawsze świetnie rozumiała się z Barrym. Jako nastolatka nawet się w nim podkochiwała, ale później zrozumiała, że lepiej, jeśli zostaną przyjaciółmi. Barry mieszkał w Londynie z piękną dziewczyną Melindą i małym synkiem Danielem. Tym razem przyjechał do rodziców tylko na kilka dni, dlatego miło było się spotkać i pogadać.

Maggie spojrzała na siedzącą na drugim końcu Evie. Dziewczynka bardzo grzecznie jadła jagnięcinę polaną sosem.

– Słyszałem, że licytacja była gorąca i przystąpiło do niej czterech czy pięciu chętnych? – powiedział Oscar.

– Nie braliśmy udziału w licytacji – wyznał Tom. – Detta martwiła się, że ciśnienie za bardzo jej skoczy.

– Dom poszedł za większą sumę, niż się spodziewaliśmy – oznajmiła Detta z podnieceniem. – I kto by to przypuszczał, biorąc pod uwagę marne ogrzewanie, łazienkę do remontu, rozklekotane okna i cieknący dach. No ale teraz mamy dość, żeby spokojnie się wyprowadzić.

– Dom kupiła rodzina? – zapytała Sara z nadzieją. – Może z córką w wieku Evie. Mała miałaby się z kim bawić.

– My też tak wolelibyśmy – odparła Detta. – Ale dom kupił samotny biznesmen. O ile wiem, nawet nieżonaty. Wielka szkoda.

– Kawaler do wzięcia na naszym placu! – zawołała Maggie, nagle jeszcze bardziej zaciekawiona nowym sąsiadem.

– Maggie! – upomniała ją żartobliwie Helen.

– Nieżonaty, bogaty sąsiad… Ty i Gerry też byście się cieszyli, gdybyście mieli córki!

– Mamo! – zaprotestowała Grace. – Nic o nim nie wiesz!

– Wszystkie matki dziewczyn takie są, Saro? – zapytał Barry.

Sara, która nakładała kolejną porcję groszku na talerz Evie, rzuciła matce zakłopotane spojrzenie.

– Kawaler czy nie, wszystko wskazuje na to, że ma plany dotyczące domu – wtrącił Tom. – Wielkie plany.

– Kim jest ten gość? – zapytał Oscar. – Powiedzieli wam?

– Mark McGuinness. Takie nazwisko podał Billy King; podobno gruba ryba w nieruchomościach.

Grace o nim słyszała. Ostatnio przelicytował jednego z ich klientów i nabył cenną działkę w Malahide. Klient chciał tam zbudować ekskluzywne apartamentowce, McGuinness natomiast zwrócił się o pozwolenie na budowę kamienic i małego centrum handlowego.

– Pan McGuinness znany jest z kupowania starych albo zrujnowanych domów. Remontuje je, a potem sprzedaje z wielkim zyskiem – ostrzegła.

– Miejmy nadzieję, że nieruchomości z numerem 29 planuje przywrócić dawną chwałę – uśmiechnął się Gerry. – To taki piękny stary dom.

– Och, byle tylko zbyt wiele nie zburzył – zmartwiła się Detta.

– To wykluczone, o przebudowie domów z epoki króla Jerzego decyduje konserwator zabytków z wydziału architektury – powiedziała stanowczo Grace, choć trochę zaniepokoiła ją myśl, że inwestor pokroju McGuinnesa kupił budynek przy placu.

Maggie z uśmiechem słuchała, jak Grace mówi o domach. Od wczesnego dzieciństwa Grace fascynowały budowle. Podzielała ojcowską miłość do zabytków i rodzina często zwiedzała znane posiadłości w całym kraju.

Anna westchnęła, ignorując rozmowę. Czuła się strasznie. Powinna zostać w łóżku. Nie miała apetytu i guzik ją obchodziło, co jakiś podejrzany handlarz nieruchomościami zrobi z domem O'Connorów, który walił im się na głowę – tak przynajmniej pomyślała, kiedy ostatnim razem poszła tam na przyjęcie. Sfatygowany szyk, jak mawiali dublińscy licytatorzy. Ktokolwiek kupił ten dom, będzie musiał utopić w nim ciężkie pieniądze.

– Ma ktoś ochotę na herbatę albo kawę? – zapytała Maggie, podając gorące ciasto z rabarbarem. Oscarowi nałożyła wyjątkowo dużą porcję.

– Nie ma to jak domowe jedzenie – pochwalił staruszek. Odkąd umarła jego żona Elizabeth, żywił się gotowymi daniami odgrzewanymi na patelni albo w mikrofalówce.

Był jednym z najmilszych ludzi, jakich oboje z Leonem znali; rodziny przyjaźniły się od dawna. Elizabeth i Oscar niczym dobroduszni rodzice chrzestni zawsze chętnie przychodzili z pomocą w sytuacjach kryzysowych przez całe dzieciństwo i wczesną młodość trzech córek Ryanów, zawsze też brali udział w rodzinnych uroczystościach. Teraz, kiedy Oscar został sam, Maggie opiekowała się nim i regularnie zapraszała na posiłki.

Po obiedzie i wylewnych pożegnaniach córki załadowały naczynia do starej zmywarki. Przy rozstaniu Maggie obiecała Detcie, że rano pomoże jej pakować porcelanę i wybrać rzeczy, które zostaną przekazane do kościoła. Gerry i Helen zaprosili ją na obiad za dwa tygodnie, miała więc na co czekać.

Kiedy już wszystko było sprzątnięte, Maggie wreszcie mogła odpocząć. Obejmując dłonią kubek z kawą, rozejrzała się dokoła z zadowoleniem. Uwielbiała kuchnię, nie tylko dlatego, że była najcieplejszym pomieszczeniem w wielkim, pełnym przeciągów domu, ale dlatego, że tu biło serce rodziny. Leo kochał salon. W fotelu, na który padały promienie słońca, mógł spokojnie czytać gazetę albo słuchać radia. Ale dla niej najważniejsza była kuchnia. Naprzeciwko, po drugiej stronie stołu Sara, Evie, Grace i Anna grały w węże i drabiny. Evie namówiła ciotki do zabawy i piszczała z zachwytu, kiedy któraś musiała przesuwać w dół wielkie zielone węże. Dziewczynka miała bzika na punkcie gier planszowych, a szczególnie polubiła tę staroświecką, którą Maggie znalazła w dawnej sypialni Grace. Patrząc, jak z pochylonymi głowami grają, śmieją się i żartują, Maggie wspominała dzieciństwo córek.

Wszystkie są dobre i miłe, mimo to samotnie spędzają niedzielny wieczór. Ani jednej nie udało się spotkać porządnego mężczyzny! Gdzie popełniłam błąd? – rozmyślała Grace. Dorastały w domu pełnym miłości, a jednak miłość je omija...

– Ten nowy sąsiad wydaje się interesujący – zaryzykowała. – I nieżonaty…

Anna jęknęła. Nie była w nastroju na pogawędki o facetach.

– Mamo – upomniała ją Grace. – Jest znany i bogaty, więc równie dobrze mógł już mieć ze trzy żony albo spotyka się z całym stadem kochanek.

– Poza tym może być jednym z tych okropnych typów, którym się wydaje, że są darem od Boga – dodała Sara, rzucając kością. – Współcześni mężczyźni tacy są!

– Po Dublinie już nie galopują rycerze w lśniących zbrojach – oznajmiła gwałtownie Anna. – Więc nie ma sensu ich szukać.

Maggie westchnęła. Ciekawe, gdzie podziali się przyzwoici mężczyźni? Wszystko się zmieniło, nie tylko interesy i handel nieruchomościami, ale też miłość, małżeństwo i romanse. Niech ją nazwą zacofaną, ale czy w dzisiejszych czasach to zbyt wiele pragnąć, by córki poznały przystojnych mężczyzn, zakochały się w nich do szaleństwa i wyszły za mąż? A może Anna ma rację i odpowiedni kandydaci to wymierający gatunek. A jeśli tak, to chyba najwyższa pora na małą interwencję, pomyślała Maggie, zdecydowana znaleźć Grace, Annie i Sarze idealnych partnerów.

Rozdział 6

Sara i Maggie stały przed drzwiami O'Connorów. Sara miała tego ranka do zrobienia tysiąc rzeczy, ale matka zdołała ją namówić do pomocy Detcie i Tomowi przy pakowaniu.

– Przeprowadzka i pakowanie to mało pasjonujące zajęcie – przyznała Maggie. – Ale wyobrażasz sobie, jak ciężko musi im być opuszczać rodzinny dom i zaczynać wszystko od nowa?

Sara zawsze miała słabość do pani O'Connor, która wsunęła jej czek na pięćdziesiąt euro, kiedy urodziła się Evie, a potem w każde Boże Narodzenie pojawiała się z prezentem dla małej i wielką bombonierką Cadbury.

Dzwonek rozbrzmiał echem w domu, wreszcie drzwi otworzyła Detta.

– Już od świtu jestem na nogach – powiedziała. – Nie mogłam spać z tych emocji. Biedny Tom, ledwo zmrużył oko, a w dodatku dokucza mu artretyzm. Słyszałam, jak o szóstej rano chodzi po parterze.

– Sara jest dzisiaj wolna, więc nam pomoże – wyjaśniła Maggie, wchodząc do holu. – Jak wam idzie pakowanie?

– Trwa to dłużej, niż się spodziewaliśmy – odparła Detta z wahaniem.

Nic dziwnego. Wszędzie dokoła wznosiły się stosy gratów i ubrań, starych zabawek, książek, gier i innych rzeczy, które nagromadziły się przez lata. Sara zawsze wiedziała, że Detta ma naturę chomika, ale teraz, gdy zobaczyła to wszystko na podłodze, spojrzała na mamę zdesperowana. Nie wiadomo, od czego zacząć, pomyślała, przyglądając się stertom rupieci.

– No i właśnie dlatego tu jesteśmy – oznajmiła energicznie Maggie. – Może najpierw zajrzymy do pokoi i zobaczymy, gdzie najbardziej przyda ci się pomoc.

Zakłopotana Detta oprowadziła je po domu, ujawniając przerażający ogrom zadania, jakie je czekało. Większe sprzęty: mahoniowy stół, krzesła, kredensy, stary fortepian i sofy w przyszłym tygodniu trafiały na licytację i Tom umówił się już z firmą, która miała je odebrać.

– Boże, Detto, masz za dużo rzeczy! – wybuchnęła Maggie. – Twój nowy dom pęknie, jeśli wszystko zabierzesz. Z połowę musisz wyrzucić.

Sara się skrzywiła. W młodości ona i siostry regularnie dostawały takie rozkazy, kiedy Maggie przypuszczała atak na ich zabałaganione sypialnie, ale widok matki w akcji w cudzym domu wprawił ją w zakłopotanie. Choć z drugiej strony z miny pani O'Connor wyraźnie wynikało, że biedaczka poczuła ulgę na myśl, iż ktoś jej pomoże. Sara uściskiem dłoni dodała jej otuchy.

– Od czego zaczniemy? – zapytała ponuro Detta, rozglądając się dokoła. Tom O'Connor tymczasem usiłował uciec do kuchni z kubkiem kawy i „Irish Timesem".

– Może od waszej sypialni; oboje z Tomem zdecydujecie, które ubrania są wam potrzebne – zaproponowała Maggie, przejmując kontrolę nad sytuacją.

Jeśli matka jest w czymś dobra, to w organizowaniu wszystkiego i pilnowaniu, żeby sprawy doprowadzić do końca, a w tej chwili to umiejętność absolutnie niezbędna, pomyślała Sara.

– Detto, będziemy potrzebować dużo worków i kilku pudeł.

Sara zbiegła na dół po worki. Po powrocie zastała matkę i Dettę przeglądające szafy wypchane ubraniami, głównie takimi, których nikt więcej nie włoży.

– I wy zamierzacie to wszystko zabrać do Anglii?

Detta zdecydowanie zaprzeczyła.

Maggie wyjęła garnitury, marynarki, dwa stare fraki i kurtkę wędkarską, o której Tom zupełnie zapomniał, ale teraz się upierał, że mu się przyda.

– Idealna na ryby...

Detta uniosła oczy do nieba.

Potem przyszła kolej na jej garderobę. Wystarczył szybki rzut oka, żeby stwierdzić, że co najmniej połowa ubrań nadaje się tylko do kosza. Dobre sukienki, dwa kostiumy, kilka par spodni i spódnice zostały odłożone do zabrania. Resztę Detta przekaże organizacji dobroczynnej albo wyrzuci na śmietnik. Sara porządkowała szuflady komody: stare kosmetyki, stwardniały lakier do paznokci, wyschnięte tusze, zwietrzałe perfumy. Z dna szafy wyjęły trzy kapelusze w pudłach, wciąż zawinięte w bibułkę. Detta postanowiła zachować kapelusz od Philipa Somerville'a, a pozostałe oddać. Sara zaproponowała, żeby do sklepu z markową odzieżą zanieść fraki oraz elegancki dwurzędowy garnitur, który Tom kupił trzydzieści lat temu i teraz się w nim nie mieścił; z rzeczy Detty wybrała parę żakietów i dwie suknie balowe.

— Są markowe, jedna to Chanel, druga Sybil Connolly. W sklepie rzucą się na nie — oznajmiła Sara, ostrożnie odkładając kreacje na bok.

Dochodziło południe, kiedy Maggie i Sara zrobiły sobie przerwę. Uporządkowały już wszystkie sypialnie. W szafach wisiało mnóstwo ubrań zostawionych przez dzieci, łącznie ze starymi szkolnymi mundurkami.

— Pamiętam, kiedy Cormac po raz pierwszy szedł w tym mundurku do Gonzaga College — powiedziała Sara.

— Trzeba to wyrzucić — stwierdziła stanowczo Maggie.

Przedzierały się przez stosy koszul, spodni i swetrów. Dwa pudła napełniły rzeczami, które uznały za przydatne, resztę przeznaczyły do oddania.

Sara zajęła się łazienką, gdzie znalazła stare mydła, talk i środki do kąpieli.

— Większość tych rzeczy jest przeterminowana, pewnie dostałabyś od nich wysypki! — powiedziała Detta i wrzuciła wszystko do ogromnego czarnego worka.

W końcu na piętrze zapanował jako taki porządek i można było zacząć przeprowadzkę. Został jeszcze parter.

W porze obiadu miały przygotowane pudła dla organizacji dobroczynnych, stare płyty, ozdoby i wiklinowe kosze. Szybko zapełniała się ta część salonu, gdzie układały rzeczy do oddania.

Wyczerpana Detta usiadła na pufie i zaczęła kartkować stare czasopisma, wspominając dobre czasy, które tutaj przeżyli. Tom ostrożnie owijał gazetami kryształowe kieliszki do wina i szklaneczki do brandy. Robili wyraźne postępy.

Sara przygotowała obiad: zupa z puszek, które znalazła w spiżarce, do tego francuskie bagietki przyniesione przez matkę i wielki dzbanek herbaty.

– Musimy zregenerować siły – oznajmiła z uśmiechem, kiedy usiedli do stołu.

Detta przez okno obserwowała kosa w ogrodzie.

– I kto będzie karmił ptaki, jak się wyprowadzę? – zapytała retorycznie. – Zamieszkaliśmy tu, kiedy byłam w ciąży z Cormakiem. To miało być tymczasowe rozwiązanie, bo Joan O'Connor, moja teściowa, potrafiła dać się we znaki. Trudno było mieszkać pod jednym dachem z taką jędzą! Ale w końcu wszystko się ułożyło, Joan wręcz ubóstwiała swoich wnuków. A potem, kiedy się zestarzała i zachorowała, opiekowaliśmy się nią. Mam wrażenie, jakby to było wczoraj.

Tom zamrugał, kryjąc łzy. Pokazał złote spinki swojego ojca, znalezione na półce z książkami, i medal, który zdobył z drużyną piłki nożnej, kiedy miał szesnaście lat.

– To prawdziwe skarby! – ucieszył się, chowając je do kieszeni swetra.

– Smutno wyjeżdżać, co? – zapytała Sara łagodnie.

– Oczywiście – westchnęła Detta, rozglądając się po starej kuchni. – Ale mimo to się cieszę. Teraz, kiedy dzieci poszły na swoje, ten dom jest dla nas o wiele za duży, a udało nam się znaleźć uroczy domek, który bez problemów będziemy mogli utrzymać. Wręcz idealny: dwie sypialnie, słoneczna kuchnia i ogródek z widokiem na las. A najlepsze, że mieszkamy blisko Cormaca i jego dzieci. Ich szkoła jest tuż za rogiem.

– Już i tak za długo się tu męczymy – dodał szorstko Tom, smarując chleb masłem. – Jest wspaniale, kiedy przyjeżdża Cormac z dziećmi albo Niamh z rodziną, ale poza tym… same wiecie.

31

Korzystamy tylko z jednej sypialni, salonu i kuchni, reszta domu niszczeje.

– Taki stary dom potrzebuje nowej rodziny – oznajmiła stanowczo Detta.

Po obiedzie Sara z Maggie sortowały stos książek w salonie. Kiedy przed domem zatrzymał się samochód, pomyślały, że może to ktoś jeszcze do pomocy.

Z czarnego range rovera wysiadł mężczyzna. Przyjrzał się domowi i podszedł do drzwi. Otworzył mu Tom.

– Proszę wejść. Serdecznie witamy.

– Wiem, że klucze dostanę dopiero w czwartek wieczorem, ale chciałem się przedstawić, wymienić namiarami i zaproponować pomoc – powiedział nieznajomy.

– Nowy właściciel – szepnęła podniecona Maggie.

Detta szybko poprawiła włosy przed lustrem nad kominkiem.

Tom wprowadził do pokoju Marka McGuinnessa.

– To moja żona Detta, nasza sąsiadka Maggie Ryan i jej córka Sara. Mieszkają pod numerem 23. Jak pan widzi, staramy się spakować.

Mark McGuinness uprzejmie pokiwał głową.

Sara uważnie przyglądała się wysokiemu, ciemnowłosemu mężczyźnie w drogim garniturze. Był przystojny i miał tę nadmierną pewność siebie, jaką dają pieniądze. Sara nie cierpiała facetów, którzy sądzili, że wielkie konta bankowe, samochody i kontakty są więcej warte niż luz i poczucie humoru.

– Pakowanie to straszna robota – stwierdził McGuinness, przyglądając się stosom worków i pudeł. – Nikt tego nie lubi.

– Jak pan przewiduje, szybko się pan tutaj wprowadzi? – zapytała Maggie.

– Nie! Nie od razu – odparł, wodząc wzrokiem po salonie. – Dom wymaga remontu, więc za kilka tygodni wchodzi ekipa.

– Pewnie zrobi pan tu nowoczesną, cudownie wyposażoną kuchnię, o jakiej marzy dziś większość kobiet – ciągnęła Maggie. – Przypuszczam, że pana żona ma mnóstwo planów.

– Nie jestem żonaty – oznajmił McGuinness. – Choć istotnie, kuchnia będzie nowoczesna.

– W każdym razie serdecznie witamy przy placu Przyjemnym. – Maggie z trudem kryła ulgę na wieść, że nowy sąsiad z całą pewnością nie ma żony.

Tom zaproponował, że pokaże McGuinnessowi dom i opowie o kaprysach starego ogrzewania i nadwerężonej kanalizacji; obaj poszli na piętro.

– Detto, przykro mi, ale czas na mnie – odezwała się Sara. – Muszę odebrać Evie z przedszkola.

– Bardzo ci dziękuję, skarbie. – Detta objęła ją mocno. – Nie wiem, jak byśmy sobie bez was poradzili.

– A co z tymi markowymi ubraniami? – zapytała Sara. – Zanieść je do sklepu w Temple Bar? Za żakiet od Chanel można sporo dostać.

– Zrób z tym, co chcesz, słoneczko. – Detta się uśmiechnęła. – Pieniądze są dla ciebie.

Nowy właściciel wrócił do salonu. Sara uznała, że jest dość pociągający w dojrzały sposób, choć za poważny i na pewno nie w jej typie.

– Muszę wracać do biura. Na pewno nie potrzebujecie państwo mojej pomocy?

Maggie Ryan zawahała się tylko przez sekundę; widząc stosy pudeł i worków oraz przestronny samochód przed domem, postanowiła wyzbyć się skrupułów.

– Jeśli jedzie pan przez Ranelagh, mógłby pan podrzucić kilka worków do organizacji dobroczynnej. Samochód Toma jest mały, a pana ogromny.

Mark McGuinness wyglądał na zaskoczonego, ale sam zaproponował pomoc i teraz nie mógł się wycofać.

– Sara pokaże panu, gdzie to jest, bo też się wybiera w tamtym kierunku – ciągnęła Maggie.

Sara chętnie udusiłaby matkę, że wpakowała ją w tę niezręczną sytuację. Facet pewnie pomyśli, że to wariatka!

Załadowanie range rovera zajęło kilka minut.

– To moja wizytówka i numer komórki – zwrócił się Mark do Toma. – Do końca tygodnia będę w interesach w Pradze, więc się nie spotkamy. Wszystkim zajmie się mój prawnik. Życzę powodzenia przy przeprowadzce i czekam na wiadomości.

– Proszę dbać o dom – odparł Tom zdławionym głosem, ściskając McGuinnessowi rękę.

Sara w zakurzonych dżinsach i wymiętej bluzie wsiadła do samochodu. Stłumiła śmiech na widok pięknego wnętrza pełnego plastikowych worków i pudeł.

– Dokąd jedziemy? – zapytał uprzejmie Mark.

– Najpierw w lewo, potem w prawo i wyjedzie pan na drogę do miasta. Od organizacji dobroczynnej do przedszkola jest kilka metrów. Pomogę panu z pudłami, zanim pójdę po córkę.

– Ma pani dziecko? – Spojrzał na jej palec.

– Tak, Evie. Niedługo skończy sześć lat – wyjaśniła, obserwując jego reakcję. – Urodziłam ją, kiedy byłam w college'u. Jej ojciec mieszka w Rzymie.

– Trudno samotnie wychowywać dziecko – odparł Mark. – Ale założę się, że jest pani wspaniałą mamą, a Evie cudowną córką.

– Najlepszą! – Sarę zdziwiła zmiana w jego zachowaniu.

Zadzwoniła komórka i Mark umówił się z kimś na spotkanie w mieście.

Potem, nie zważając na kurz, sam przeniósł większość pudeł i worków do punktu zbiórki używanej odzieży. Sara wylewnie mu podziękowała, później stała na chodniku i odprowadzała wzrokiem samochód włączający się do ruchu. Mark McGuinness może nie był w jej typie, ale musiała przyznać, że prawdziwy z niego dżentelmen.

Rozdział 7

Maggie Ryan patrzyła z okna sypialni na wielki wóz firmy przeprowadzkowej, który stał przed domem O'Connorów. Tragarze chodzili tam i z powrotem po granitowych schodach, wnosząc dobytek Toma i Detty do ciężarówki. Przygnębiona Maggie miała ochotę zagrzebać się w pościeli i spędzić w łóżku cały dzień. Będzie strasznie za nimi tęskniła; czuła, jakby umykał kolejny fragment jej życia z Leonem. Tom i Detta byli kimś więcej niż sąsiadami, byli bardzo dobrymi przyjaciółmi. Natychmiast jednak ogarnęły ją wyrzuty sumienia. Powinnaś się ubrać i pomagać, zamiast stać w szlafroku i rozczulać się nad sobą, zganiła się w duchu.

Wzięła szybki prysznic, włożyła beżowe spodnie i kremowy sweter, wyszczotkowała krótkie jasne włosy z pasemkami maskującymi siwiznę na skroniach. Pomalowała rzęsy, koralową szminką przeciągnęła po wargach i spryskała się perfumami Rive Gauche, po czym wzięła torebkę i klucze do domu. Wczoraj w delikatesach kupiła wyśmienite ciasto marchewkowe, które zamierzała zanieść sąsiadom, a przy okazji sprawdzić, czy wszystko idzie gładko.

Kolejne pokoje pustoszały, a Maggie trzymała czajnik na piecu i robiła hektolitry herbaty. Rory, młodszy z tragarzy, wsypał do swojego kubka pięć czubatych łyżeczek cukru. Maggie z otwartymi ustami patrzyła, jak chłopak wypija ulepek. Ciasto też cieszyło się powodzeniem.

Tom, z trudem panując nad emocjami, udzielał wskazówek tragarzom. Przyszedł Oscar Lynch życzyć im bezpiecznej podróży i zjadł ostatni kawałek ciasta. Od dwóch dni ciągle ktoś z sąsiadów pukał do drzwi i żegnał O'Connorów.

— Przy placu Przyjemnym zawsze znajdzie się dla was łóżko, jeśli zechcecie nas odwiedzić – oznajmił Oscar ze łzami w oczach.

Detta i Tom serdecznie mu podziękowali, choć zarówno Maggie, jak i Oscar dobrze wiedzieli, że O'Connorowie nie przyjadą, bo powrót byłby dla nich zbyt bolesny.

Kiedy tragarze już wszystko wynieśli, dom wyglądał przeraźliwie pusto; wydawał się jeszcze bardziej zrujnowany i posępny. Maggie wyczuła, że Detta i Tom potrzebują czasu, by w samotności rozstać się ze starymi kątami, więc się z nimi pożegnała. W progu obejrzała się jeszcze i zobaczyła, jak małżonkowie, trzymając się mocno za ręce, idą korytarzem. Jakże smutne musi być opuszczenie domu, z którym łączy się tyle wspomnień!

Gdy wróciła do siebie, dała upust emocjom. Płakała, kiedy ciężarówka wyjechała z placu, a Tom i Detta ruszyli swoim samochodem do kancelarii adwokackiej przy Fitzwilliam Street, by zostawić klucze. Jedyna pociecha, że starych dobrych sąsiadów zastąpi atrakcyjny kawaler. Zdaniem Maggie Mark McGuinness był doskonałą partią. Sara niewiele mówiła o przejażdżce jego samochodem, choć przyznała, że Mark zachowywał się „bardzo miło".

Maggie właśnie zaparzyła kawę, kiedy zadzwonił telefon; z radością usłyszała w słuchawce głos swojej starszej siostry. Kitty była niezwykle podekscytowana, trajkotała jak najęta – zupełnie jak w dzieciństwie.

– Mam dobrą wiadomość.

– Takich mi potrzeba – odparła Maggie.

– Orla się zaręczyła! – oznajmiła Kitty. – Byli w Wenecji na trzydniowej wycieczce. Jakie to romantyczne! Liam oświadczył się, kiedy płynęli gondolą. Orla wprost pęka z radości.

Maggie stłumiła zazdrość. Córka Kitty była uroczą dziewczyną, nauczycielką w szkole podstawowej; miała trzydzieści trzy lata i od dawna spotykała się z Liamem O'Connellem. Czas najwyższy, żeby się pobrali.

– Oboje z Harrym bardzo się cieszymy. Harry chce, żebyśmy w sobotę urządzili u nas przyjęcie zaręczynowe – ciągnęła Kitty. – Dzięki temu obie rodziny będą miały okazję się poznać.

– Doskonały pomysł.

– Obiecaj, że ty, dziewczyny i Evie przyjdziecie. Przyjęcie zaczyna się o ósmej.

– Nie opuściłybyśmy tego za skarby świata – odparła Maggie. Cudownie usłyszeć, że ktoś z rodziny będzie brał ślub!

Rozdział 8

Oczy Orli Hennessy błyszczały tak jasno jak elegancki pierścionek z brylantem na jej palcu, kiedy razem z Liamem O'Connellem witała gości na przyjęciu zaręczynowym. Hol domu w Rathfarnham był ozdobiony balonikami, świecami i wielkim bukietem kwiatów, a wszystkim gościom udzieliło się podniecenie narzeczonych. Grace, Sara i Anna podziwiały pierścionek, wuj Harry zadbał, żeby każda dostała kieliszek szampana.

– To jeden z najpiękniejszych pierścionków, jakie w życiu widziałam! – wykrzyknęła Maggie z zachwytem, oglądając lśniący brylant. Mocno przytuliła Orlę. Spośród wszystkich swoich siostrzeńców i siostrzenic właśnie ją zawsze lubiła najbardziej. Oczko w głowie rodziców, jedyna córka, która przyszła na świat po dwóch starszych braciach.

– Wy trzy będziecie następne – zażartował Harry, całując szwagierkę.

Maggie uśmiechnęła się radośnie, po raz kolejny zadając sobie pytanie, która z jej dziewczyn zaręczy się pierwsza. Tęsknie pomyślała o wszystkich cudownych rzeczach związanych z zaręczynami.

– Boże, teraz ciągle będziemy o tym słuchać – mruknęła Grace do sióstr. – Mama i Kitty nas wykończą.

– Mama ma obsesję na punkcie wydania nas za mąż. – Sara uśmiechnęła się smutno. – Chyba połowa matek w Irlandii taka jest!

– Zależy im tylko na ogłoszeniu zaręczyn w „Irish Timesie", pierścionku na palcu córki i facecie przy jej boku! – poskarżyła się Anna. – Wszystko dlatego, że czytają za dużo romansów i naoglądały się filmów z Hugh Grantem!

– Anno! – zaprotestowała Sara. – Ja też uwielbiam filmy z Hugh Grantem i moim zdaniem to cudowne, że Orla i Liam się pobierają. Od lat są w sobie zakochani!

Wuj Harry, ubrany w odświętną koszulę w biało-różowe paski, krzątał się wśród gości i pilnował, by nikt nie miał pustego kieliszka. Kitty bez reszty oddała się roli matki panny młodej, opowiadając o kościołach, salach, kwiaciarniach i sukniach.

Maggie Ryan z czułością uśmiechnęła się do siostry. Szczerze się cieszyła, że Orla w końcu zostanie żoną człowieka, którego kocha. Dla młodej nauczycielki to był dość burzliwy związek, bo Liam jako hotelarz co kilka lat zmieniał miejsce pobytu. Najpierw pracował w Cork, potem w Killarney, a teraz zarządzał eleganckim hotelem dla golfistów w Kildare.

— Wesele, oczywiście, urządzimy w Mountrath Manor — oznajmił Liam. — Tam zajmą się nami po królewsku!

Grace, Anna i Sara też się cieszyły szczęściem kuzynki i nie mogły się doczekać wielkiej rodzinnej uroczystości.

— W ciągu ostatnich trzech lat byłam na tylu ślubach, że prawie straciłam rachubę — wyznała Grace. — Prawie wszyscy moi znajomi już się pobrali. Ale u Orli i Liama to dopiero będzie impreza!

Sara ucieszyła się, kiedy Orla wzięła ją na stronę i zapytała, czy Evie może sypać kwiatki na ślubie we wrześniu.

— Razem z Amy, córeczką Conora. Obie wyglądałyby słodko, idąc nawą.

— Evie oszaleje z radości — odparła Sara. — To bardzo miło, Orlo, że o niej pomyślałaś, ale powinnaś sama ją zapytać. Bawi się w kuchni z dziećmi.

Kilka minut później do salonu wpadła Evie podekscytowana nowinami.

— Mamusiu, będę sypała kwiatki na ślubie Orli! Będę miała specjalną sukienkę, będę niosła kwiaty i będę miała kwiaty we włosach! — wołała, podskakując wesoło.

— Cudownie. Zobaczę śliczną kwietną panienkę. — Sara wzięła córkę na ręce i mocno pocałowała.

Maggie popijała wino, kiedy zauważyła, że zbliża się ku niej Alan Ferguson, przyjaciel Harry'ego, który od dwóch lat był w separacji z żoną. Na widok Maggie twarz mu pojaśniała, a Maggie wstrząsnął dreszcz. Dlaczego mężczyźni pokroju Alana zakładają, że może się nimi zainteresować, bo jest wdową? Chciał rozmawiać wyłącznie o sporcie i ostatnim meczu w Croke Park. Nic dziwnego, że biedna Julia go opuściła! Maggie przeprosiła i przesiadła się do rodziców Liama, uroczych ludzi z Westmeath, którzy nie kryli zachwytu, że syn wreszcie podjął tę ważną decyzję.

— Już się baliśmy, że ten dzień nigdy nie nadejdzie! — zażartowała Mary, matka Liama. — Naprawdę nie wiem, dlaczego tak długo zwlekał!

— W dzisiejszych czasach młodym się nie spieszy, myślą, że mają do dyspozycji całą wieczność — dodał Paul, szczupły mężczyzna w okularach, do którego syn był bardzo podobny. — A w dodatku domy kosztują fortunę.

Maggie obserwowała Kitty — rozpromieniona, w ślicznym srebrnoszarym kostiumie Browna Thomasa, krążyła po pokoju z tacą wymyślnych kanapek. Wyglądała dobrze, dumna z córki i przyszłego zięcia. Synowie Conor i Gavin byli już żonaci, jeden mieszkał w Malahide, drugi w Cork, i Kitty doczekała się trójki wnucząt. Sześć lat temu przeżywała straszny okres, zachorowała na raka piersi i jedną trzeba było usunąć. Harry, chłopcy i Orla robili, co mogli, by jakoś poradzić sobie z jej chorobą. Dzięki Bogu, po operacji Kitty wróciła do zdrowia, a wiadomość o ślubie miała dla niej specjalne znaczenie. Maggie wiedziała, że siostra bardzo się bała, iż nie doczeka chwili, gdy córka pójdzie do ołtarza.

Maggie uniosła kieliszek, gdy Harry pogratulował szczęśliwej parze, a narzeczeni podziękowali gościom za przybycie. Trudno trafić na porządnego mężczyznę, pomyślała, a jednak Orli się udało. Oboje się odnaleźli i teraz zamierzali wspólnie budować przyszłość. Spojrzała na swoje kochane córki gawędzące z kuzynkami i uśmiechnęła się do siebie. Niedługo, o ile ona będzie miała w tej sprawie coś do powiedzenia, na ich palcach też zalśnią pierścionki.

Rozdział 9

Maggie wróciła z przyjęcia, które zakończyło się chóralnym odśpiewaniem *Sto lat*. Sprawdziła wiadomości na sekretarce i w poczcie elektronicznej. Odetchnęła z ulgą – dostała dużo odpowiedzi na dyskretne ogłoszenie w „Irish Timesie". Poszukiwała nowego lokatora do małego domku na końcu ogrodu z wyjściem na plac Przyjemny. Poprzednie lokatorki, trzy pielęgniarki, były miłymi dziewczynami, choć trochę męczącymi, bo urządzały nocne imprezy w dzień wypłaty. Poza tym zalały łazienkę na piętrze i zepsuły mikrofalówkę, paląc przy okazji dwa kuchenne kontakty. Gdy umowa wynajmu dobiegła końca, zapłaciły za szkody i przeprowadziły się do mieszkania bliżej szpitala Świętego Jakuba, gdzie pracowały.

To Grace zaproponowała, żeby przerobić dawną wozownię w ogrodzie, służącą jako graciarnia i skład rowerów, na domek do wynajęcia, co zapewni dodatkowy dochód i uzupełni wypłaty z polisy ubezpieczeniowej Leona i wdowią rentę. Jakże Maggie nienawidziła słowa „wdowa". Nigdy nie wyobrażała sobie, że będzie musiała samotnie stawiać czoło życiu. Czasami przeklinała męża, że zostawił ją zupełnie nieprzygotowaną do życia bez niego, a ich plany na emeryturę stały się głupimi mrzonkami. Śmierć Leona była całkowitym zaskoczeniem. Dostał lekkiego zawału podczas gry w golfa. Został w szpitalu na badania i okazało się, że trzeba zrobić poważną operację: wszczepić potrójne bypassy. Leo dobrze zniósł zabieg, ale kilka dni później umarł z powodu skrzepu krwi w płucach. Maggie nie miała pojęcia, jak przetrwała tamte pierwsze straszne i mroczne dni. Pragnęła się ukryć, zostać w łóżku, nie przyjmować do wiadomości tego, co się stało, ale była potrzebna Grace, Sarze, Annie i wnuczce. Jakimś cudem przeżyły pogrzeb, wspierane przez rodzinę i przyjaciół. Dni przechodziły w tygodnie, tygodnie w miesiące, te zaś w lata – Maggie nie potrafiła uwierzyć, że Leo odszedł już cztery lata i dziesięć miesięcy temu.

Remont wozowni trwał prawie rok. Kiedy mały dom z trzema pokojami, nowoczesną kuchnią, wielkimi oknami, drzwiami balkonowymi i tarasem wykładanym kafelkami był wreszcie gotowy, Maggie się rozpłakała. Zrobiła kawał porządnej roboty i Leo byłby z niej dumny. Na początku zamierzała wynajmować domek, żeby mieć dodatkowe dochody, a w przyszłości albo sprzedać, albo samej w nim zamieszkać. Tak więc pojawili się lokatorzy i oprócz kilku drobnych kłopotów była też niezła sumka.

Kiedy pielęgniarki się wyprowadziły, Maggie i jej polska pomoc domowa Irena wysprzątały domek na błysk. Maggie kupiła nowe poduchy w sklepie Habitat, komplety pościeli z białego lnu i mikrofalówkę. Usiadła przy telefonie, by umówić się na spotkania z potencjalnymi lokatorami.

Dzisiaj po południu pokazywała dom chętnym. Trzymała kciuki, by któryś z kandydatów okazał się odpowiedni.

Zgłosiło się sporo osób: para, z opisu sprawiająca dobre wrażenie; trzy samotne dziewczyny, co budziło niepokojące skojarzenia; dwaj samotni mężczyźni, ale szukali lokum tylko na pół roku, bo czekali na ukończenie mieszkania; młody szkocki biznesmen, który niedawno przeprowadził się do Dublina; oraz samotna dziewczyna. Maggie z kluczem i telefonem w ręku ruszyła ścieżką przez ogród. Rola najemcy okazała się dla niej bardzo trudna. Leo był doskonałym znawcą charakterów, za to ona dawała się zwieść historyjkom o pechu. Tym razem postanowiła, że dokładnie sprawdzi referencje kandydatów, zanim podejmie ostateczną decyzję.

Para przybyła punktualnie. Maggie zdziwiła różnica wieku między partnerami.

– Nie podobają mi się te stare kamienie – narzekała młoda blondynka, kiedy Maggie oprowadzała ich po parterze. – A lodówka jest mała.

Przystojny starszy mężczyzna prawie się nie odzywał, robił natomiast notatki. W przeciwieństwie do swojej o wiele młodszej partnerki z wydętymi wargami i wąskimi biodrami on na palcu miał obrączkę. Zaczerwienił się z zakłopotania, gdy dziewczyna zaczęła skakać na podwójnym łóżku i namawiać go, żeby do niej dołączył.

– I chcę telewizor plazmowy, Michael. Na te wieczory, kiedy ciebie tu nie będzie.

Maggie starała się nie osądzać, ale w końcu uznała, że prędzej padnie trupem, niż zapewni tej parze miłosne gniazdko uwite w tajemnicy przed żoną.

Trzy dziewczyny pochodziły z Cork i studiowały na pierwszym roku na Uniwersytecie Dublińskim. Pielęgniarki to jedna sprawa, ale studentki, które w połowie semestru zostają bez dachu nad głową, to zupełnie coś innego. Bóg wie, co wyprawiały w poprzednim mieszkaniu!

Dwaj mężczyźni byli uprzejmi i swobodni, dom bardzo przypadł im do gustu, zwłaszcza elementy z kamienia i wystrój, ale po kilkuminutowej rozmowie Maggie zorientowała się, że może ich wykluczyć jako potencjalnych kandydatów na mężów, bo z całą pewnością nie szukali dziewczyn. Poważna samotna prawniczka z nieskazitelnymi referencjami, którą dom zauroczył, wydawała się najlepszą kandydatką. Ostatni chętny nie pojawił się i Maggie zdecydowała, że wynajmie dom prawniczce. Już miała do niej zadzwonić, kiedy wreszcie przyjechał Szkot.

– Lot był opóźniony – przepraszał. – Potem utknąłem w strasznym korku w drodze z lotniska. Mam nadzieję, że nie jest za późno, żeby obejrzeć dom, z opisu wygląda dokładnie na to, czego szukam.

Tryskał takim entuzjazmem, że chociaż spóźnił się prawie dwie godziny, Maggie nie zamierzała odprawiać go z kwitkiem. Widziała wyraźnie, że domek bardzo mu się spodobał; zarzucił ją pytaniami o remont. Drobny, szczupły i energiczny, ze sterczącymi czarnymi włosami, w czarnych dżinsach, skórzanej kurtce i T-shircie z Red Hot Chili Peppers. Sara miała plakat tego zespołu w swojej sypialni. Wyglądał bardziej na muzyka niż biznesmena, ale bez dwóch zdań artystyczny typ, a taki pociągał jej najmłodszą córkę.

– Powinna pani zobaczyć to betonowe pudło, w którym teraz mieszkam! – Roześmiał się. – Jak można w ogóle zbudować coś tak okropnego. Ten stary domek jest uroczy.

– Cieszę się, że się panu podoba – odparła Maggie. – W modernizację i przebudowę włożyłam dużo serca.

– Regularnie będę jeździł do centrali w Edynburgu, ale bardzo chciałbym mieć w Dublinie taki domek jak ten.

– Kontakty w kuchni zostaną wymienione, zanim wprowadzi się nowy lokator – obiecała Maggie.

– Jeśli chodzi o mnie, proszę się tym nie przejmować – powiedział Angus Hamilton. – Sam to zrobię. Będę też chciał podłączyć Internet, o ile to pani odpowiada, i zainstalować telewizję satelitarną.

Musiała wyglądać na lekko zdezorientowaną, bo szybko zapewnił, że jest inżynierem i specjalizuje się w projektowaniu oprogramowania.

– A konkretnie? – zapytała zaintrygowana.

– Projektuję gry komputerowe – wyjaśnił. – To potężny biznes. Wymyślamy gry, które wciągną ludzi. Pracujemy nad grą o leprekaunach!

– Naprawdę?

– Żartuję, ale to nie jest zły pomysł. Nasza firma ma biura tutaj i w Edynburgu. Będę tak między nimi kursował.

– Więc w domku zamieszka tylko pan.

– Tak. – Uśmiechnął się. – Tylko ja.

Wieczorem Maggie oglądała telewizję i zastanawiała się nad kandydatami. Trzydziestoletnia prawniczka Celine Heaney pracowała w małej kancelarii adwokackiej i przygotowywała się do egzaminów w Blakhall Place; z całą pewnością nie wyglądała na kogoś, kto urządza szalone imprezy. Czarujący młody Szkot wydawał się otwarty, przyjacielski i zdecydowany miło spędzać czas w Dublinie. Bez najmniejszych skrupułów wybrała Angusa Hamiltona. W domu już jest za dużo samotnych kobiet, mężczyzna będzie przyjemną odmianą, a ten na dodatek okazał się kawalerem do wzięcia.

Rozdział 10

Grace miała straszny dzień. Podczas spotkania z potencjalnym klientem zorientowała się, że młodszy kolega, który robił kosztorys, pomylił się prawie o dwieście tysięcy euro. Przytłaczał ją nawał pracy, a entuzjazm wpędzał w kłopoty. Nie potrafiła powiedzieć „nie", gdy trafiały się jej innowacyjne i ciekawe projekty: przekształcenie zrujnowanego magazynu w samym sercu miasta w nowoczesną restaurację i galerię sztuki, projektowanie domu dla młodego gwiazdora irlandzkiego rocka, znalezienie właściwego rozwiązania dla starszych lokatorów, których w dzielnicy Liberties przenoszono do nowych domów. Zaledwie dwanaście dni temu szef, Derek Thornton, wezwał Grace do gabinetu i powiedział, że rozważają jej kandydaturę na młodszego wspólnika. Ledwo wierzyła własnym uszom, ale była zdecydowana udowodnić, że szef nie popełnia błędu.

Miło, że jej ciężka praca została doceniona. Choć Grace zauważyła, że od tamtej rozmowy z Derekiem Shane traktuje ją z dystansem. Chciała to wyjaśnić, ale oboje byli tak bardzo zajęci, że prawie w ogóle nie mieli czasu na spotkania. Shane odwołał wyjście do kina dzisiaj wieczorem. Musiał dotrzymać jakiegoś terminu.

Grace planowała, że po pracy wróci do domu, przebierze się w piżamę i obejrzy *CSI*, ale zadzwoniła matka i zaprosiła ją na kolację.

— Robię grzybowe risotto z parmezanem — zachęcała, dobrze wiedząc, że Grace przepada za tym daniem.

— Dobrze, dobrze — poddała się Grace. Przypuszczała, że mama czasami czuje się samotna; od śmierci taty jakby żyła tylko w połowie. Rodzice tworzyli wspaniałą parę, zawsze byli razem, śmiali się, rozmawiali, kłócili i godzili, zwariowani na swoim punkcie. Mama się nie skarżyła, ale wszystkie wiedziały, jak bardzo tęskni za mężem. Utrata ukochanego mężczyzny to niezwykle ciężkie przeżycie.

— Nie mogę długo u ciebie zostać — ostrzegła Grace. — Muszę jeszcze popracować w domu.

– W porządku, Grace, około dziewiątej idę z Kitty na spotkanie do klubu książki.

Wjeżdżając na skwer, Grace ze zdumieniem patrzyła na sprzęt budowlany. Dojazd do dawnego domu O'Connorów blokował wielki kontener na gruz. Grace przystanęła i usiłowała odczytać tablicę informacyjną. Miała nadzieję, że nie zniszczą oryginalnych drzwi, architrawu ani listew przypodłogowych. Na tablicy wymieniono szeroki zakres prac i Grace zastanawiała się, czy już je rozpoczęto, co byłoby niezgodne z prawem. Dom wyglądał na pusty, więc postanowiła zerknąć do środka. Poszła żwirowaną ścieżką do granitowych schodów. Wychyliła się przez żeliwną balustradę i zajrzała przez okno do salonu. Od razu zauważyła brak wspaniałego kominka. Co za barbarzyńca usunął jeden z najpiękniejszych elementów! – pomyślała zirytowana. Bóg raczy wiedzieć, co jeszcze nowy właściciel zamierza tu zrobić. Wyciągnęła szyję, usiłując dojrzeć stiukowy sufit.

– W czym mogę pani służyć? – zapytał męski głos.

Zakłopotana odwróciła się i zobaczyła przed sobą mężczyznę w granatowym garniturze z laptopem w dłoni. Wysoki, mocno zbudowany, z ciemnymi włosami, które wymagały przystrzyżenia, nie wydawał się nastawiony przyjaźnie.

– Chciałam tylko przyjrzeć się domowi – wyjaśniła oficjalnym tonem. W gruncie rzeczy wkroczyła na cudzy teren.

– Zapewniam panią, że wszystko jest w jak najlepszym porządku.

– Tego bym nie powiedziała – odparła lodowato. – Wspaniały kominek, jeden z najbardziej charakterystycznych elementów tego domu, został zlikwidowany. Wstyd.

– A z kim mam przyjemność?

– Jestem Grace Ryan. Moja rodzina mieszka pod numerem 23.

– Mark McGuinness, właściciel – przedstawił się, mierząc ją wzrokiem od stóp do głów, jak wścibską plotkarkę. Wyglądało, jakby w myślach podliczał cenę jej czarnego kostiumu, eleganckiej beżowej bluzki i włoskich butów z miękkiej skóry.

Grace zaklęła w duchu. Co tu dużo gadać, wtykała nos w nie swoje sprawy.

— Jestem architektem i pracuję u Thorntona — dodała, widząc, że jej profesjonalna opinia nie zrobiła na nim najmniejszego wrażenia.

— Zawsze korzystam z usług Lindena O'Donnella — odparł. — Pracowali przy większości moich projektów.

Już bardziej nie mógł jej zirytować. Wszyscy w Dublinie wiedzieli, że przed dziesięciu laty O'Donnell odszedł od Thorntona, zapowiadając, że otworzy bardziej innowacyjną pracownię, i zabrał ze sobą kilku największych klientów. Obecnie jego firma była ich najpoważniejszym konkurentem.

— Bardzo jestem ciekawa, dlaczego zniszczył pan taki piękny kominek — ciągnęła z uporem.

— To mój dom — przypomniał McGuinness. — I mogę w nim robić, co mi się podoba.

— Ale nie może pan łamać prawa — sprzeciwiła się, coraz bardziej rozzłoszczona.

— Panno Ryan, zapewniam, że nie naruszyłem żadnego przepisu. Dom znajduje się na liście zabytków, ale nie jest objęty całkowitym nadzorem konserwatorskim.

— I co? Wyrzucił pan na śmietnik georgiański kominek?

— Spokojnie, jest w dobrych rękach — odparł McGuinness. — Był pęknięty, więc oddałem go do naprawy. Na czas remontu zostanie w bezpiecznym miejscu, żeby znów się nie uszkodził.

— Rozumiem. — Grace nagle poczuła się jak idiotka. — Przepraszam, po prostu nie mogę patrzeć, jak burzy się stare domy.

— Nie zamierzam niczego burzyć — odparł gniewnie McGuinness.

— Chodziło mi tylko o to, że taki piękny stary budynek potrzebuje uczucia — wymamrotała. Dopiero teraz zwróciła uwagę na jego drogi garnitur, złote spinki i zegarek, a także niesamowite zielone cętki w piwnych oczach.

— Ten dom to ruina — oznajmił spokojnie. — Wymaga sporego nakładu pracy. Trzeba założyć nowe ogrzewanie, kanalizację, elektryczność, częściowo wymienić dach, przebudować kuchnię, łazienki i główną sypialnię. Zamierzam go też powiększyć.

Czy ktoś taki jak on kupiłby ruinę, gdyby nie liczył na większy zysk?

– Jestem przekonany, że inwestycje znacznie podniosą wartość nieruchomości – dodał McGuinness, jakby czytał jej w myślach.

– Przepraszam, muszę już iść – powiedziała uprzejmie Grace. – Mama czeka na mnie z kolacją. – Skuliła się, bo zabrzmiało to żałośnie, jakby była starą panną, która na posiłki wraca do mamusi. Co on sobie pomyślał! Dostrzegła błysk rozbawienia w jego oczach. Zażenowana próbowała go wyminąć.

– Czy przypadkiem jest pani siostrą Sary Ryan? – zapytał, robiąc jej przejście.

– Tak. – Gdzie on, do diabła, spotkał Sarę? Siostra nie wspomniała, że go zna.

– Nikt by się nie domyślił – dodał lekkim tonem. – Jesteście zupełnie różne.

Grace zarumieniła się, bo nie ulegało wątpliwości, którą z nich woli McGuinness.

– Życzę smacznego – rzucił sarkastycznie, odwrócił się do niej plecami i otworzył drzwi.

Grace w furii dotarła do domu matki. Maggie słuchała wiadomości w radiu, stojąc przy kuchni.

– Ten McGuinness jest cholernie arogancki i zarozumiały! – oznajmiła Grace. – Myśli, że jest lepszy od wszystkich. Czyści do zera dom O'Connorów i wszystkie rzeczy zastępuje nowymi!

– To jego własność – zauważyła matka. – Za Detty i Toma dom popadł w ruinę. Szkoda, że nie widziałaś plamy wilgoci w sypialni na tyłach i piwnicy pełnej pleśni! Nie wiem, jak Detta w ogóle mogła tam wchodzić.

– Rozmawiałam z nim na ulicy. Okropny typ!

– No cóż, najwyraźniej oboje wstaliście lewą nogą. – Maggie nie kryła zdziwienia. – Ja uważam, że jest dość atrakcyjny. Sara też go polubiła. Pojechał z nią do sklepu w Ranelagh z rzeczami O'Connorów.

47

Grace nakryła na dwie osoby. Maggie mówiła dalej:

– Jest dobrą partią, samotny i bez wątpienia bogaty.

– Mamo! – oburzyła się Grace.

– Mówię tylko, że to interesujący mężczyzna. – Maggie podała córce talerz z grzybowym risotto. – Może zaproszę go na obiad albo kolację.

– Ani się waż – ostrzegła Grace, choć i tak wiedziała, że matka zrobi po swojemu.

– W końcu to nasz nowy sąsiad i powinniśmy być dla niego mili. Poza tym towarzystwo może sprawi mu przyjemność, a dla ciebie, Sary i Anny to będzie świetna okazja, żeby go lepiej poznać.

– Mamo, nawet nie wiemy, czy się tu wprowadzi. Równie dobrze może za rok sprzedać dom.

– Wątpię, widuję go prawie codziennie i moim zdaniem tutaj zamieszka.

Grace westchnęła. Matka zmieniła się w jakąś zwariowaną mamuśkę z obsesją na punkcie ślubów i oceniania „mężowskiego" potencjału mężczyzn, jak ujęła to Sara. Zależało jej tylko na jednym: żeby córki wyszły za mąż. Grace miała nadzieję, że nie upatrzyła sobie tego okropnego McGuinnessa na kandydata dla jednej z nich.

Risotto było doskonałe, Grace wzięła dokładkę. Jedząc, słuchała opowieści Maggie o poszukiwaniach nowego lokatora, pogarszającym się artretyzmie Oscara Lyncha i strasznej książce, którą omawiają w klubie.

– Wszystkie jej nie znosimy, jest przygnębiająca i ponura, ale bardzo realistyczna! – wyjaśniła. – Podyskutujemy, wypijemy kilka kieliszków wina i trochę poplotkujemy. Może ty też powinnaś do nas dołączyć, Grace. To świetna zabawa!

– Mamo, nie mam czasu. Poczytać mogę tylko na urlopie.

– Więc powinnaś coś zrobić, żeby jednak znaleźć czas. Mówię poważnie, w życiu liczy się nie tylko praca. Jeśli chciałabyś wstąpić do naszego klubu, zapytam dziewczyn, czy się zgodzą.

Myśl o spotkaniach z matką, ciotką Kitty i ich przyjaciółkami przeraziła Grace.

– Nie wstąpię do żadnego klubu książki!

– Tylko proponowałam – powiedziała Maggie, sprzątając ze stołu. – Martwię się, bo jesteś sama i za ciężko pracujesz. Całe dnie spędzasz w firmie, a potem wracasz do pustego mieszkania. Wiem, że masz mnóstwo zajęć i wspaniałą karierę, ale też dobrze wiem, co to jest samotność.

– O co ci chodzi, mamo? Nie mam czasu na samotność. Poza tym zapominasz o Shanie.

– Jasne. – Maggie lekko uniosła brwi, nie próbując nawet ukryć dezaprobaty. Nastawiła czajnik i zaparzyła herbatę.

Grace uznała, że nie ma sensu wdawać się w kłótnię. Mama zraziła się do Shane'a, bo nie przyszedł na tamten głupi niedzielny obiad, a potem nie pojawił się na zaręczynach Orli i Liama. Nie zdawała sobie sprawy, jak trudno być razem, gdy oboje partnerzy pracują do późna, mają mnóstwo zobowiązań i projekty do wykonania w nieprzekraczalnych terminach.

Kiedy godzinę później Grace wróciła do pustego mieszkania, była już przekonana, że matka całkiem oszalała. Chce zaprosić Marka Guinnessa do domu! Ależ z niej intrygantka. Grace postanowiła zadzwonić do sióstr i uprzedzić je o knowaniach Maggie. Najpierw jednak sprawdziła wiadomości. Była rozczarowana, kiedy się okazało, że Shane się nie odezwał.

A co do sugestii, że jest samotna i powinna wstąpić do klubu książki… czysty idiotyzm. Niedługo skończy trzydzieści lat i z całą pewnością nie potrzebuje, żeby matka wtrącała się w jej sprawy.

Rozdział 11

*I*rena Romanowska zaczynała dzień od trzygodzinnej zmiany w sklepie Spar niedaleko osiedla, na którym mieszkała; rozpakowywała gazety i układała mleko i chleb na półkach. Delaney, właściciel, był w fatalnym humorze, ponieważ pokłócił się z żoną. Irena zaparzyła mu herbatę i wsypała do kubka dodatkową łyżeczkę cukru w nadziei, że to poprawi mu nastrój i nie będzie warczał ani na nią, ani na klientów.

Po pracy zrzuciła niebiesko-biały uniform i uczesała krótkie jasne włosy. Autobusem pojechała do centrum i przesiadła się do tramwaju, który zawiózł ją w pobliże domu Maggie Ryan. Irena pracowała u pani Ryan od przyjazdu do Dublina, w środowe poranki prasowała i sprzątała. Po południu przenosiła się do wielkiej posiadłości Dunne'ów w Rathgar. Miała nadzieję, że Caroline Dunne nie będzie dzisiaj w domu. Trzydziestoletnia gospodyni zwykle miała ją na oku i nie pozwalała wyjść, dopóki nie sprawdziła efektów pracy.

Pani Ryan była w kuchni. Zmusiła Irenę, by usiadła i napiła się z nią herbaty.

– Miałaś udany weekend? – Podała dziewczynie dzbanuszek z mlekiem i czekoladowe ciastka.

– W sobotę pracowałam w sklepie, za to w niedzielę miałam wolne. Poszłam na tańce i do pubu z przyjaciółmi.

– Poznałaś jakichś fajnych irlandzkich chłopców? – zapytała ciekawie Maggie Ryan.

Irena ze śmiechem pokręciła głową. Wszystkie matki pytają o to samo.

– Moja koleżanka Marta mówi, że nie ma fajnych irlandzkich chłopców, w każdym razie my takich nie spotkałyśmy.

– Moje córki pewnie by się z tobą zgodziły.

Irena lubiła córki pani Ryan. Evie czasami przychodziła się bawić, kiedy Irena pracowała. Młoda Polka przekonała się, że Irlandczycy w większości odnoszą się przyjacielsko i serdecznie do obcokrajowców.

– W niedzielę poszłam do kościoła, gdzie ksiądz Peter odprawia mszę po polsku – mówiła dalej Irena.

– Ha, miło słyszeć, że ktoś jeszcze chodzi do kościoła! – odparła Maggie, myśląc o młodych Irlandczykach, którzy przestali uczęszczać na msze. Jej córki też nie były nawet w połowie tak religijne, jak powinny.

– Potem poszliśmy na obiad do restauracji koło hotelu na lotnisku. Dwie moje koleżanki tam pracują i razem z właścicielem organizują specjalny obiad dla polskich przyjaciół. Lubię spotkać się z rodakami, potem zwykle posłuchać muzyki w pubie w Temple Bar.

– To świetnie, że dobrze się bawisz, Ireno, i nie tęsknisz za bardzo za krajem.

– Tęsknię za mamą, tatą i dwoma braćmi – przyznała dziewczyna. – No i za niektórymi przyjaciółmi, ale Irlandia to dobry kraj, przyjazny dla Polaków, tak mi się wydaje.

– Cieszę się, że tak mówisz. – Maggie uśmiechnęła się, wstając z krzesła. – Jadę do miasta. Umówiłam się na obiad ze swoją siostrą. Jej córka za kilka miesięcy wychodzi za mąż. Chcemy się przejść po sklepach i poszukać strojów na ślub.

– W moim kraju wesela to wielkie przyjęcia.

– Tu jest tak samo, wszyscy się stroimy i wydajemy fortunę. – Maggie się roześmiała. – Pewnego dnia przyjdzie twoja kolej, Ireno. Będziesz piękną panną młodą.

– Ale ja nawet nie mam chłopaka.

– Cierpliwości, to się zmieni – zapewniła ją Maggie.

– Naprawdę pani tak myśli? – Dziewczyna nagle spoważniała.

– Oczywiście. Gdzieś tam jest idealny chłopak dla ciebie. Spotkasz go, to tylko kwestia czasu.

Irena się uśmiechnęła. Maggie Ryan ze swoim romantyzmem była prawie tak samo beznadziejna jak mama!

– Ireno, w piątek wieczorem wprowadza się nowy lokator – poinformowała Maggie kilka minut później, wkładając żakiet i szukając kluczyków do samochodu. – Chcę, żeby domek błyszczał.

– Oczywiście. – Irena już wysprzątała domek parę tygodni temu. Pielęgniarki zostawiły go w strasznym stanie. Była wstrząśnięta kosmicznym bałaganem, choć bardzo się ucieszyła, kiedy Maggie dała jej dodatkowe pieniądze za ciężką pracę.

– Ostatnio spisałaś się doskonale, więc teraz tylko wytrzyj kurze i odśwież kuchnię i łazienkę, bo wiesz, pierwsze wrażenie jest najważniejsze.

Irenie podobał się klimat domku i zazdrościła lokatorowi, który tam zamieszka. Odkurzyła, sprawdziła, czy blaty, zlew i kafelki w kuchni są nieskazitelnie czyste, potem zajęła się łazienką i pokojami na pięterku. Łóżka były pościelone, wypolerowała więc lustra, słuchając radia. Maggie Ryan nie miała nic przeciwko temu, żeby Irena, prasując, oglądała telewizję albo słuchała muzyki przy sprzątaniu. Caroline Dunne absolutnie nie pozwoliłaby jej włączyć telewizora plazmowego czy stereo. Irena postanowiła zrezygnować z pracy u tej okropnej kobiety. Było mnóstwo zajęć dla młodej Polki chętnej do pracy.

Przyjechała tutaj ponad rok temu. Jak wielu innych Polaków, ona też słyszała o Celtyckim Tygrysie, małym kraju z wielką gospodarką, gdzie każdy pracowity człowiek może zarobić mnóstwo pieniędzy. Brzmiało zachęcająco, a fakt, że to też kraj katolicki, przekonał rodziców i pozwolili jej pojechać do Dublina.

Ale nie chodziło tylko o pieniądze. Miała złamane serce. Zmarnowała pięć lat na związek z przystojnym Jackiem Stasiakiem, technikiem, który pracował z nią w małej fabryce komputerów w Łodzi przy montażu miniaturowych komponentów do mikroprocesorów. Szaleli za sobą i Irena często wyobrażała sobie, że pewnego dnia się pobiorą. A potem Jacek oznajmił, że zakochał się w innej, fryzjerce Kaśce. Złamał Irenie serce. Krzyczała, okładała go pięściami, a potem spakowała torby i uciekła do Dublina. Ostatnio od matki dowiedziała się, że Jacek latem planuje ślub ze swoją fryzjerką.

Nie ma sensu tego rozpamiętywać, napomniała się, zbierając swoje rzeczy. Co się stało, to się nie odstanie. Zadowolona z efektów pracy zamknęła drzwi i wróciła do kuchni.

Rozdział 12

*P*o długim dniu pracy zmęczona Irena szła do małego domu z trzema sypialniami na wielkim osiedlu przy Riverstone Avenue. Mieszkała z pięcioma przyjaciółkami. Czasami dziewięć, dziesięć osób tłoczyło się w ciasnym saloniku, próbowało coś ugotować w wąskiej kuchni, prało lub suszyło ubrania. Wszyscy byli Polakami, z Krakowa, Łodzi czy Gdańska. Mieli pracę i silne postanowienie, by zarobić jak najwięcej w tym bogatym kraju. Niektórzy chcieli zaoszczędzić i po powrocie do kraju założyć własne firmy i kupić mieszkania. Inni chcieli zacząć od nowa, wtopić się w tutejsze środowisko i w Irlandii budować swoje życie. Irena nie była do końca pewna, do której grupy należy.

Wiedziała natomiast, że nie wróci do Polski z podkulonym ogonem i bez grosza przy duszy. Kiedy następnym razem zobaczy się z matką, kupi jej ładne ubrania, nowy telewizor i zafunduje wakacje. A jeśli chodzi o Jacka, gdy zobaczy ją na Piotrkowskiej, elegancko ubraną, ona będzie zbyt zajęta, żeby przystanąć i zamienić z nim słowo. Niech się żeni z tą swoją Kaśką.

Poszła cicho na górę i zdjęła ubranie, które miała w pracy. Na dolnym łóżku Marta smacznie spała, pochrapując. Wcześnie zaczynała pracę w szpitalu i wróciła z długiego dyżuru. Irena poruszała się bezszelestnie, żeby nie obudzić przyjaciółki. Włożyła wygodne spodnie od dresu i polarową bluzę. Zapachy z kuchni sprawiły, że w brzuchu zaburczało jej z głodu. W domach, gdzie sprzątała, dostawała kawę i grzanki, ale marzyła o solidnym posiłku. W drodze powrotnej u rzeźnika na rogu kupiła trochę wieprzowiny. Dzisiaj wieczorem zrobi kotlety mielone, ziemniaki i surówkę z czerwonej kapusty.

— Napijesz się kawy albo herbaty? — zaproponował Jan Kamiński, kiedy pojawiła się w drzwiach kuchni.

— Nie, dzięki, zrobię sobie obiad.

Przy stole siedziały cztery osoby i jadły makaron z sosem pomidorowym, podstawowe danie w tym domu. Dwie z nich Irena widziała pierwszy raz w życiu.

– A co gotujesz? – zapytał z ciekawością Jan.

– Kotlety mielone i ziemniaki.

– Z papryką?

– Jasne. – Irena się roześmiała. – Też masz ochotę?

Jego twarz rozjaśnił szeroki uśmiech. Oboje pochodzili z tej samej dzielnicy Łodzi, ich rodzice znali się od lat. Jan był elektrykiem, miał żonę i dwóch małych synów, a do Irlandii przygnała go nadzieja zarobienia na własne mieszkanie. Przez rok albo dwa lata popracuje na wielkich budowach rozrzuconych po całym Dublinie, gdzie powstają apartamentowce, centra handlowe i biura, potem wróci do kraju, kupi albo zbuduje dom dla rodziny i założy firmę budowlaną. Tęsknił za żoną Renatą, Krzysiem i Olkiem; liczył, że w przyszłym roku do nich wróci. Co wieczór jak w zegarku dzwonił do domu. Brakowało mu rodziny i dobrego polskiego jedzenia.

– Umyj garnek po spaghetti, a ja zajmę się obiadem – powiedziała Irena, wyjmując z kredensu wielką białą miskę. Zostawi też porcję dla Marty. Przyjaciółka pewnie będzie głodna, a gdyby odmówiła, zostanie obiad na jutro.

Tocząc kulki z mięsa, bułki tartej i cebuli, myślała o tym, że tu, w tym domu człowiek nigdy nie ma chwili spokoju. Zawsze ktoś rozmawia, ogląda wielki srebrny telewizor, słucha radia albo do kogoś dzwoni. To jak mieszkanie na dworcu kolejowym. Czasami marzyła o ciszy na koniec dnia.

Jan poradził jej, żeby kupiła sobie zatyczki do uszu. Połowa domowników wstawała bladym świtem do pracy w szpitalach, biurach i na budowach, dlatego też niewielka była szansa na spokojny sen po wpół do szóstej.

– Mówiłem ci, że Olek będzie grał małpkę w szkolnym przedstawieniu *Arka Noego*?

– Małpkę? To świetnie. Musisz być bardzo dumny. Kiedy jest to przedstawienie?

– Za miesiąc.

W głosie Jana Irena usłyszała smutek. Nie będzie na przedstawieniu, bo urlop ma dopiero pod koniec sierpnia.

– Renata przyśle ci zdjęcia.

– Wiem. Dobra z niej żona. Mam udaną rodzinę. Szczęściarz ze mnie.

– To prawda.

Kotlety były wyśmienite. Pozostali domownicy patrzyli na nie łakomie.

– Ale pachną! – wymruczał Paweł, murarz z Piły, który dzielił pokój z Janem. – Daj spróbować...

– Nie! – roześmiała się Irena.

Jan podał koledze na widelcu kawałek pikantnego mięsa z sosem.

– Lepsze niż robi moja mama – podlizywał się Paweł. W jego wielkich oczach błyszczała nadzieja, że jakoś nakłoni Irenę, żeby zaprosiła go do stołu.

W kuchni pojawiła się Marta w obszernym różowym szlafroku. Nie zwracając uwagi na Pawła, Irena kazała jej usiąść. Wzięła z półki talerz i nałożyła przyjaciółce porcję. Marta przez cały tydzień pracowała po godzinach i nie miała ani jednego dnia wolnego.

– Haruję jak wół, zarabiam mnóstwo i niedługo wrócę do domu. Wtedy będę miała czas na odpoczynek i sen!

– Było przepyszne. – Jan oblizał usta. – Jak u mojej Renaty, ale nie powtarzaj jej tego!

– Dziękuję – dodała Marta, zjadając wszystko do ostatniego okruszka.

Irena się uśmiechnęła. Zostało jej trochę na jutro, kiedy wróci ze sklepu Spar. W czwartki pracowała tam do późna. Schowa kotlety do lodówki w pojemniku z wyraźnie wypisanym nazwiskiem, bo inaczej któryś ze współlokatorów po prostu by je zjadł. Ktoś miał płytę z polskim teleturniejem i dwoma najnowszymi odcinkami *M jak miłość*; Irena zamierzała pozmywać i dołączyć do tłumku w salonie, żeby obejrzeć, co nowego wydarzyło się w rodzinie Mostowiaków.

55

Ziewnęła i opadła na kolorową sofę, wciskając się między kościstą Justynę a Piotra Boczkowskiego i jego dziewczynę. Była wykończona po całym dniu pracy, ale nie chciała iść prosto do łóżka. Caroline Dunne czepiała się bardziej niż zwykle; uznała, że prysznic jest źle wyczyszczony, i kazała Irenie zrobić to jeszcze raz. Przynajmniej płaciła gotówką, ale Irena wahała się, czy wrócić tam w przyszłym tygodniu. Oglądając telewizję, przez krótką chwilę wyobrażała sobie, że jest u siebie, w rodzinnym mieście.

Wpatrywała się w postaci na ekranie. Śmiała się, kiedy uczestnicy teleturnieju wręcz stawali na głowie, by wygrać pięć tysięcy złotych i wycieczkę do Londynu. Każdy chciał zostać zwycięzcą. Tutaj jednak życie okazało się trudniejsze, niż myślała. Wszystko było strasznie drogie: czynsz, jedzenie, autobus, pociągi, a mimo to codziennie coraz więcej Polaków przyjeżdżało do Irlandii, wynajmowało mieszkania w Dublinie, Cork, Galway i Wexford. Krążyło wiele opowieści o tych, którzy odnosili sukcesy, kupowali domy, ziemię, sklepy, zakładali własne firmy. Pewnego dnia jej też się uda. Pewnego dnia wyleczy złamane serce, wyrzuci z pamięci Jacka Stasiaka i znowu się zakocha!

Rozdział 13

Sara złapała parasolkę i w ulewnym deszczu pobiegła z Evie przez ogród do domku. Miał się wprowadzić nowy lokator, a mama musiała pojechać na pogrzeb starego przyjaciela rodziny w Wicklow i poprosiła Sarę, by wszystkiego dopilnowała.

– Nie musisz brać żadnych pieniędzy – zapewniła Maggie. – Dopilnuj tylko, żeby Angus dostał dwa komplety kluczy i pokaż mu, jak działa ogrzewanie i alarm.

– Jasne – odparła Sara zaintrygowana Szkotem, o którym mama tyle opowiadała. Zarabianie na życie projektowaniem gier kompu-

terowych to fajna sprawa, choć pewnie to jeden z tych komputero-
wych maniaków, którzy są przykuci do klawiatury.

Evie bawiła się w salonie i kuchni. Sara zaciągnęła zasłony i postarała się, żeby zrobiło się przytulnie, zwłaszcza że wieczór był ponury. Przyniosła torbę z podstawowymi produktami: herbatą, kawą,
cukrem, mlekiem, masłem, chlebem i ciastkami. Włączyła ogrzewanie. Uwielbiała ten domek. Grace doskonale się spisała, wnętrze
zachwycało prostotą i ze wszystkich stron łapało światło. Szybko
zajrzała do sypialni na piętrze, po czym zbiegła z Evie otworzyć
drzwi.

– Kto ty jesteś? – zapytał głos ze śpiewnym szkockim akcentem.

– Evie – przedstawiła się dziewczynka.

Na progu stał zmoknięty młody mężczyzna, z trudem balansu-
jąc wielkim pudłem. Zakłopotana Sara zrobiła mu przejście.

– Muszę gdzieś postawić komputer – powiedział.

Wskazała prostokątny stół.

– Sara, córka Maggie. – Uścisnęła mu dłoń, kiedy wreszcie
uwolnił się od pudła. – Mama musiała pojechać na pogrzeb i prosiła, żebym się panem zajęła.

– Jestem Angus Hamilton. – Uśmiechnął się szeroko.

Ojej! Był dokładnie w jej typie: trochę od niej wyższy, kościsty,
ze sterczącymi włosami i lekkim śladem zarostu. Miał na sobie dżinsy, skórzaną kurtkę i sznurowane buty. Ale najbardziej spodobały się
Sarze jego oczy, wielkie, ciemne i marzące.

– Pójdę do samochodu po jedną torbę, reszta może poczekać,
aż ten potop się skończy.

– Niech pan weźmie parasol – poradziła. Patrzyła, jak chłopak
znika za żywopłotem.

Kiedy wrócił z plecakiem i płaskim monitorem, zdążyła nastawić wodę. Pragnęła jeszcze trochę posłuchać tego uroczego szkoc-
kiego akcentu.

Powiesił kurtkę na kutym metalowym wieszaku przy drzwiach
i zaczął krążyć po salonie.

– Ten dom wygląda jeszcze lepiej, niż zapamiętałem.

– Cieszę się. – Sara się uśmiechnęła promiennie. – Przyniosłam dla pana kilka rzeczy na powitanie, mleko, cukier i kawę.

– Och, to bardzo miło – odparł, przeczesując wilgotne włosy palcami.

– Mieszkamy blisko, na poddaszu, a mama chciała być pewna, że bez problemu się pan wprowadzi.

– Pięknie dziękuję – powiedział poważnie.

Sara oprowadziła go po domu i przekazała wszystkie niezbędne informacje.

– Woda się zagotowała. Zrobię panu kawę albo herbatę – zaproponowała, mając nadzieję, że nie uzna jej za zbyt natrętną.

– Tylko pod warunkiem, że zostaniecie. – Angus otworzył czekoladowe herbatniki i poczęstował Evie. – Mówmy sobie po imieniu, dobrze?

Sara chętnie się zgodziła. Zaparzyła kawę i zaniosła kubki do stolika przy czarnej skórzanej sofie, na której Angus siedział z Evie i opowiadał o potworze z Loch Ness.

– Powiedziała, że lubi dinozaury – wyjaśnił.

Przez następną godzinę Sara mówiła o sklepach w okolicy, klubach i dobrych restauracjach, które jej siostry i znajomi często odwiedzali.

– Dobrze usłyszeć czyjąś rekomendację, ale zawsze lepiej sprawdzić wszystko osobiście! – zażartował.

– Czasami mnie też uda się wyskoczyć – zaprotestowała Sara. – Choć przy Evie to niełatwe.

– Więc ty i mąż rzadko wychodzicie?

– To nie tak. Ojciec Evie mieszka we Włoszech, więc prawie się nie widujemy – wyznała szczerze Sara.

– Bardzo mi przykro.

– Niepotrzebnie – stwierdziła stanowczo. – Dla mnie liczy się tylko Evie. A ty?

– Niedawno skończyłem dwadzieścia siedem lat. Pochodzę z Barclay, dzielnicy Edynburga. Mam siostrę i dwóch braci. Studio-

wałem na politechnice. Oprócz gier projektuję też systemy komputerowe. Gry to właściwie rodzaj hobby, zajęcie dodatkowe – dorzu-
cił kpiąco, nie odrywając ciemnych oczu od jej twarzy. – Mam śliczną dziewczynę Megan. Na pewno ją poznasz, kiedy za kilka tygodni
przyjedzie mnie odwiedzić.

– Cudownie – odparła Sara, usiłując ukryć rozczarowanie. To
było za piękne, żeby było prawdziwe. Chłopak taki jak Angus musiał mieć dziewczynę. Ale mama się nie myliła, miły z niego facet.
W najgorszym razie zostaną przyjaciółmi. – Muszę się zbierać –
oznajmiła. – Pora położyć Evie spać, zwłaszcza że jutro idzie na
przyjęcie urodzinowe do Puppet Theatre. Obiecałam jednej z mam
pomoc, bo przyprowadzi dwanaścioro sześciolatków!

– Zapowiada się niezła zabawa! – odparł Angus. – Uwielbiam
takie imprezy!

Kiedy wieczorem Sara siedziała przed komputerem, przy wtórze
ulewnego deszczu i wichury, pisząc dla Evie historyjkę o psie, złapała się na tym, że z ulgą myśli o bliskiej obecności Angusa.

Rozdział 14

Grace po raz ostatni sprawdziła stół. Ultranowoczesne fińskie
sztućce, kryształowe kieliszki, świece od Meadowsa i Byrne'a, dwie
zielone łodygi z widowiskowymi kępkami czerwonych liści – wszystko idealnie rozstawione na eleganckim stole z ciemnego orzecha.

Z kuchni docierał oszałamiający zapach potraw i Grace stłumiła atak głodu; nie chciała psuć sobie apetytu, za dużo podjadając.
Kotleciki z łososia w ziołowej panierce, za którymi Shane przepa-
dał, czekały tylko, żeby je podgrzać i podać na liściach sałaty. Głównym daniem była wieprzowina z jabłkami w calvadosie oraz pieczone słodkie ziemniaki i marchewki. Na deser Grace upiekła ciasto

kawowe. Udało się wspaniale i kusząco wyglądało na wielkiej ceramicznej tacy. Pokój skąpany był w przytłumionym świetle świec, w tle śpiewał Sinatra, już otwarta butelka drogiego merlota stała na blacie, a chablis chłodziło się w lodówce. Przez żołądek do serca – cóż, Grace miała nadzieję, że dzisiaj wieczorem to się sprawdzi. Lubiła zapraszać przyjaciół na kolację i drinki, ale dzisiejszy wieczór zarezerwowała tylko dla Shane'a.

Wczoraj były jego trzydzieste piąte urodziny. Grace zirytowała się, kiedy oznajmił, że idzie z klientem na biznesową kolację, na którą jej nie zaproszono.

– Możemy to uczcić innym razem – powiedział, jakby nigdy nic.

Ha, w takim razie urządzą sobie kameralne przyjęcie. Wyszła wcześniej z pracy, żeby przyrządzić ulubione dania Shane'a. Kupiła drogie wina. Ucieszyła się, kiedy z entuzjazmem przyjął propozycję intymnej kolacji w domu, a nie w restauracji. To, że z przyjemnością chciał zostać na romantyczny wieczór, bez wątpienia było krokiem we właściwym kierunku.

Znała Shane'a od lat. W college'u studiował architekturę parę lat wyżej, złoty chłopiec, który nie popełnia błędów. Grace odbyła trzyletni staż u Hunta Browna, gdzie specjalizowała się w rekonstruowaniu zniszczonych budynków w zaniedbanych częściach miasta. Adaptowała stare młyny, fabryki i kościoły na nowoczesne mieszkania. Kiedy Derek Thornton, szef jednej z największych i najlepszych pracowni architektonicznych w mieście, zaproponował jej pracę, nie zastanawiała się nawet przez chwilę. Wtedy też ponownie spotkała Shane'a O'Sullivana. Mieszkał z piękną dziewczyną Ruth Liddy, dziennikarką z „Irish Timesa", a Grace umawiała się na randki z młodym adwokatem Fintanem Dywerem.

Shane był zawsze profesjonalny, uprzejmy i czarujący, więc kiedy dwa lata później wspólnie zaczęli pracować nad projektem hotelu w Barcelonie dla jednego z poważnych irlandzkich klientów, Grace nie posiadała się z radości. Po kilku tygodniach pracy wybrali się na suto zakrapianą winem kolację w zabytkowej restauracji

Els Quatre Gats. Potem, trzymając się za ręce, szukali taksówki na Barri Gotic. Shane wyznał, że kilka miesięcy wcześniej jego związek się rozpadł i Ruth wyjechała w podróż po Ameryce Południowej. Grace czytała kilka jej artykułów z cyklu „Gdzie oczy poniosą". Zazdrościła dziennikarce, że potrafi w jednej chwili spakować się i ruszyć w drogę.

– To tyle, jeśli chodzi o szczęśliwą parę – oznajmił pijany Shane.
– Ruth i mnie zależało na innych rzeczach.

Grace pocieszyła go i powiedziała, że ona też kilka miesięcy temu zerwała z Fintanem, który zainteresował się seksowną młodą prawniczką Hilary.

– Głupi drań! – skwitował Shane, zamawiając po drinku w hotelowym barze.

O trzeciej nad ranem, gdy pomagała Shane'owi wtoczyć się do windy, a potem do łóżka, już wiedziała, że jest zakochana.

Nazajutrz powitał ją przy śniadaniu czerwoną różą i przeprosinami, a kiedy ich dłonie się zetknęły, nie było odwrotu. Odwołali wszystkie spotkania do końca dnia i poszli do jej pokoju z wielkim podwójnym łóżkiem i widokiem na marinę. Poznawali swoje ciała zaskoczeni namiętnością, która ich ogarnęła. W mieście Gaudiego odkryli Güell Park i Monjuïc, żartobliwie kłócili się o architekturę i sztukę. Na pamiątkę pobytu w Hiszpanii Shane kupił Grace kamienną jaszczurkę w zwariowane wzory.

Po powrocie do Dublina stali się parą; chodzili na romantyczne kolacje, które zawsze kończyły się w mieszkaniu Grace. Kamienna jaszczurka Gaudiego patrzyła na nich z balkonu, kiedy się kochali. Grace nigdy dotąd nie czuła się tak szczęśliwa. Jak to cudownie, że odnaleźli się w odpowiednim momencie życia. Dobra, nie byli zakręconymi nastolatkami zadurzonymi w sobie do szaleństwa, ale kochała Shane'a i chciała z nim być. Czarujący, przystojny i inteligentny: miał wszystkie cechy, których pragnęła u partnera. Kiedy powiedział, że nie chce pochopnie się żenić, pokiwała ze zrozumieniem głową i stwierdziła, że nie ma pośpiechu. Mogła poczekać. W tych bardzo rzadkich chwilach, kiedy opiekowała się swoją siostrzenicą Evie, przekonywała siebie, że pewnego dnia zostanie żoną i matką. To nieprawda, że nie może mieć wszystkiego: kariery, miłości, dzieci – idealnego życia, zrównoważonego i pięknego.

Poprawiała włosy, kiedy zadzwonił telefon; Shane uprzedzał, że trochę się spóźni.

– Wszystko jest gotowe – odparła błagalnie. – Postaraj się, żeby to za długo nie trwało.

– Grace, przyjdę, jak będę mógł.

Czas mijał; Grace popijała schłodzone chablis i pogryzała migdały. Jak tak dalej pójdzie, potrawy będą do niczego. Zmniejszyła temperaturę w piekarniku i zwinięta na sofie czekała na Shane'a.

Kiedy się w końcu pojawił, pocałował ją z roztargnieniem. Grace podała jedzenie. Shane ledwo zauważył kotleciki rybne i unikał jej wzroku, przeżuwając wieprzowinę.

– Wszystkiego najlepszego z okazji urodzin. – Wzniosła toast i dolała mu wina.

– Nie tak dużo, nie mogę zostać. Wieczorem mam spotkanie.

Grace nie wierzyła własnym uszom. Czy chociaż w ten jeden wieczór nie mógł trochę zwolnić? Nie zamierzała jednak się kłócić. Zajęła się sprzątaniem ze stołu i parzeniem kawy.

Podała ciasto, według przepisu mamy, wyśmienite. Ale Shane tylko grzebał w nim widelczykiem. Był zarumieniony, wyraźnie zakłopotany; jakiś problem?

Już chciała wręczyć mu ładnie opakowany prezent, kiedy powiedział:

– Grace, musimy porozmawiać.

Serce jej zamarło. Minę miał poważną.

– Jesteśmy idealną parą, lubimy te same rzeczy, myślimy podobnie, cenimy piękno. Byliśmy ze sobą szczęśliwi...

Grace wstrzymała oddech, czekając na dalszy ciąg, na wyznanie, jak bardzo ją kocha, pragnie i chce zawsze z nią być.

– Spędziliśmy cudowne chwile. Jesteś wspaniałą dziewczyną. Słuchaj, to takie niezręczne, nie wiem, jak to powiedzieć...

Rozmowa z całą pewnością nie zmierzała w kierunku, którego Grace się spodziewała. Nigdy wcześniej nie widziała Shane'a tak spiętego i zakłopotanego.

— Rzecz w tym, Grace, i nie ma co owijać w bawełnę... chodzi o to, że Ruth i ja znowu jesteśmy razem. Chcemy naszemu związkowi dać kolejną szansę.

— Jak to: razem?! — Grace z niedowierzania zabrakło tchu. — Myślałam, że Ruth wyjechała!

— Tak, ale wróciła. Wpadliśmy na siebie, kiedy przyleciała z Hondurasu.

— Więc się z nią spotykasz? — zapytała z ciężkim sercem. Odwołane randki i dziwaczny plan pracy, teraz wszystko jasne.

— Uwierz mi, Grace, nie planowałem tego, ale kiedy znowu ją zobaczyłem, zrozumiałem, że wciąż coś nas łączy.

— Nie planowałeś, ale się stało. — Grace koncentrowała się na stole, tych cholernych świecach i kwiatach, byle tylko nie patrzeć Shane'owi w oczy.

— Ruth i ja wracamy do siebie — oznajmił stanowczo.

— Mówiłeś, że między wami wszystko skończone. W przeciwnym razie nigdy bym się w ten związek nie zaangażowała.

— Wiem. Nie spodziewałem się, że znowu ją zobaczę, a już na pewno, że się z nią pogodzę. Przykro mi, Grace.

Czuła, jak żołądek jej się skręca.

— Nie chciałem cię zranić. — Dotknął jej ramienia długimi palcami. — Ale Ruth...

— Cholera, nie chcę słyszeć ani jednego słowa więcej o Ruth! — wybuchnęła. — A teraz wynoś się stąd. Nie mamy sobie już nic więcej do powiedzenia!

— Nie planowałem takiego zakończenia — powtórzył ze skruchą, biorąc kurtkę i kluczyki.

Odwrócona do niego plecami, usiłowała zachować panowanie nad sobą, wpatrując się w światła miasta, w ciemne niebo i wirujące krople deszczu. Szok odebrał jej siły.

— Ty draniu! — zawołała, słysząc trzask zamykanych drzwi.

Porzucił ją. Nie dorównywała jego byłej dziewczynie. Zrzuciła buty, padła na sofę z kremowej skóry i zaczęła płakać. Jej życie rozpadło się na kawałki. Chwyciła pudełeczko z platynowymi spinkami, które specjalnie dla niego zamówiła, i walnęła nim o ścianę. Nalała sobie białego wina. Co teraz? Nie potrafiła sobie wyobrazić życia bez Shane'a. Jak poradzi sobie w firmie, codziennie pracując z nim przy projektach? Była beznadziejną idiotką. Dolała jeszcze wina do kieliszka. Shane pewnie poszedł prosto do Ruth. Grace wyobrażała sobie, jak się z niej śmieją. Nie zniesie takiego upokorzenia. Powinna słuchać matki. Maggie ciągle powtarzała, że Shane jest nieodpowiednim facetem. Powinna słuchać Sary, żeby nie angażować się w związek z kolegą z pracy. Nawet Annie wystarczyło kilka minut znajomości, by uznać go za ulizanego drania. Grace miała ochotę zawinąć się w koc i umrzeć. Nigdy więcej nie wychodzić z domu, nie musieć przyznawać, że zrobiła z siebie kretynkę, ufając Shane'owi.

Otworzyła następną butelkę wina i wróciła na sofę. Okropnie jest być porzuconą! Wspólne życie z Shane'em nagle przestało istnieć. Jak miraż – po prostu się rozpłynęło. Grace musiała stawić czoło prawdzie: Shane nigdy jej nie kochał.

Z wysiłkiem wstała i przeszła z salonu do sypialni. Grace wzięła jaszczurkę, przechyliła się przez metalową balustradę, głęboko zaczerpnęła powietrza i rzuciła dzieło Gaudiego w mroczne wody. Potem stała i patrzyła, jak rzeźba znika.

Po długiej chwili wykręciła numer Anny, ale telefon był wyłączony. Nie było sensu o tak późnej porze dzwonić do Sary, bo obudziłaby Evie. Wykręciła numer do rodzinnego domu; telefon dzwonił przez kilka minut.

– Słucham? – odezwała się matka.

Jak to się dzieje, że jej głos zawsze brzmi tak spokojnie i kojąco.

Rozdział 15

*M*aggie wierciła się w wygodnym, dużym obszernym łóżku, które przez ponad dwadzieścia siedem lat dzieliła z Leonem. Nigdy nie przyzwyczai się spać sama, nigdy. Wciąż tęskniła za ciepłem, oddechem męża, a także – choć przyznawała to z oporami – za jego okropnym chrapaniem. Nie musiała już poszturchiwać go i błagać, żeby przestał, ale oddałaby wszystko, byle tylko Leo znowu leżał obok niej. Pusta połowa łóżka ciągle przypominała o jego nieobecności.

Teraz na koniec dnia uciekała od samotności, oglądając telewizję albo zatapiając się w lekturze powieści Joanne Harris, Maeve Binchy czy Anity Shreve. Obrazy na ekranie, słowa w książkach pomagały zapomnieć o pustce. Jak to możliwe, że kobieta otoczona dziećmi, przyjaciółmi i sąsiadami jest samotna? A jednak… Wcześniej brała szczęście i wygodę swojego małżeństwa za pewnik. Teraz zazdrościła takim parom, jak Detta i Tom – bardzo się kochali i pomimo wieku gotowi byli zmierzyć się z nowym życiem w Anglii; jak Kitty i Harry – kłócili się i mieli za sobą kilka burzliwych lat, ale stanowili jedność i właśnie wydawali córkę za mąż. Tak nie znosiła samotności!

Od śmierci Leona nauczyła się zmieniać żarówki i naprawiać kontakty, resetować komputer i ładować akumulator w samochodzie. Drobiazgi, ale jakże ważne! Wciąż krzyczała ze złości, kiedy nie mogła sięgnąć na górne półki, na których Leo zostawił jakieś rzeczy, albo za bardzo się bała, żeby wejść na strych po choinkę, lampki czy torbę podróżną. W dzień jakoś się trzymała, nie pozwalając sobie na odpoczynek, tylko wieczorami, sama w sypialni, poddawała się lękom i samotności. Często leżała bezsennie, nasłuchując przerażających odgłosów, których nie zauważała, bo obok niej był Leo.

Dzisiaj wieczorem już zaczynała się odprężać, kiedy zabrzęczał telefon. Kto dzwoni o tak późnej godzinie? Boże, musiało się stać coś strasznego. Pewnie Evie się rozchorowała. Maggie natychmiast podniosła słuchawkę, usiłując stłumić niepokój.

– Słucham?

– Mama?

– Grace! – Najstarsza córka nigdy nie dzwoniła o tak późnej porze. – Co się stało, kotku?

Grace łkała rozpaczliwie, jak mała dziewczynka.

– Jesteś chora? Miałaś wypadek? – dopytywała gorączkowo Maggie.

– Mamo, Shane mnie rzucił. To już koniec... – Grace całkiem się załamała.

– Ktoś z tobą jest?

– Nie, jestem sama. Cholera, teraz już zawsze będę sama!

– Mam przyjechać? – zapytała łagodnie Maggie, wstając z łóżka.

– Chcę wrócić do domu, wynieść się z tego pieprzonego mieszkania! – lamentowała Grace.

– Możesz prowadzić? – Głupie pytanie, Grace bełkotała jak po alkoholu i była roztrzęsiona. – Posłuchaj, kochanie, wskoczę do samochodu i przyjadę po ciebie. Przygotuj sobie rzeczy. Zaraz jestem.

– Dziękuję, mamo. – Grace pociągnęła nosem. – Czekam.

Maggie odłożyła słuchawkę i przez chwilę siedziała na łóżku, usiłując pozbierać myśli. Dochodziła druga w nocy, Grace się upiła i w żadnym razie nie można jej zostawić samej. Przez lata zwykle Leo odpowiadał na rozpaczliwe telefony córek. Dobrodusznie zwlekał się z łóżka, żeby odebrać je z imprezy. Teraz ten obowiązek spadł na Maggie. Pobiegła do łazienki, spryskała twarz wodą, szybko wciągnęła spodnie, granatowy polar, włożyła skarpety i buty. Przeciągnęła grzebieniem po włosach, złapała kluczyki i wypadła z domu.

Silnik starego bmw zawarczał, gdy przekręciła kluczyk. Ruszyła w stronę miasta. Lis z błyszczącymi oczami, który wybrał się na nocne łowy, uskoczył przed samochodem.

66

Dublin nocą był zatłoczony tak samo jak w dzień, na ulicach roiło się od młodych ludzi, którzy po spotkaniach w klubach i restauracjach wracali taksówkami do domu, tu i tam krążyły policyjne patrole. Maggie skupiła się na drodze. Kiedy przejechała rzekę Liffey i zbliżyła się do IFSC, podziękowała Bogu, że jest już blisko mieszkania Grace. Wysoki szklany budynek, w którym mieszkała córka, znajdował się w samym sercu miasta, rzut kamieniem od rzeki. Na szczęście na ulicy było sporo miejsca do parkowania. Zamknęła samochód i ruszyła do River Building. Wystukała kod, potem pojechała windą na szóste piętro.

Grace otworzyła drzwi, ubrana w stary T-shirt i spodnie od dresu. Wyglądała okropnie, miała czerwone oczy, ciekło jej z nosa. Typowy dla niej spokój zniknął bez reszty. Wręczyła matce wypchaną torbę lotniczą i reklamówkę.

– Chodźmy stąd! – powiedziała błagalnie.

Maggie poprowadziła córkę do samochodu. Kusiło ją, żeby zapytać, co się stało, ale musiała poradzić sobie z jazdą po ciemku. Rozmowa poczeka, aż wrócą na plac Przyjemny.

– Moje małe biedactwo – pocieszała Grace, która z chusteczką przy twarzy szlochała jak pięciolatka.

– Cholerny dupek! Drań!

Maggie mruczała współczująco, ale lata doświadczenia nauczyły ją, że jeśli potwierdzi, iż jeden z najlepszych przyjaciół, nauczycieli, chłopaków czy kochanków córki jest dupkiem, zapłaci za to, kiedy skłócona para rozwiąże swoje problemy i się pogodzi. Wszelkie ostre słowa nagle zostaną jej wypomniane. Choć od samego początku uważała, że Shane jest zupełnie nieodpowiedni dla jej cudownej córki, to nie była właściwa pora, by powiedzieć: „A nie mówiłam".

– Wrócił do swojej dawnej dziewczyny!

Maggie wstrzymała oddech. Ogarnął ją zimny gniew. Jak Shane O'Sullivan mógł tak zranić jej córkę?!

Grace oparła głowę o szybę i szklanym wzrokiem wpatrywała się w noc.

Maggie usiłowała ukryć emocje, robiąc przesadny zamęt przy otwieraniu drzwi i włączaniu lamp. Traktowała Grace jak chorą, która wróciła ze szpitala.

– Nastawię wody i zaparzę herbaty – mówiła kojąco, prowadząc córkę do kuchni.

– Nie chcę herbaty! – zaprotestowała Grace i ruszyła prosto do lodówki. – Musi tu być jakieś wino albo wódka!

– Córeczko, bądź rozsądna.

– Mam gdzieś bycie rozsądną! – oznajmiła sarkastycznie Grace, wyjmując butelkę chablis. – To doskonale mi zrobi.

Maggie bez słowa obserwowała, jak Grace zmaga się z korkociągiem i nalewa wino do dwóch kieliszków. Sama wypiła całą butelkę baileysa w wieczór, kiedy umarł Leo.

– No, mamo! Napij się ze mną.

Maggie nie miała ochoty na wino, ale Grace potrzebowała towarzystwa.

– Dobrze, ale herbatę i tak zaparzę.

Grace opadła na fotel i skulona popijała chablis. Wyglądała jak kupka nieszczęścia.

– Przyszedł na kolację. Wieczór miał być wyjątkowy, z bajerami, niespodziankami… No i była niespodzianka – powiedziała z goryczą. – Tylko że dla mnie. Postanowili z Ruth wrócić do siebie.

– To ta dziennikarka? Zdawało mi się, że wyjechała za granicę.

– Ale wróciła. Przypadkiem gdzieś na siebie wpadli i jakoś nie mogli się rozstać. Kiedy myślałam, że Shane pracuje do późna albo jest na kolacji z klientem, on się spotykał z Ruth. Wspominali dawne czasy i znów się w sobie zakochiwali, cholera jasna. Możesz w to uwierzyć?

Maggie nie wiedziała, co odpowiedzieć. Tak, mogła w to uwierzyć, że mężczyzna bez większego namysłu zostawia jedną dziewczynę, by rzucić się w ramiona innej. Kobiety ciągle mają serca złamane przez facetów, którzy nawet w połowie nie są ich warci. Grace była piękna i dobra, o wiele za dobra dla typa pokroju Shane'a, kobieciarza i oszusta. Niech ta druga go sobie weźmie! Maggie ulżyło, że zniknął z życia jej córki.

– Przykro mi, Grace, że tak cię zranił.

– Mamo, co ja bez niego zrobię? – zapytała rozpaczliwie Grace. Ściskając kieliszek, skuliła się na kuchennym krześle.

Cóż odpowiedzieć? Czas leczy rany i Grace zapomni o Shanie. Teraz pewnie nie chce tego słuchać, bo jest zrozpaczona, ale jej będzie o wiele lepiej bez tego egoisty Shane'a O'Sullivana. Choć zawsze trudno poradzić sobie ze stratą.

– Wyrzucisz go z pamięci, zobaczysz – mówiła. – Masz mnie, siostry, przyjaciół. Mnóstwo ludzi cię kocha.

– Czuję się jak totalna idiotka! – szlochała Grace. – Głupia kretynka! Powinnam się zorientować, co jest grane! – Słowa płynęły z jej ust wartkim strumieniem, w jednej chwili była zła i zirytowana, w drugiej zrozpaczona.

Maggie słuchała, zrobiła herbatę i grzanki, a potem usiłowała nakłonić córkę, by coś zjadła.

– Nie wiem, jak dam radę chodzić do pracy i codziennie go widywać. Wszyscy się o nas dowiedzą. Pomyślą, że jestem do niczego.

– Grace, nie zrobiłaś nic złego – oznajmiła stanowczo Maggie. – Mówiłaś, że u Thorntona pracuje ponad sto osób, i w większości na pewno są zbyt zajęci, żeby zauważyć, co między wami zaszło.

Grace podjęła próbę dokończenia butelki wina, ale Maggie ją ubiegła i nalała sobie pełny kieliszek. Nie zamierzała go wypijać, chciała tylko, żeby córka wreszcie poszła do łóżka, zamiast miotać się po kuchni z bladą, napiętą twarzą i nabiegłymi krwią oczyma.

– Twój dawny pokój czeka – zasugerowała. – Najwyższa pora, żebyś się przespała, kotku. Jesteś wykończona.

– Zgadza się – potwierdziła bełkotliwie Grace.

– Więc chodź. Posprzątamy rano.

Pomogła córce wejść na piętro, w duchu dziękując niebiosom, że kilka dni temu odświeżyła sypialnię, a przed wyjazdem włączyła ogrzewanie.

Już miała się położyć, kiedy usłyszała, jak Grace pędzi do łazienki i wymiotuje. Biedactwo! Maggie nie mogła się powstrzymać, musiała do niej pójść, pomóc, podać zwilżony ręcznik do wytarcia twarzy.

– Wszystko będzie dobrze, skarbie. Rano poczujesz się lepiej.

Grace pewnie prześpi kilka godzin największego bólu, a rano obudzi się trzeźwa i spokojna. Maggie przyniosła córce świeżą piżamę. Wychodząc, zostawiła uchylone drzwi, żeby w razie czego słyszeć wołanie. Z ulgą zobaczyła, że Grace swoim zwyczajem zwija się na boku i niemal natychmiast zasypia. Z bladą twarzą bez makijażu i opaską na włosach wyglądała raczej na szesnastolatkę, a nie trzydziestoletnią kobietę.

– Moje biedactwo – mruknęła Maggie.

Kilka następnych godzin siedziała w łóżku i czytała; żałowała, że nie ma przy niej Leona. Jego obecność zawsze działała kojąco. Zapadła w drzemkę nad ranem, kiedy w radiu nadawali wiadomości, bo dopiero wtedy odważyła się zmrużyć oko. Mały zawód miłosny to rzecz normalna w domu pełnym córek, ale to było coś innego. Grace naprawdę liczyła, że ten związek okaże się trwały. Nie przywykła do porażek, do niepomyślnego obrotu spraw.

O dziewiątej Maggie zadzwoniła do Kate, sekretarki w firmie architektonicznej, i powiedziała, że Grace jest chora i dzisiaj nie przyjdzie do pracy. Westchnęła, wybierając numer Anny. Jeśli okaże się, że córka ma wcześnie wykład, zostawi jej wiadomość. Potem zatelefonuje do Sary, kiedy Evie będzie w przedszkolu. Teraz Grace potrzebuje sióstr. Inni też okazaliby zrozumienie, ale w takiej sytuacji dziewczyny powinny trzymać się razem.

Zaglądała do Grace kilka razy, ale córka spała niemal do obiadu. Spod kołdry widać było tylko spiętą twarz.

Maggie pod pretekstem bólu głowy odwołała spotkanie ze starą przyjaciółką Sylwią. Czas zabijała sprzątaniem kuchni i obrywaniem uschniętych róż w donicach przy tylnych drzwiach.

– O co chodzi, mamo? – zapytała z troską Sara, wychodząc zza rogu. – Co się stało Grace?

– Zerwała z Shane'em.

– Może się tylko pokłócili – zasugerowała Sara. – Wiesz, jacy oboje są uparci.

– Nie. To koniec. Shane wrócił do dawnej dziewczyny.

– Och, biedna Grace! Jak się czuje?

– Jest załamana. Pojechałam po nią o drugiej w nocy. Wypiła za dużo i śpi na górze.

– Iść z nią pogadać?

– Nie, niech się porządnie wyśpi.

Przy kawie Maggie z Sarą zastanawiały się nad charakterami mężczyzn i zamętem, jakie ich kaprysy powodują w życiu kobiet.

– Zabiłabym faceta, gdyby tak potraktował Evie! – oznajmiła Sara.

Maggie stłumiła uśmiech. Czuła dokładnie to samo, kiedy ktoś skrzywdził którąś z jej córek. Sądziła, że ten instynkt macierzyński lwicy zniknie, kiedy dzieci dorosną i staną się samodzielne, ale ze zdumieniem przekonała się, że jest tak samo silny jak dawniej. Rozerwałaby Shane'a na strzępy, bo przez niego cierpiała jej córka.

– Nie zasługiwał na miłość takiej uroczej dziewczyny jak Grace – stwierdziła.

Sara potaknęła. Na dalszą rozmowę nie miała czasu. Musiała zrobić zakupy i odebrać Evie z przedszkola.

– Zaprosiła do domu koleżankę, a ja obiecałam, że będą mogły upiec i udekorować baśniowe ciasteczka.

Maggie uśmiechnęła się, przypominając sobie takie spotkania w kuchni i bałagan, jaki po nich zostawał.

– Bawcie się dobrze i powiedz Evie, żeby ocaliła jedno dla babci.

– Wpadnę później zobaczyć się z Grace – obiecała Sara, wychodząc przez kuchnne drzwi.

Maggie czytała gazetę, jedząc tuńczyka z majonezem na grzance, kiedy wreszcie pojawiła się Grace. Wyglądała strasznie: blada, rozczochrana, dręczona okropnym kacem. Nalała do szklanki zimnej wody z kranu.

– Siadaj, kotku, zrobię ci kawy.

Grace opadła na kuchenne krzesło.

– Przykro mi, mamo, że ściągałam cię w nocy... i w ogóle.

– Wszystko w porządku. Po to są matki.

Grace pustym wzrokiem wpatrywała się w stół.

– W głowie mi się nie mieści, że to skończone – powtórzyła. – Myślałam, że Shane to ten jedyny, facet, na którego czekałam, może nawet mój ideał!

Maggie bez słowa objęła córkę i przytuliła, jakby Grace znowu była małą dziewczynką.

– Wszyscy popełniamy błędy, nie zawsze dokonujemy właściwego wyboru w miłości – powiedziała, starając się pocieszyć dziewczynę. Ale postanowiła też, że następny mężczyzna w życiu jej córki będzie zupełnie inny: oddany, godny zaufania, dobry, czarujący i gotów ożenić się z Grace! Trudna sprawa, ale jeśli zdoła postawić na swoim, następny partner... będzie tym jedynym.

Przekonała Grace, żeby zjadła grzankę i wypiła dwie filiżanki kawy z mlekiem.

– Co ja zrobię, mamo? Co powiem ludziom?

– Po prostu prawdę, że Shane wrócił do dawnej dziewczyny, a sama zajmiesz się swoim życiem.

Maggie nie przekonała tym Grace. Nic dziwnego. Doskonale wiedziała, co znaczy nagle stracić partnera. Samotność to koszmar. Mimo że otoczona krewnymi i przyjaciółmi, aż za dobrze poznała, co to tęsknota za utraconym ukochanym, żeby teraz udawać, że nic wielkiego się nie stało.

– Może weźmiesz gorący prysznic? – zaproponowała. – Poczujesz się lepiej, a jeśli będziesz miała ochotę, wybierzemy się później na krótki spacer. Morski wiatr dobrze nam zrobi.

– Nie chcę iść na spacer – marudziła Grace, coraz bardziej przypominając naburmuszone dziecko.

Maggie jednak nie rezygnowała i po namowach Grace ustąpiła. Dwie godziny później szły nabrzeżem Dun Laoghaire otulone polarowymi kurtkami. Wiatr porywał ich słowa. Nad głowami krążyły mewy, zacumowane w marinie jachty podskakiwały na falach przy akompaniamencie szczękającego osprzętu. Było chłodniej, niż Maggie przypuszczała, mimo to Grace wystawiała twarz na wiatr i głęboko nabierała powietrza, wdychając energię i wigor natury. Brodę trzymała stanowczo zadartą, tak jak w dzieciństwie.

Rozdział 16

Grace wodziła wzrokiem po znajomej sypialni przy placu Przyjemnym. Było tak, jakby znowu miała dziesięć lat i wróciła do punktu, od którego zaczęła. Do dzieciństwa. W ciepłym pojedynczym łóżku ze sprężynowym materacem, pod ciężką kołdrą w wyblakłej powłoczce, czuła się bezpieczna. Mogła udawać, że wcale nie dorosła, że nie narobiła w swoim życiu strasznego bałaganu, że Shane O'Sullivan nie pojawił się na jej drodze. Wspominała, jak będąc nastolatką, wykłócała się z ojcem o starą mahoniową szafę w rogu; chciała stworzyć własny wystrój, a do tego potrzebowała nowych mebli. Leo Ryan ustąpił, do sypialni wstawiono sosnową komodę, regał i szafę, ściany pomalowano na jasny kolor. Grace ozdobiła je zdjęciami dzieł sztuki współczesnej, które później ustąpiły miejsca fotografiom prac takich architektów jak Frank Gehry i Santiago Calatrava. Pokój był jej schronieniem, tu miała swoje biurko, kosmetyki, ubrania. Napis „Wstęp wzbroniony" przyklejony do drzwi okazał się nieskutecznym środkiem odstraszającym siostry, które ciągle do niej wpadały. Znajome odgłosy domu działały kojąco: na dole mama krzątała się w kuchni, grało radio, wiatr szeleścił wśród gałęzi wysokiej sykomory. Otuliła się kołdrą i pomyślała, jak byłoby dobrze, gdyby nigdy nie musiała opuszczać tego pokoju, zmagać się ze światem. Czasami żałowała, że nie jest małą dziewczynką. Słysząc kroki na schodach,

73

przekręciła się na bok i wstrzymała oddech. Udawała pogrążoną w głębokim śnie. Do pokoju weszła Evie.

– Cichutko, ciocia śpi – usłyszała głos Sary.

– Co jej się stało? Jest chora? – zapytała mała.

– Coś w tym rodzaju.

– Zatruła się jak Ashling? Dzisiaj wymiotowała w klasie. Okropne. Panna Roche musiała to wszystko posprzątać.

– Nie, to nie taka choroba – zapewniła ją cierpliwie Sara. – Ciocia Grace jest smutna. Jak dorośniesz, lepiej to zrozumiesz.

Grace zaciskała oczy i starała się oddychać regularnie. Dlaczego Sara i Evie po prostu sobie nie pójdą i nie zostawią jej w spokoju?

– Mamusiu, ciocię boli brzuch?

– Nie, też nie to.

Zaintrygowana Evie zbliżyła buzię do twarzy ciotki. Grace nie wytrzymała i nagle spojrzała dziewczynce prosto w oczy.

– Obudziła się! – zawołała Evie, z podnieceniem gramoląc się na łóżko.

– Przepraszam – szepnęła Sara.

– Chodź i mocno przytul biedną ciocię. Buziak od mojej ulubionej siostrzenicy dobrze mi zrobi.

Evie, wciąż w przedszkolnym mundurku, oplotła Grace rękami i uściskała.

– Od razu humor mi się poprawił – powiedziała zupełnie szczerze.

– Jak się czujesz? – zapytała łagodnie Sara, przysiadając na brzegu łóżka.

– Posiniaczona i obita, a w dodatku mam strasznego kaca!

Sara westchnęła.

– Lepiej kochać i stracić niż…

– Cholerne ukochane powiedzonko mamy – jęknęła Grace, opierając się o poduszki. – Doprowadza mnie do szału! Już przewlokła mnie po nabrzeżu w sztormowym wietrze, który miał wywiać moje zmartwienia. Och, gdyby tylko było to takie łatwe!

74

– Mama zawsze chodzi po nabrzeżu w chwilach rodzinnych kryzysów – przypomniała Sara. – Nie pamiętasz, jak łaziłyśmy tam i z powrotem, kiedy byłam w ciąży i zerwałam z Mauriziem?

– O Boże, tak, pamiętam. – Grace nagle uzmysłowiła sobie, że jej tragedia blednie w porównaniu z przeżyciami Sary.

Znudzona Evie bawiła się przedmiotami rozrzuconymi na toaletce, wśród których odkryła metrówkę z lampką.

– Mamusiu, po co to? – zapytała.

– Do mierzenia różnych rzeczy – wyjaśniła Sara. – Ale najpierw powinnaś zapytać Grace, czy możesz się tym bawić.

– Nic się nie stało – powiedziała Grace, marzyła, żeby nigdy więcej nie musiała niczego mierzyć ani dokonywać żadnych obliczeń w obecności Shane'a.

Evie wyciągnęła taśmę i zaczęła przykładać ją do szuflady, krzesła i biurka.

– Może pójdziesz do babci i pomierzysz coś w kuchni? – zaproponowała dyplomatycznie Sara.

– Dobrze. – Evie z uśmiechem ruszyła do drzwi.

Kiedy kroki na schodach ucichły, Grace zwróciła się do siostry:

– Saro, co mam zrobić? Nie wyobrażam sobie, żeby codziennie widywać się z Shane'em.

– Kochasz swoją pracę. Nie pozwól, żeby ta sprawa zmusiła cię do rezygnacji – oznajmiła gwałtownie Sara.

– Jak mogłam okazać się taką idiotką? Przecież to było oczywiste, że coś jest nie tak. Nawet w swoje urodziny nie znalazł czasu, żeby pójść na kolację! Powinnam się zorientować, że kogoś ma, ale zupełnie nie przyszło mi to na myśl. Sądziłam, że obsesyjnie stawia na karierę, więc ciężko pracuje. Co za kretynka ze mnie!

– Ufałaś mu, Grace. Ufamy ludziom, których kochamy.

Grace zastanawiała się, kiedy jej młodsza siostra zdążyła tak dojrzeć i zupełnie wyzbyć się egoizmu. Urodzenie Evie całkowicie zmieniło Sarę. Sama musiała wychowywać dziecko, wziąć za nie odpowiedzialność, dlatego stała się mądra nad wiek.

– Wredny typ. Okłamywał mnie, ukrywał, że spotyka się z Ruth.

– Cóż, w takim razie lepiej, że to się wydało.

I tak toczyła się ta rozmowa. Grace ciągle płakała, a Sara siedziała obok, nie krytykując ani nie osądzając siostry, tylko podawała jej czyste chusteczki, a brudne wyrzucała do kosza.

– Wszystko się ułoży. Możesz na nas liczyć. Mama, Anna i ja jesteśmy po twojej stronie. Shane nie był dostatecznie dobry dla ciebie. Zasługujesz na kogoś lepszego.

– Mama tak uważa – westchnęła Grace. – Nieustannie to powtarza jak zepsuta płyta.

– Tego kwiatu to pół światu! – Sara zaryzykowała żart.

Grace uśmiechnęła się ze znużeniem.

– Słowo daję, zamorduję ją, jeśli jeszcze raz to powie! Mama nie ma pojęcia, jak trudno trafić na przyzwoitego faceta! Niedługo skończę trzydziestkę i prawda jest taka, że mogę nigdy nikogo odpowiedniego nie spotkać.

– Nie bądź głupia, Grace. Los ci sprzyja – przypomniała Sara. – Robisz karierę, masz mieszkanie i samochód. Mnie nigdy nie będzie stać nawet na starego grata, jak tak dalej pójdzie!

– To ty jesteś szczęściarą – odparła Grace, którą nagle ogarnęły wyrzuty sumienia. – Masz Evie. To najśliczniejsza dziewczynka na świecie, a ja pewnie nigdy nie zostanę matką i skończę jako zgorzkniała stara panna.

– Jakoś w to wątpię. – Sara odrzuciła na bok długie jasne włosy i położyła się obok siostry.

Przytuliły się do siebie jak w dzieciństwie.

– Mama gotuje potrawkę – ostrzegła Sara.

– Potrawkę!

– Wołowina i wszystkie możliwe dodatki. Kroiła marchewki, pasternak i cebulę.

– O Boże!

– Musi nakarmić złamane serce. Znasz ją, będzie cię teraz dopieszczała, żebyś stanęła na nogi. Ja pewnie tak samo będę traktować Evie, kiedy ją rzuci jakiś drań.

Grace mimowolnie wybuchnęła śmiechem.

– To przerażające.

– Wszystko będzie dobrze, wierz mi – zapewniła poważnie Sara. – A teraz lepiej pójdę na dół, zanim Evie doprowadzi mamę do obłędu mierzeniem całego domu.

Z kuchni dolatywał zapach cebuli i mięsnej potrawki. Grace zapomniała, jak bardzo jest głodna; może jednak powinna się ubrać i zjeść obiad z rodziną. Sprawdziła telefon: przez cały dzień dzwonili i esemesowali przyjaciele. Shane się nie odezwał. Cóż, już przestał się liczyć w jej życiu, postanowiła więc usunąć jego numer z książki. Choć chwilę się wahała, zanim nacisnęła klawisz.

Anna przyszła prosto z pracy, uzbrojona w potężną butelką lucozade i wielką torbę żelek – ulubionych przysmaków Grace w dzieciństwie. Domagała się szczegółowego sprawozdania z katastrofalnej kolacji.

– Kotleciki z łososia, wieprzowina w calvadosie, ciasto! – mruknęła gniewnie. – Tyle zmarnowanego dobra!

Kiedy Grace doszła do tego, jak to wyrzuciła kamienną jaszczurkę z balkonu, nagle wbrew sobie głośno się roześmiała, rozbawiona absurdalnością swojego postępowania. Siostry i matka tłumiły chichot.

– Powinnaś wyrzucić Shane'a do tej cholernej rzeki! – zakpiła Anna.

Kiedy później Grace siedziała przy kuchennym stole z mamą, Sarą, Evie i Anną, jedząc ziemniaki i gorącą potrawkę z warzywami, uświadomiła sobie, że chociaż jedna część jej życia pogrążyła się w chaosie, ma jeszcze rodzinę – i to najlepszą w świecie!

Rozdział 17

Człowiek nie może wiecznie pławić się w wygodzie. Przez dwa dni Grace nie wstawała od stołu, zajadając zmartwienia domowym chlebem, rogalikami, szarlotką i biszkoptem, a rodzina krzątała się wokół niej jak troskliwe mrówki. Trzeciego dnia zdecydowała, że najwyższy czas wracać do domu i pracy.

Wyrzuciła do kosza resztki uroczystej kolacji razem z ulubionym serem Shane'a i pełnotłustym mlekiem, z którym pijał kawę. Postanowiła, że prezent odda do jubilera; szybko spakowała do torby rzeczy Shane'a: dwie płyty z filmami Quentina Tarantino, butelkę płynu po goleniu Hugo Bossa, szczotkę do zębów, grzebień i granatową koszulkę polo. Kusiło ją, żeby zanieść to wszystko do organizacji dobroczynnej, uznała jednak, że zostawi torbę w recepcji firmy. Niamh O'Halloran, jedna z jej najlepszych przyjaciółek, przysłała zwięzły esemes: „Pier... go", a ósmej zjawiła się z Lisą, Claire i Roisin, koleżankami ze szkoły; Grace wiedziała, że dziewczyny usiłują podtrzymać ją na duchu, ale sama chciała wrócić już do pracy, nawet jeśli to oznaczało spotkanie z Shane'em.

Rano włożyła swój najdroższy kostium, włoskie botki z Mediolanu i klasyczną białą koszulę Quin i Donnelly; zdecydowała, że przyjdzie do pracy wcześnie i będzie siedziała przed deską kreślarską na długo przed pojawieniem się Shane'a.

Pracownia Thorntona mieściła się w jednym z najbardziej nowoczesnych i znanych budynków miasta, skąd rozciągał się widok na doki; od dziesięciopiętrowej konstrukcji ze stali i szkła odbijały się promienie słońca. Grace jechała szklaną windą do biura na piątym piętrze. Po drodze mijała w atrium potężną rzeźbę z brązu – rybę wyskakującą z wody.

W biurze panował spokój, tylko z górnych pięter dobiegał szum odkurzaczy. Serce jej się ścisnęło, gdy zobaczyła skrzynkę zapchaną e-mailami. Kate Connelly, sekretarka, zostawiła stos korespondencji na biurku z najpilniejszymi listami na wierzchu i spis wiadomości telefonicznych. Przedarcie się przez to wszystko zajmie cały dzień, a Grace miała jeszcze na głowie projekt dla Carrolla. Spotkanie z Rayem Carrollem miało się odbyć jutro po południu, a ten magnat budowlany wyjątkowo nie lubił opóźnień albo źle przygotowanej prezentacji. W razie konieczności będzie pracowała całą noc. Zdjęła czarny żakiet i zaczęła czytać e-maile. Nikt nie przeszkadzał, więc mogła się skupić. W holu usłyszała kroki: Ali Delaney. Kiwnęły do siebie głowami przez szklaną ściankę działową.

– Lepiej się czujesz? – zapytała uprzejmie Ali.

– Tak, dziękuję. – Grace poczuła pokusę, by zwierzyć się Ali z przejść z Shane'em, nie wiedziała jednak, czy tu dotarły już plotki.

Ali Delaney była kierowniczką biura, mieszkała w Kildare. Pracę zaczynała wcześnie, kończyła o czwartej, bo tylko tak mogła spędzić trochę czasu z mężem i trzema synami. Grace wróciła do komputera, Ali poszła do swojego gabinetu na końcu korytarza.

Godzinę później coraz więcej samochodów tłoczyło się na ulicach miasta, a w pomieszczeniach firmy zapanował gwar. Koledzy zajmowali miejsca przy biurkach, telefony dzwoniły, kopiarki i faksy z jękiem podejmowały pracę. Ciekawe, czy Shane jest już w budynku? Jak powinna to rozegrać? Zignorować go? Udawać, że nigdy nic ich nie łączyło? Nie miała pojęcia, co robić.

Kate, która do pracy dojeżdżała koleją, przyszła o ósmej piętnaście; była punktualna i niezawodna.

– Cześć, Grace, fajnie, że wróciłaś. Zostawiłam ci pocztę i listę telefonów na biurku.

– Dzięki, znalazłam. Ray Carroll się odzywał? – zapytała ze słabą nadzieją, że przełożył spotkanie.

– W piątek dzwoniła Suzie z jego biura, jutrzejszy termin jest aktualny.

– Dobrze. – To tyle w sprawie odroczenia, pomyślała Grace, wyjmując materiały. Wstępne szkice, nad którymi pracowała, wyglądały dobrze, ale znała Carrolla, będzie domagał się szczegółów.

– Kate, nie łącz mnie z nikim, chyba że to coś ważnego. Muszę dopracować projekt na jutro.

– Jasne. Daj znać, jeśli czegoś będziesz potrzebowała.

Grace ślęczała nad deską całe przedpołudnie, nawet w przerwie na kawę zrezygnowała ze zwykłej wizyty w kawiarni na ostatnim piętrze. Zerkała, czy nie pojawił się Shane. Nigdzie go nie było. Co za ulga. W porze lunchu rysowała plan mieszkań z trzema sypialniami, na których tak zależało Carrollowi.

– Musi być przestrzeń dla rodziny – powtarzał. – A także miejsce na zabawki, książki i ubrania. Budujemy dla prawdziwych ludzi.

Grace studiowała plany, by sprawdzić, czy uda się powiększyć szafy, nie psując wrażenia przestronności. Korytarze były szerokie, ale czy ludzie woleliby mieć tę dodatkową przestrzeń w mieszkaniach? Dotknęła szkiców na ekranie monitora, zastanawiając się nad innym rozwiązaniem. Kate przyniosła jej bułkę z indykiem z żurawiną i kawę; Grace jadła, drukując nową wersję. Pogrążona w pracy nawet nie usłyszała, że otwierają się drzwi.

– Grace. – Shane. Stał przed nią, w szarym prążkowanym garniturze, który razem wybrali kilka miesięcy temu w Londynie. – Co u ciebie?

Jeśli miał nadzieję, że ona padnie na kolana i będzie go błagać, żeby wrócił, grubo się mylił. Zdecydowana była zachować chłodny dystans.

– Wszystko w porządku – skłamała.

Oboje czuli nieznośne skrępowanie i Grace nie wiedziała, jak to rozwiązać.

– Przykro mi, Grace. – Okazał dość przyzwoitości, by sprawiać wrażenie szczerze zawstydzonego. – Nie chciałem cię zranić. Po prostu tak wyszło!

– Shane, jestem bardzo zajęta – oznajmiła stanowczo, bo nie zamierzała wdawać się w dyskusję o końcu ich związku akurat tutaj, gdzie w każdej chwili mógł wejść klient albo ktoś z personelu. – Jutro mam spotkanie z Rayem Carrollem. Czeka mnie mnóstwo pracy i…

– Tak tylko wpadłem się upewnić, że u ciebie wszystko w porządku.

– Więc się upewniłeś – warknęła. – Nic mi nie jest. Nie zniknęłam w czarnej dziurze, choćbyś nie wiem jak bardzo tego pragnął.

Shane wyglądał na zakłopotanego i urażonego.

– Ludzie w biurze wiedzą, że zerwaliśmy? – spytała.

– Kilka osób. Powiedziałem Derekowi i Paulowi, a w niedzielę wpadliśmy z Ruth na Louise i Gavina w Fitzers.

– No to zasadniczo fakt, że przestaliśmy być parą, jest dość powszechnie znany!

– Tak – przyznał z napięciem. – Przypuszczam, że teraz większość już o tym wie.

Zapadło nieprzyjemne milczenie.

– Grace, pozostańmy przyjaciółmi... Pracujemy razem i...

– Nie potrzeba mi cholernych dwulicowych przyjaciół, którzy mnie oszukują – odparła gniewnie Grace. – Praca to jedna sprawa, ale poza tym, proszę, zostaw mnie w spokoju!

Shane z wyraźną ulgą kiwnął głową i wyszedł.

– Krzyżyk na drogę – mruknęła Grace. Zaraz potem zabrzęczał interkom.

– Pan Elegancik już zniknął? – zapytała Kate.

Grace zdziwiła się, że sekretarka tak go nazywa.

– Uhm.

– Ray Carroll na pierwszej linii.

– Cholera – mruknęła, zanim podniosła słuchawkę. Wciąż drżały jej dłonie.

– Dzień dobry, Grace, co u ciebie?

Wzięła głęboki wdech; spokojnie zapewniła klienta, że wszystko jest gotowe na jutrzejsze spotkanie.

– Nie zawiodę cię – przyrzekła. – Nowe projekty wyglądają wspaniale.

Kilka minut później usiadła wygodnie w skórzanym fotelu. Wciąż musi robić swoje, postępować jak profesjonalistka. Wybrała architekturę, studiowała sześć lat i teraz wypruwała sobie żyły u Thorntona właśnie z powodu przypływu adrenaliny, który się pojawiał, kiedy duży projekt nabierał kształtów. Zerwanie z Shane'em nie miało z tym nic wspólnego. Miała wybór: albo się załamie i nie skończy projektów, albo się pozbiera i zabierze do roboty. To drugie wyjście wydawało się znacznie lepsze. Związek z Shane'em O'Sullivanem był ogromnym błędem, drugi raz już podobnego nie popełni. Da sobie spokój z facetami! Prędzej kaktus jej na dłoni wyrośnie, zanim pójdzie do ołtarza. Do diabła z małżeństwem i romansami. Od tej chwili całą energię poświęci karierze.

Rozdział 18

Sara wpatrywała się w ekran monitora. Sprawdzała swoje mizerne konto bankowe, zdegustowana brakiem funduszy. Potem wysłała zabawne e-maile przyjaciółkom zamkniętym w biurach w różnych częściach miasta. Prawda była taka, że się nudziła; spojrzała na zegar ścienny – do odebrania Evie została jeszcze godzina. Pójdą razem do rzeźnika i sklepu spożywczego, a w drodze do domu kupią płytę z ulubionym filmem Evie *Angelina Ballerina*.

Jeśli w następnym roku znajdzie jakiś magiczny sposób, żeby poprawić swoją sytuację finansową, pośle córeczkę na zajęcia z baletu. Evie będzie mogła robić piruety, podskakiwać i hasać z innymi dziewczynkami zwariowanymi na punkcie tańca. I mama, i Grace zaproponowały, że zapłacą za lekcje, ale Sara odmówiła.

— Evie jest jeszcze za mała — skłamała, ale po prostu nie chciała po raz kolejny korzystać z wielkoduszności swojej i tak bardzo szczodrej rodziny.

— Nie bądź taka uparta — przekonywała Grace. — Mamo, pamiętasz? Wszystkie miałyśmy bzika na punkcie baletu. Chodziłyśmy na lekcje do panny Hickey, a ona kazała nam udawać, że jesteśmy kwiatami i łabędziami.

– Zastanowię się – zakończyła temat Sara. Musiała postarać się o dodatkowe dochody. Chciała samodzielnie utrzymywać Evie, zapewnić jej taki standard życia, którym sama cieszyła się w dzieciństwie.

Imała się różnych zajęć: w szkole Świętej Brygidy trzy razy w tygodniu prowadziła zajęcia plastyczne i pomagała w bibliotece, w firmie cateringowej Cory pracowała na godziny, a jeśli zdołała zdobyć zamówienie, robiła projekty graficzne. Te dochody plus zasiłek dla rodzica samotnie wychowującego dziecko oraz bardzo nieregularne sumy od Maurizia pozwalały jej utrzymać siebie i córkę. Ale na nic więcej nie było ją stać. Nie miała pojęcia, jak by sobie poradziła, gdyby nie mieszkała na poddaszu rodzinnego domu, za co nie płaciła czynszu.

Otworzyła plik „Psotek". Kot został powołany do życia jako pośpieszny szkic w bloku. Był bardzo śmiałym zwierzakiem, skłonnym do psot i figli. Pannę Bee, właścicielkę, doprowadzał do szaleństwa. Sara skończyła wieczorowy kurs komputerowy. Dzięki temu przeniosła szkic czarnego kota z bloku na dysk i teraz świetnie się bawiła, wymyślając kolejne przygody Psotka. Cóż, w tym czasie powinna prasować albo sprzątać, nie mogła się jednak powstrzymać, kiedy na ekranie pojawiał się koniuszek czarnego ogona i uszy.

– O rany! – Zapomniała o bożym świecie i teraz nie zdąży odebrać córki na czas. Nacisnęła klawisz „Zapisz", złapała dżinsową kurtkę i ruszyła do drzwi. Gdyby biegła przez całą drogę, spóźniłaby się tylko kilka minut. Pędziła ile sił w nogach, chyląc głowę przed deszczem. Slalomem wymijała idące z naprzeciwka matki z dziećmi. Bez tchu wpadła do przedszkola. Florence Roche, opiekunka Evie, już czekała na nią niecierpliwie.

– Cześć, mamusiu! – zawołała Evie i wzięła ją za rękę.

– Wszystko w porządku? – zapytała panna Roche.

– Tak, przepraszam, zatrzymała mnie praca – wyjaśniła Sara. W obawie, że Evie zaraz zapyta, co to za praca, szybko poprowadziła ją w stronę drzwi. – Przepraszam – powtórzyła.

– Nie ma sprawy – odparła opiekunka z uśmiechem, pakując książki do wielkiej dżinsowej torby.

Sara przystanęła, rozglądając się po ścianach udekorowanych wesołymi obrazkami i wielkimi literami alfabetu.

T – trąbka, telewizor, tatuś. Evie spędziła wiele czasu nad starymi numerami „Cosmo", „Image" i „U", żeby znaleźć fotografię odpowiadającą jej wyobrażeniom ojca. Sara musiała ugryźć się w język, żeby się nie wtrącić, kiedy dziewczynka zastanawiała się nad George'em Clooneyem, Bradem Pittem i Homerem Simpsonem. Bez słowa patrzyła, jak Evie różowymi nożyczkami wycina wysokiego ciemnookiego modela z kręconymi włosami, reklamującego ser.

— To fajny tatuś – oznajmiła stanowczo mała, wkładając zdjęcie do tornistra.

— Ja też tak uważam – zgodziła się Sara. Wcześniej musiała pójść do łazienki i obmyć oczy zimną wodą, żeby córka nie zobaczyła, jakie emocje wzbudziło w matce to głupie szkolne zadanie.

— Evie bardzo ładnie zrobiła alfabet – pochwaliła opiekunka, kiedy razem wyszły na mały brukowany dziedziniec. – I ślicznie namalowała wielką zieloną żabę na zielonym drzewie.

— Ona się ukrywa – oznajmiła Evie.

— W takim razie będziesz musiała mi pomóc ją znaleźć. – Sara się roześmiała.

— Do jutra, Evie. – Panna Roche skręciła do swojego srebrnego samochodu zaparkowanego przy ogrodzeniu.

Kiedy czekały na zmianę świateł przy ruchliwej ulicy, Sara wzięła córeczkę za rękę. Zawsze myślała, że zostanie nauczycielką, że będzie miała mnóstwo zajęć i własny samochód. A jednak za nic by się nie zamieniła. Pięcioletnia córeczka to jej najcenniejszy i najcudowniejszy skarb, choć żałowała, że nie potrafi zapewnić Evie tego wszystkiego, co swoim dzieciom dawali inni rodzice.

U rzeźnika kupiła mieloną wołowinę w promocji. Dzisiaj zrobi hamburgery i smażoną cebulę, jutro spaghetti bolognese. Jeśli w przyszłym tygodniu jej zapłacą, kupi dużego wiejskiego kurczaka i upiecze go ze wszystkimi dodatkami. Może kogoś zaprosi? Otwo-

rzy butelkę wina, dla odmiany spędzi czas w towarzystwie, bo przecież niemal zawsze jest sama.

— Mamusiu! – Evie szarpnęła ją za rękaw.

— Tak, kotku?

— Znowu tu jest.

Sara wyjrzała przez drzwi. Na chodniku stał wielki, podobny do
wilka pies.

— On jest głodny, mamusiu.

— Och, po prostu tak się kręci, bo ma nadzieję, że dostanie
kość.

— A właśnie, że jest głodny – upierała się Evie, podchodząc do
czworonoga.

Sara westchnęła. Na całym świecie nie było psa, na którego Evie
nie zwróciłaby uwagi, ale na razie zwierzę w domu nie wchodziło
w grę. Sara już i tak czuła się źle, korzystając z pomocy matki, i nie
mogła sobie pozwolić na dodatkowe koszty.

— Teraz pójdziemy po film, potem wpadniemy do sklepu spożywczego i wrócimy do domu. Co ty na to?

— Do widzenia, panie Kostka – zawołała Evie, wsuwając rączkę
w dłoń mamy.

Sarze ścisnęło się serce na myśl, że pewnego dnia przestanie być
córce niezbędna.

W sklepie z płytami panował spokój. Sara minęła regały z dro-
gimi, szeroko reklamowanymi premierami filmów, w których grały
wielkie gwiazdy. Skierowała się do działu dla dzieci, gdzie na półkach stały przecenione kreskówki o Barbie, Barneyu i dinozaurach.
Evie tak długo przeglądała pudełka, aż znalazła bajkę o małej mysz-
ce tańczącej w balecie.

Grzebiąc w torbie w poszukiwaniu pieniędzy, Sara zauważyła
Angusa – czarna skórzana kurtka, sznurowane buty, a na szyi jaskrawoczerwony szal.

Zobaczył Evie i natychmiast do niej zagadał.

— Cześć. – Sara się uśmiechnęła, ucieszona jego widokiem.

— Jak się miewają urocze panie?

– Dobrze, dziękuję – odparła Sara.

Evie pokazała mu swój nabytek.

– Wygląda nieźle, ale ja wolę Bonda. Rewolwery, dziewczyny i szybkie samochody… takie filmy lubię najbardziej! Widziałaś już ostatniego Bonda?

– Nie – powiedziała Sara. Rzadko bywała w kinie, zwykle na bajkach Disneya z Evie albo na komediach romantycznych z siostrami.

– Więc może wpadniesz do mnie wieczorem i obejrzymy razem? – zaproponował.

Ruchem głowy wskazała Evie. Musiałaby załatwić dla niej opiekunkę.

– Jasne. W takim razie ja przyjdę do ciebie, dobrze? Ty zapewniasz odtwarzacz, ja film i popcorn.

– Brzmi zachęcająco – zgodziła się Sara. Dobrze będzie pobyć trochę w towarzystwie innej dorosłej osoby.

Evie smacznie spała, kiedy zapukał Angus. Usadowiona wygodnie w fotelu Sara świetnie się bawiła, gawędząc z Angusem i obserwując, jak elegancki James Bond rozprawia się z gromadą złoczyńców i zdobywa serce każdej kobiety, która mu się nawinie.

– Odlotowy film – entuzjazmował się Angus. – Idealny na środowy wieczór.

Potem Sara zaparzyła kawę i zrobiła grzanki, a Angus zapoznał ją szczegółowo ze swoimi ulubionymi szkockimi zespołami rockowymi. Czuła się przy nim swobodna i odprężona. Miał wyrobione zdanie o wszystkim i to było naprawdę zabawne.

Wdali się w żartobliwą dyskusję o pięciu najlepszych filmach, które dotychczas widzieli, i najbardziej cenionych reżyserach.

– Hej, może w przyszłym tygodniu to powtórzymy? – zaproponował Angus, zanosząc kubki do kuchni. – Tylko tym razem ty wybierzesz film. I tak na zmianę, o ile oczywiście chcesz.

Sara chciała. Angus był uroczy, w innych okolicznościach na pewno by się w nim zakochała, ale od początku szczerze stawiał sprawę, że jest z kimś związany, a ona nie rzucała się na cudzych chłopaków! Rozumiała jednak, że Angus czuje się samotny bez Megan w Dublinie. Ale jako przyjaciele mogą przecież miło spędzać czas. Miała do wyboru: albo będzie sama gapić się na głupie programy w telewizji, albo w przyszłą środę obejrzy z Angusem film. Pierwsza opcja w żadnym razie nie mogła konkurować z drugą.

Rozdział 19

*A*nna była zakochana. W przeciwieństwie do sióstr, które w związkach z mężczyznami poniosły totalną klęskę, ona kochała prawdziwy ideał, człowieka uduchowionego i intelektualistę, odznaczającego się rzadką wiedzą o kobiecej psychice. Miał ciemne kręcone włosy, podłużną twarz i wydatne usta, a swoimi mądrymi oczyma zaglądał prosto do jej duszy.

Zakochała się w nim jako szesnastolatka i od tamtego czasu jej miłość nie osłabła. Był stały, w przeciwieństwie do innych mężczyzn wierny i jak żaden człowiek potrafił ją wzruszyć. Zrobił na niej ogromne wrażenie, kiedy po raz pierwszy przeczytała jego wiersz o rozkładaniu dywanu nieba pod stopami ukochanej. Geniusz i błyskotliwość tej poezji porwały Annę, dlatego poświęciła wiele czasu na studiowanie jego dzieł. William Butler Yeats był idealnym facetem i żaden żyjący człowiek nie potrafił wywołać w niej tak głębokich emocji. Namiętne umiłowanie jego twórczości skłoniło Annę najpierw do studiowania anglistyki na Uniwersytecie Dublińskim, potem do zrobienia doktoratu w Trinity.

Opętana miłością do Yeatsa nie mogła nic poradzić na to, że porównuje z nim zwykłych śmiertelników, spotykanych na przyjęciach i w pubach. Przyjaciółki i siostry mówiły, że zwariowała, ale co z tego. Po prostu wolała czasy i twórczość najsławniejszego poety Irlandii, które zgłębiała w swojej pracy naukowej.

– Na litość boską, to był stary człowiek, kochał Maud Gonne i pytali o niego na maturze – kpiła Sara. – Jak możesz porównywać z nim współczesnych facetów?

– No właśnie! – odparła triumfalnie Anna.

Siostry i przyjaciółki ciągle zakochiwały się w odpowiednikach Heathcliffa, Darcy'ego, Rhetta Butlera i Gatsby'ego, a potem się dziwiły, dlaczego mają złamane serce. Każdy, kto studiował literaturę, mógłby od razu im powiedzieć, że takie romanse są z góry skazane na porażkę. Anna nie zamierzała podążać tą drogą, a gdyby kiedykolwiek zdecydowała się na małżeństwo, wybrałaby intelektualistę w stylu Philipa Flynna, który przynajmniej zrozumiałby jej miłość do literatury. Dała mu do przeczytania wstępną wersję swojej pracy *Rola kobiet w życiu W.B. Yeatsa*. Ocenił ją dobrze. Tylko że znalezienie interesującego mężczyzny z iskrą geniuszu było trudniejsze, niż sobie wyobrażała.

Przeszła przez brukowany dziedziniec Trinity College, kierując się do biblioteki. Stamtąd zadzwoniła do Grace i umówiła się na lunch u Luigiego, jednej z sympatyczniejszych włoskich restauracji w Temple Bar. Postanowiła, że zabroni siostrze wspominać o zerwaniu z Shane'em O'Sullivanem. Potem zaprosi ją na premierę sztuki w Project na jutrzejszy wieczór; miała nadzieję, że przedstawienie spodoba się Grace. O jedenastej zaczynała zajęcia ze studentami pierwszego roku, wciąż przekonanymi, że życie w college'u to laba i nie trzeba się wysilać, wystarczy przysiąść fałd na parę tygodni przed egzaminami. Anna robiła wszystko, by wyprowadzić ich z błędu. Zastanawiała się, czy nie przygotować dla nich materiałów, ale zaraz upomniała się, że sami powinni pracować i odkrywać klejnoty ukryte w poetyckim języku i literaturze.

– Panie i panowie, jesteście odkrywcami. Ludźmi szukającymi skarbów! – oznajmiła, rozglądając się po sali pełnej osiemnasto- i dziewiętnastoletnich studentów. Przypomniała sobie zrzędliwego starego Louisa Redmonda, swojego promotora, jednego z najwybitniejszych profesorów anglistyki. Niemal zemdlała, gdy na pierwszym roku usłyszała, jak czytał *Różę* Yeatsa, i zaraz następnego dnia zapisała się na jego wykłady. Pragnęła studiować i nie zamierzała dać się uwieść urokom studenckiego życia.

Od tamtego czasu minęło prawie dziesięć lat; nie wyobrażała sobie wtedy, do jakiego stopnia zauroczy ją wielkie królestwo poezji, któremu teraz poświęciła życie. Magisterium, doktorat i dziewięciomiesięczny staż w Harvardzie stanowiły kolejne szczeble drabiny prowadzącej do zdobycia świętego Graala: profesury.

Nie była wrogiem mężczyzn, przeciwnie, lubiła ich, miała nawet kilka romansów na studiach i później, z kolegami z pracy, ale żaden nie trafił do jej serca tak jak Yeats. Nie udało się to ani Bradowi Lewisowi, który też odbywał staż na Harvardzie, ani tym bardziej Tomowi Kinselli, wykładowcy ekonomii w Trinity – ich kilkumiesięczny związek skończył się bardzo źle. Czasami tęskniła za męskim towarzystwem, seksem i szaleństwem pierwszych randek, ale pocieszała się, że jej przeznaczeniem jest miłość do geniusza, który swoją mową, przenikliwością i mądrością ofiarowywał coś o wiele ważniejszego niż zwykły romans.

Rozdział 20

Grace wbrew sobie posłuchała sióstr i przyjaciółek, żeby przestała się nad sobą rozczulać, i zgodziła się na sobotni wypad do Café en Seine, jednego z najpopularniejszych barów w Dublinie. W obcisłej zielonej sukience i krótkim czarnym sweterku przepychała się przez tłum, nie zwracając uwagi na pełne podziwu spojrzenia mężczyzn. Dzisiaj w lokalu było tłoczniej niż zwykle, ludzie śmiali się, krzyczeli i zamęczali kelnerki zamówieniami.

Niamh i dziewczyny troszczyły się o nią i pilnowały, żeby szklaneczka z jej ulubionym drinkiem, wódką z sokiem pomarańczowym, nie była pusta. Mimo to Grace czuła się jak eksponat na aukcji, widząc szacujący wzrok mężczyzn. Samotność jest okropna.

Zmusiła się, by wziąć udział w rozmowie i udawać, że dobrze się bawi.

– Dziewczyny, idziemy do Krystle – zawołała Niamh, gdy skończyły ostatnią kolejkę.

Na Harcourt Street kusiło Grace, żeby wskoczyć do taksówki i wrócić do domu, ale nie mogła zawieść przyjaciółek i zepsuć im zabawy. Niamh i Lisa przemknęły obok bramkarzy i po chwili cała piątka zamawiała butelkę wina, żeby się trochę napić przed wyjściem na parkiet.

Grace uwielbiała muzykę i wreszcie zaczynała się odprężać. Poddała się dudniącemu rytmowi. Wokół niej dziewczyny śmiały się i szalały, tłum gęstniał. Shane nigdy by tu nie przyszedł, pomyślała przelotnie i zaraz wyrzuciła jego obraz z pamięci.

Przy barze Niamh przedstawiła jej dwóch kolegów z pracy i zanim Grace się zorientowała, była już z powrotem na parkiecie. Niamh, ubrana w bluzkę z dużym dekoltem i obcisłe spodnie, swobodnie gawędziła z Kevinem, Grace natomiast musiała się wysilać, by rozmowa z Dermotem się nie urwała. Zapomniała, jak okropne są te gadki o niczym; po pół godzinie przeprosiła i w towarzystwie Claire i Lisy skryła się w damskiej toalecie. Nie była pewna, czy chce dłużej tu być, czy wystarczy jej entuzjazmu, by rozmawiać z nieznajomymi i udawać, że ją to interesuje. Spojrzała na zegarek: jeszcze pół godziny i wróci do domu. Lisa wypiła o dwie lampki wina za dużo i żaliła się na Toma Callaghana, z którym spotykała się prawie przez rok. Tom zerwał z nią i wyjechał do Londynu, do pracy u Goldmana Sachsa.

– Przeprowadziłabym się z nim i znalazła sobie jakąś robotę – bełkotała. – Ale on mi powiedział, że nie będzie zabierał z Dublina żadnego bagażu, bo chce znowu cieszyć się wolnością.

– A to drań – skwitowała Lisa, szczotkując długie jasne włosy. Wypiła szklankę wody i dodała: – Tylko że z jakiegoś cholernego powodu miłe dziewczyny zwykle zakochują się w draniach.

Grace patrzyła na odbicie swojej bladej twarzy i smutnych oczu. Postanowiła nie marnować reszty wieczoru na opowieści o swoim nieudanym życiu uczuciowym.

– Wracam na salę – oznajmiła. Pociągnęła usta błyszczykiem.

Idąc w kierunku przyjaciółek, zauważyła Marka McGuinnessa, więc skręciła, żeby go wyminąć. Stał przy barze z olśniewająco piękną brunetką. Wyglądał na odprężonego; z pochyloną głową słuchał partnerki, obejmując ją w talii.

– Dobry wieczór, panno Ryan – powiedział.

– Witam, panie McGuinness. – Starała się, by zabrzmiało to uprzejmie. – Mam nadzieję, że dobrze się pan bawi.

Uniósł szklaneczkę. Hm, nie przypuszczałaby, że McGuinness lubi takie kluby. Podeszła do baru. Dermot postawił jej drinka, potem zaprosił na parkiet do wolnego tańca. Był wysoki i dobrze zbudowany, ale wypił za dużo piwa, żeby rozmowa się kleiła. Mimo wszystko wydawał się miłym gościem. Tulił ją mocno do siebie w środku tłumu par, które gorliwie próbowały lepiej się poznać.

Jego dłonie błądziły po jej tyłku i biodrach. Kilka razy je przesunęła, potem poddała się muzyce. Niamh i Kevin tańczyli policzek przy policzku, jakby świat dla nich nie istniał. Rozochocony Dermot usiłował pocałować Grace, ale zdołała się uchylić. Nie była gotowa na takie czułości i paplała jak najęta, udając, że nie zauważa jego namiętnych pieszczot.

Uśmiechem ulgi powitała koniec utworu. Razem z innymi zeszli z parkietu. Dermot, mocno trzymając ją za rękę, nalegał, by usiadła.

– Przykro mi, muszę się zbierać – skłamała. – Miło było cię poznać i dziękuję za drinka.

– Wychodzisz? – Dermot zamrugał z niedowierzaniem.

Wymigała się od podania mu swojego numeru telefonu, na pożegnanie cmoknęła go w policzek i pobiegła do przyjaciółek. Niamh siedziała Kevinowi na kolanach i najwyraźniej nie zamierzała nigdzie się ruszać. Roisin i Claire też chciały zostać i dalej się bawić, ale widziały, że Lisa ma już dość.

– Jest solidnie wstawiona.

– Nieprawda, jest załamana!

– Ja ją odwiozę – zaproponowała Grace. Pragnęła jak najszybciej opuścić klub.

Lisa nie protestowała, kiedy Grace prowadziła ją przez tłum do drzwi.

W taksówce powtarzała z pijackim uporem, jakim wspaniałym facetem jest Tom. Grace nie dała się wciągnąć w bełkotliwą dyskusję o byłych chłopakach. Potem zaprowadziła Lisę do mieszkania i położyła ją do łóżka. Taksówkarz czekał cierpliwie.

Już u siebie Grace zrzuciła szpilki, zdjęła sukienkę i z westchnieniem ulgi przebrała się w piżamę. Ale była taka głupia, że dała się namówić na wyjście do klubu. Guzik ją obchodziło, czy jeszcze kiedyś się z kimś zwiąże! Nastawiła wodę na herbatę i włączyła nocny film, horror o wampirach. Potem usadowiła się wygodnie na sofie z serem i krakersami zadowolona, że wreszcie jest sama.

Rozdział 21

Skręcając na podjazd Airfield House, Maggie zaczęła się odprężać. Stary budynek w Dundrum na małej farmie z pięknymi ogrodami był idealnym miejscem na lunch z „dziewczynami". Kiedyś należał do sławnych sióstr Naomi i Letitii Overend, które przekazały go w darze mieszkańcom Dublina. Uroczy biały dom z wykuszowymi oknami, z widokiem na ogród, teraz mieścił przytulną restaurację. Maggie bardzo lubiła w niej bywać. Cieszyła się na spotkanie z przyjaciółkami i miała nadzieję, że to poprawi jej humor. Od wyprowadzki O'Connorów i akcji z Grace była w kiepskim nastroju. Nie potrafiła udawać, że sprawy dzieci zupełnie ją nie obchodzą. Wciąż się martwiła o najstarszą córkę.

Pomachała Fran i Rhonie, którym udało się zająć na patio stolik w słońcu. Idealnie! Przywitała się, złapała tacę i ruszyła do lady z potrawami.

— Boże, umieram z głodu! — oznajmiła Louisa Kelly. Miała na sobie obcisłe granatowe spodnie i luźny sweter.

Obu kobietom pociekła ślinka na widok głównych dań, łososia po cajuńsku, szynki pieczonej w gorczycy, makaronu z bazylią i pomidorami, wołowiny, sera pimento, a także bogatego wyboru zup, sałatek i domowego chleba. Maggie zdecydowała się na łososia, zieloną sałatę i kieliszek wina, a Louisa na szynkę. Kiedy wracały do stolika, Maggie czuła, jak nastrój jej się poprawia. Cieszyła się, że przyjechały wszystkie przyjaciółki. Tak bardzo lubiła te comiesięczne spotkania, wspólny lunch i spacer, jeśli pogoda dopisywała. Zmieniały miejsca, odwiedzały różne restauracje, ale Maggie najbardziej zależało na towarzystwie.

Przyjaźniły się dłużej, niż odważyła się pamiętać, i wspólnie przechodziły wszystkie wzloty i upadki, które serwuje życie: małżeństwa, śluby, prace, szkoły, choroby, problemy finansowe. Dziewczyny stały przy niej, kiedy umarł Leo, a Maggie wspierała Louisę, gdy opuścił ją mąż Brendan, Rhonę, gdy jej mąż stracił pracę, Fran, gdy zachorowała na raka żołądka. Łączyła je nierozerwalna więź, wiedziały, że wystarczy podnieść słuchawkę i mogą liczyć na pomoc. Cztery koleżanki szkolne wciąż miały sobie wiele do powiedzenia!

– Co u was? – zapytała, siadając obok Rhony.

– Biorę tabletki na ciśnienie – zażartowała Rhona. – Mike pracuje w domu i doprowadza mnie do szału. Nic dziwnego, że ciśnienie ciągle mi skacze.

Po kilku minutach Maggie wiedziała już, że Louisa za kilka tygodni zdaje egzaminy na kursie komputerowym, Rhona i Mike planują wyjazd do Algarve, a Fran chce zrobić sobie miedziane pasemka.

– W tych też wyglądasz młodo.

– Ale czuję się jak matuzalem – wyznała Fran. – Jenny właśnie mi powiedziała, że w grudniu znowu zostanę babcią.

– Gratulacje!

– Cudowna wiadomość! – zgodziły się wszystkie, unosząc kieliszki.

– To będzie numer trzeci i możecie się domyślić, gdzie spędzimy Boże Narodzenie. Liczyliśmy z Liamem, że uda nam się wyjechać na Kanary i złapać trochę słońca, ale nic z tego.

Trzeci wnuk, pomyślała Maggie z zazdrością, dom pełen dzieci, mnóstwo prezentów pod choinką. Takie Boże Narodzenie najbardziej lubiła.

– Ale tak naprawdę, jestem zachwycona – przyznała w końcu Fran. – Zwłaszcza po tym, jak Jenny myślała, że nie będzie mogła mieć dzieci.

– Teraz nadrabia to z nawiązką – skomentowała Rhona, wystawiając twarz do słońca.

– Ja też mam bombową wiadomość – oznajmiła Louisa z podnieceniem. – Donald żeni się z Melanie. Śliczna dziewczyna, pracuje w firmie PR koło Christchurch. Ślub planują w sierpniu przyszłego roku, a wesele chcą urządzić w Brooklodge w Wicklow.

Maggie była zaskoczona. Tyczkowaty Donald, miły, z krzywym uśmiechem, który jako szesnastolatek szalał na punkcie Anny, niedługo się ożeni.

– Będzie cudownym mężem – powiedziała.

Przy stoliku zapanowała radość – nie ma przyjemniejszego tematu niż ślub.

– Wspaniałe życie, no nie? – zauważyła Rhona. – Małżeństwo, kariera, ciekawa praca. Nie muszą siedzieć i pisać pod dyktando nudnych listów.

– To prawda – przytaknęły zgodnie.

– Pamiętacie te okropne czasy, kiedy całymi dniami wkładałyśmy dokumenty do teczek i stukałyśmy na maszynie? Jedna pomyłka i trzeba zaczynać od nowa!

– Niech Bóg błogosławi komputery, drukarki i Internet! – zawołała Louisa, która po rozstaniu z mężem zapisała się na kurs obsługi komputera i projektowania stron www, co okazało się bardzo przydatne w jej sklepie z eleganckimi zaproszeniami na śluby i przyjęcia.

– Maggie, masz wolne w sobotni wieczór? – zapytała Rhona, podając sąsiadce dzbanek z wodą. – Przyjeżdża Eamon, kuzyn Mike'a. Po południu grają w golfa, może zjadłabyś z nami kolację w klubie?

Maggie szeroko otworzyła oczy. Eamon Farrell był sympatyczny, spotykała go przy rozmaitych okazjach w domu Rhony i Mike'a, ale odkąd dwa lata temu rozstał się z żoną, mówił tylko o problemach związanych z separacją i sprzedażą domu w Kildare.

– Dzięki za zaproszenie, ale obiecałam Sarze, że zajmę się Evie, a nie chciałabym jej zawieść – skłamała. Udała, że nie widzi znaczących spojrzeń, które obiegły stolik.

– A co u twoich dziewczyn? – zapytała dyplomatycznie Fran.

Maggie wzięła głęboki wdech. Swoim przyjaciółkom mogła się zwierzyć.

– Grace i Shane zerwali, a ona bardzo to przeżywa.

– To ten facet, z którym pracuje? Wcześniej chyba był z jakąś dziennikarką? – dopytywała Louisa.

– Tak. Wrócił do niej.

– Och, biedna Grace – powiedziała współczująco Fran. – Nie ma nic gorszego niż zawód miłosny.

– Pracują razem, więc sytuacja jest niezręczna – wyjaśniła Maggie. – Grace przywykła, że wszystko w jej życiu idzie gładko, więc to dla niej trudne.

– Cholerni faceci. Odchodzą i skazują kobiety na samotność – westchnęła Rhona. – Ale kiedy już chcesz rzucić ręcznik na ring i złożyć śluby staropanieństwa, w najbardziej nieoczekiwanym momencie kogoś poznajesz!

Przyjaciółki wybuchnęły śmiechem. Pamiętały, jak Rhona poznała swojego męża: jechała na wstecznym i uderzyła w nowiutki samochód Mike'a. Wtedy nastąpił punkt zwrotny w jej życiu. Małżeństwo i narodziny dwóch synów dały jej to, czego zawsze pragnęła.

– Och, nie mówię, żeby rozbiła komuś samochód – zaprotestowała Rhona. – Ale mężczyzna marzeń może być w zasięgu ręki!

Tak jak Mark McGuinness, pomyślała Maggie. Był samotny i o ile się orientowała, podczas jego pierwszego spotkania z Grace poleciały iskry. Wkurzył jej najstarszą córkę, ale Maggie znała wiele par, które na początku wręcz się nienawidziły. Poza tym Mark i Grace mają wspólne zainteresowania. Może następnym razem atmosfera będzie sympatyczniejsza?

— A co u mojej słodkiej Evie? — zapytała Fran.

— Nie do wiary, w weekend kończy sześć lat!

Przyjaciółki bardzo wspierały Maggie, kiedy Sara zaszła w ciążę. Żadna nawet słowem nie wspomniała, że dziewczyna zaprzepaściła szansę na kontynuowanie studiów i jest o wiele za młoda na dziecko. A kiedy Evie się urodziła, powitały pierwszą wnuczkę Maggie górą prezentów. Nigdy nie zapomni, jaką dobroć i troskę okazały jej rodzinie.

— A Sara ma jakiegoś chłopaka na oku? — zapytała Louisa z ciekawością.

— Mówi, że faceci uciekają na kilometr, kiedy słyszą o dziecku. To ich skutecznie odstrasza.

— Głupcy — oburzyła się Fran.

Wszystkie zgodnie pokiwały głowami.

— Bardzo bym chciała, żeby kogoś poznała — przyznała Maggie. — Mój nowy lokator byłby dla niej idealny, ale niestety już ma dziewczynę.

— Maggie, okropna z ciebie intrygantka — zażartowała Rhona. — Ciągle się wtrącasz w życie innych ludzi.

— Nieprawda! — zaprotestowała Maggie.

— Właśnie że prawda! — zawołały chórem przyjaciółki.

Maggie się roześmiała.

— Ha, gdyby nie moje wtrącanie się, Fran i Liam mogliby nigdy się nie spotkać!

— Tak, nie zapomnę tego wieczoru, kiedy nas ze sobą poznałaś — uśmiechnęła się Fran. — Poszłyśmy na kolację do Captain America. Zmusiłaś go, żeby usiadł z nami, a kiedy wychodziłyśmy, umówił się ze mną.

— Dawniej życie było o wiele prostsze — stwierdziła Maggie. — Nie wiem dlaczego, ale moje dziewczyny nie mają najmniejszego zamiaru wyjść za mąż, a w przypadku Anny żaden mężczyzna nie jest w stanie spełnić jej wymagań.

– Więc u ciebie nie zabrzmią weselne dzwony! – zauważyła Louisa. – Będziesz miała na głowie trzy panny samotne z wyboru.

– Pewnie tak – przyznała Maggie. – Nie można kogoś zmusić, żeby się zakochał i założył rodzinę.

Rozkoszując się później ciastem banoffi i kawą, zastanawiała się, dlaczego wszystko musi być takie skomplikowane. Znalezienie ukochanej osoby powinno być łatwe. Kiedyś ludzie nie mieli komórek ani Internetu, a mimo to lepiej sobie radzili niż teraz.

Poznała Leona, kiedy najmniej się tego spodziewała, na okropnej potańcówce w klubie rugby, na którą zaciągnął ją brat. Leo poprosił ją do tańca, a kiedy muzyka przestała grać, zapisał numer jej telefonu na kawałku podkładki pod piwo. Dotrzymał słowa, zadzwonił następnego dnia i umówili się na spotkanie w Kielys w Donnybrook. Leo bardzo ją pociągał. Oświadczył się dokładnie rok później. Stanowili całkowite przeciwieństwo, ale szalenie się kochali i to wystarczyło.

– Twoje dziewczyny, moi chłopcy, nigdy nie przestaniemy się o nich martwić – zauważyła Rhona, jakby czytając jej w myślach. – Nieważne, ile mają lat i ile zarabiają, zawsze będą naszymi dziećmi, dla których pragniemy wszystkiego, co najlepsze.

– Masz rację. I to bez znaczenia, czy chodzi o szkołę, studia, pracę, karierę, czy życie uczuciowe – potwierdziła Maggie. – To chyba cecha irlandzkich mamusiek. My nigdy nie odpuszczamy.

– Chętnie bym się pozbyła tych swoich dwóch garbów – zażartowała Rhona. – Ale nikt ich nie weźmie.

Maggie wybuchnęła śmiechem. Rhona miała dwóch bardzo przystojnych synów. Starszy Colm wyjechał na rok do Australii i jak głosiła plotka, połowa żeńskiej populacji Sydney oszalała na jego punkcie. Młodszy Gareth studiował na ostatnim roku college'u i tak był zajęty nauką i grą w rugby, że ledwo miał czas na dziewczyny.

– Cierpliwości! – poradziła.

– Mówię szczerze, Maggie, chyba zacznę przeczesywać kraj w poszukiwaniu odpowiednich kandydatek na żony. Nie chcę, żeby moimi synowymi zostały jakieś bezwstydne dziewczyny!

Jadąc do domu, Maggie stwierdziła, że nie będzie przeczesywać kraju w poszukiwaniu odpowiednich kawalerów dla córek. Sytuacja nie jest aż tak beznadziejna, choć odrobina staroświeckiego swatania nie zaszkodzi.

Rozdział 22

*A*nna włożyła czyste dżinsy i kwiecistą koszulę. Wzięła z holu żakiet z zielonego aksamitu i prezent. Dzisiaj szóste urodziny Evie. Chociaż wzdrygała się na myśl o bandzie wrzeszczących sześciolatek, które będą gonić po ciasnym mieszkaniu, zaproponowała Sarze pomoc przy organizowaniu przyjęcia. Później, jeśli nie padnie, pójdzie na premierę nowej sztuki Philipa w Beckett Theatre.

– Ciocia Anna! – krzyknęła Evie na powitanie. Miała różową sukienkę baletnicy i duże skrzydła.

– Ależ z ciebie piękna wróżka! – roześmiała się Anna, obejmując dziewczynkę. Zupełnie zapomniała, że to kostiumowa impreza; wszystkie dzieci wystroiły się w powiewne szatki i tiary, a w dłoniach trzymały różdżki.

– Przecież ci mówiłam, żebyś się przebrała – zganiła ją Sara ubrana w czarne legginsy i tiulową spódniczkę. Ona też przypięła sobie skrzydła. – Wszystkie mamy być wróżkami!

– Przepraszam. – Anna poczuła się niezręcznie. Nie chciała psuć zabawy. – Co mam robić?

– Mama w kuchni przygotowuje jedzenie, ale trzeba poprowadzić gry i zabawy.

Annie ścisnęło się serce. Jeśli czegoś nie znosiła bardziej od przebierania się w idiotyczny róż, to właśnie gier. Nie cierpiała ich od dzieciństwa, ale siostra sama nie poradzi sobie z tą inwazją wróżek.

– Zaczniemy od gry w muzyczne krzesła – oznajmiła Sara z entuzjazmem.

Wszystkie krzesła, pufy i podnóżki z całego domu, nie wyłączając taboretu od pianina, były ustawione w krąg. Sara musiała spędzić wiele godzin na robieniu poduszek w jaskrawe biało-czerwone grochy.

– Ojej! – Zapiszczały dzieci, gdy zabrzmiała piosenka Kylie Minogue. Tańczyły i krzyczały z podniecenia, a gdy muzyka ucichła, wszystkie rzuciły się do krzeseł. Dla jednej nieszczęsnej wróżki zabrakło miejsca.

– Zajmiesz się Tarą? – zapytała Sara, znów włączając piosenkę.

Anna spojrzała na załamaną dziewczynkę; wiedziała, jak to jest, kiedy się przegrywa.

– Chodź, Taro – powiedziała, podskakując w rytm piosenki. – My też tańczymy, bo jesteśmy wróżkowymi cheerleaderkami.

Po buzi Tary przemknęło zdziwienie, ale zaraz posłuchała.

Grupa przegranych rosła, dziewczynki wesoło hasały. Evie śmiała się, gdy przyszła jej kolej na przyłączenie się do kręgu.

Następna zabawa nosiła nazwę „Przypnij wróżce skrzydła, koronę i różdżkę". Sara zrobiła wspaniały wielki rysunek wróżki, który umocowała na drzwiach.

– Oczy muszą być zasłonięte – oznajmiła, biorąc szal z fioletowego szyfonu.

– Ja pierwsza – poprosiła Tara, zdecydowana wygrać choć raz.

Dziewczynki wstrzymały oddech, kiedy po omacku szukała odpowiedniego miejsca na skrzydła. W końcu przykleiła je do pupy wróżki i wszystkie zachichotały.

– Zimno, zimno! – podpowiadała Sara przy następnej próbie. Tym razem wróżka miała skrzydła na głowie, a różdżkę w nosie.

Sama Tara wybuchnęła śmiechem na ten widok. Anna podziwiała siostrę, która z niewyczerpaną cierpliwością zachęcała dziewczynki, żeby nie rezygnowały. W końcu wymknęła się do małej kuchni.

– Jak sobie radzisz, mamo?

Maggie kończyła ozdabiać babeczki w kształcie motyla. Z twarzą zaczerwienioną od rozgrzanego piekarnika ostrożnie umieściła biszkoptowe skrzydła na kolejnej babeczce. Anna uwielbiała w dzieciństwie to lekkie, rozpływające się w ustach ciasto z bitą śmietaną.

— Poczęstuj się — zaproponowała Maggie.

Przygotowała dla dzieci mnóstwo domowych przysmaków. Bułeczki Rice Krispie, kapelusze z galaretki, czekoladowe ciasteczka i cudowny baśniowy tort z maślaną polewą, ozdobiony jeżami, biedronkami, żabkami i sześcioma różowymi świeczkami.

— Mamo, tort jest niesamowity. Evie będzie zachwycona.

— Wyszedł nieźle — zgodziła się Maggie; była mistrzynią w robieniu tortów na specjalne okazje. — Wciąż mi się w głowie nie mieści, że ma sześć lat. Wydaje się, że zaledwie wczoraj Sara powiedziała nam, że jest w ciąży.

Anna pamiętała chaos, który się rozpętał, kiedy Sara w końcu zebrała się na odwagę i wyznała rodzicom, że spodziewa się dziecka. Zrobiła to podczas niedzielnego obiadu. Chwilę potem popędziła do łazienki i zwymiotowała. Rodzice o mało nie zemdleli, Anną i Grace wstrząsnęło, że „mała siostrzyczka” wyprzedziła je w macierzyństwie.

Ciąża nie była łatwa dla Sary, nie miała przy boku troskliwego chłopaka czy męża. Evie pojawiła się na świecie w dość dramatycznych okolicznościach, trzy tygodnie przed terminem. Sarę i Annę do szpitala odwieźli Lynchowie z sąsiedztwa. Po drodze złamali każdy przepis, byle zdążyć na czas. Grace była w Hongkongu, a rodzice przyjechali do kliniki przy Holles Street prosto z przyjęcia. Pół godziny później Sara urodziła śliczną i zdrową córeczkę; rodzina zalewała się łzami, witając nową członkinię klanu Ryanów. Wszyscy uwielbiali Evie. Wprowadziła do domu tyle życia i była wielką pociechą dla Maggie, zwłaszcza po śmierci męża.

— Gdzie zjedzą? — zapytała Anna, skubiąc biszkoptowego motyla.

— W ogrodzie. Dzięki Bogu jest sucho i słonecznie.

Ogród wyglądał jak z bajki. Na trawniku, po parasolami leżał różowy materiał ze stertą poduszek. W kuchni czekało dwanaście ślicznych piknikowych koszyków w różowe wzory. Na każdym błyszczącymi kolorowymi mazakami wypisano imię.

– Sara to wszystko zrobiła?

– Wiesz, jaka ona jest – odparła ze śmiechem matka. – Powinna występować w programach dla dzieci.

Anna też się roześmiała; młodsza siostra była jedną z najbardziej twórczych osób, jakie w życiu spotkała. Zawsze miała pod ręką papier, farby i klej, z których wyczarowywała różne rzeczy.

– Wróżki zaczynają za bardzo dokazywać, chyba czas na posiłek – oznajmiła Sara, wchodząc do kuchni.

W ogrodzie dziewczynki wzdychały z podziwu nad swoimi koszykami.

– Ja mam czekoladowe galaretki!

– A ja różową babeczkę!

Anna podawała koktajlowe kiełbaski i dzbanki z sokiem pomarańczowym. Dzieci wesoło zajęły się przysmakami.

– To, czego nie zjedzą, zabiorą do domu – stwierdziła Sara.

Przyszła Grace w jasnoniebieskich dżinsach i robionym na drutach białym swetrze. Ucieszyła się, że zdążyła na urodzinowy tort.

Sara nalała jej wina.

– Niedługo pojawi się reszta dorosłych – powiedziała, ustawiając krzesła przy stole.

– Zaprosiłam też Marka McGuinnessa – dodała Maggie. – W zeszłym tygodniu wrzuciłam mu zaproszenie do skrzynki.

– Mamo! – jęknęły jednym głosem Grace i Anna. – To na pewno nie jest impreza w jego stylu.

Mama była niepoprawna – żeby zaprosić faceta, którego ledwo znały, na przyjęcie dla dzieci! Żenada!

– Moim zdaniem zachowałam się jak dobra sąsiadka, ale on nie może przyjść. – Maggie była wyraźnie rozczarowana fiaskiem knutej przez siebie intrygi.

Ucieszone dziewczyny patrzyły na zbliżającego się ścieżką Angusa Hamiltona. Miał długie włosy, zarost i T-shirt z transformersami. Niósł wielki prezent owinięty w różowy papier.

— Hej, nie mówiłaś, że go zaprosiłaś — żartobliwie zganiła Sarę Anna.

— Evie i Angus bardzo się przyjaźnią. — Sara zarumieniła się, bo chłopak serdecznie objął ją na powitanie.

— Angus! — krzyknęła Evie, rzucając się na niego i obsypując czekoladowymi okruszkami.

— Wszystkiego najlepszego dla pięknej księżniczki z bajki. — Pochylił się, by wręczyć dziewczynce maszynkę do robienia baniek mydlanych i zestaw pacynek, które wywołały wielkie poruszenie.

— Angus, naleję ci wina — zaproponowała Maggie.

Następni przyszli ciocia Kitty i Karen z mężem Mickiem — przyjaciele Sary. Przywitali się i usiedli pod parasolem.

— Trafiła się cudowna pogoda — powiedziała ciocia Kitty.

Grace poszła po kieliszki, tymczasem do gości dołączył Oscar. Stawiał kroki sztywniej i wolniej niż zwykle, choć próbował ukryć ból. Angus przysunął mu wygodny fotel. Anna pomogła Evie robić bańki mydlane, które potem dryfowały nad ogrodem, ścigane przez wróżki.

— Czas na urodzinowy tort — stwierdziła Sara.

Wszystkie oczy zwróciły się na nią, kiedy wróciła z tortem, na którym płonęło sześć świeczek. Odśpiewano *Sto lat*. Anna ścisnęła dłoń mamy, kiedy dwie głowy, jedna ciemna, druga jasna, pochyliły się ku sobie.

Gdy Evie z entuzjazmem zdmuchnęła świeczki, dziewczynki wzięły udział w ostatniej zabawie: szukaniu skarbu.

— Dla każdej wróżki ukryto w ogrodzie cenny pierścionek — oznajmiła Sara.

— Wspaniałe przyjęcie — chwalił Mick. — Większość rodziców po prostu zabiera dzieci do kina albo McDonalda.

— Moje córki muszą się postarać, urządzając przyjęcie urodzinowe. To rodzinna tradycja — odparła Maggie.

– A niedługo są następne – przypomniała Kitty. – Tym razem kolej na Grace.

Grace chętnie zabiłaby ciotkę! Strasznie bała się bliskich już trzydziestych urodzin.

Pół godziny później zaczęli się schodzić rodzice dziewczynek. Niektórzy zostali na kawałek ciasta i wino albo kawę, inni musieli od razu wracać do domu.

Koleżanki dziękowały Sarze i Evie za wspaniałą zabawę.

– To najlepsze przyjęcie ze wszystkich – oznajmiły Hanna i Ashling.

– Wysoko postawiłaś poprzeczkę – zażartowała matka Hanny, bogata prawniczka.

Anna była bardzo dumna z Sary, która przy braku pieniędzy potrafiła zorganizować niezapomnianą imprezę dzięki odrobinie wyobraźni.

W końcu Sara zrzuciła buty i usiadła przy stole z wielkim kieliszkiem wina w dłoni. Evie zaczęła rozpakowywać prezenty.

Dostała Barbie Baletnicę, stroje dla Barbie, dwa filmy na DVD, książkę o wróżkach, farby, zestaw biżuterii składający się z miliona drobnych koralików, książki i płyty kompaktowe.

Kiedy mała otworzyła prezent od Anny, ta pożałowała, że nie okazała się bardziej pomysłowa.

– Książki! – zawołała Evie. – I Barbie Księżniczka z różdżką! – dodała z podnieceniem. Pobiegła uściskać ciocię.

Anna w duchu podziękowała niebiosom, że mama podsunęła jej pomysł, by do dwóch rzadkich pierwszych wydań książek dla dzieci, które zdołała kupić, dodała też Barbie.

Grace podarowała siostrzenicy różową spódniczkę marki Avoca i sweterek z frędzelkami, a Maggie nadmuchiwany basen, nowy strój kąpielowy i ręcznik.

– Twoja mama i ciocie miały taki basen, kiedy były małe.

Sara i Grace jęknęły z radości na wspomnienie letnich szaleństw. Wskakiwały i wyskakiwały z basenu, topiły w nim zabawki, urządzały wyścigi.

– Pamiętasz wodne bitwy?

– Ty zwykle byłaś mokra jak szczur – przypomniała Anna.

Evie usiadła babci na kolanach.

– To było cudowne przyjęcie urodzinowe, najlepsze, babciu!

– Wiem, kotku. To dlatego, że wszyscy cię kochają.

Oczy Sary wypełniły się łzami i Anna mimowolnie uścisnęła jej dłoń.

– Skoro dzieci poszły, czas, żebyśmy zjedli wszystko do końca – oznajmiła Sara, odzyskując panowanie nad sobą.

Zniknęła w kuchni. Angus poszedł za nią.

– Jakaś wiadomość od wiesz kogo? – spytała cicho Grace.

– Ani słówka – odparła ze złością matka.

Umilkły, bo Sara wróciła z tacą babeczek i ciastek. Rozśmieszył je widok Angusa ostrożnie niosącego miskę z gorącymi kiełbaskami.

– Sympatyczny – szepnęła Grace.

– Idealny – odpowiedziała Maggie.

– Mamo! On ma dziewczynę – przypomniała Anna.

– Która jest w Szkocji, a on większość czasu spędza tutaj – dodała półgłosem Maggie.

– Ale na weekendy wraca do domu – zauważyła Anna.

– Jest sobota, a jednak przyszedł na przyjęcie Evie – skontrowała Maggie, rozdając serwetki i talerze.

– Bo ją lubi. – Naprawdę, mama czasem jest jak wiejska swatka, żywcem wyjęta ze sztuki Johna B. Keane'a, która próbuje znaleźć romans tam, gdzie go nie ma.

Chociaż kiedy obserwowała Angusa, który siedział na ławce i rozmawiał z Oscarem i Sarą, musiała przyznać, że może mama jednak ma rację; ilu mężczyzn poświęciłoby sobotnie popołudnie na przyjęcie dla dzieci? Angus po prostu doskonale pasował i szalał za Evie.

Godzinę później Anna się pożegnała, choć kusiło ją, by zostać w ogrodzie i w promieniach zachodzącego słońca popijać wino. Jechała na premierę nowej sztuki Philipa Flynna.

Rozdział 23

Anna w samą porę zdążyła do Beckett Theatre w Trinity. Odgarniając kręcone włosy z twarzy, usiadła w przednim rzędzie. Z tyłu sala świeciła pustkami. Po scenie krążyli Philip, odpowiadający za oświetlenie Simon Fleming i Gina, która studiowała dramat i czasem przychodziła na wykłady Anny. Kiedy Philip na powitanie kiwnął głową, Anna uśmiechem próbowała dodać mu otuchy. Jego rysy wydawały się ostrzejsze niż zwykle, gdy wodził wzrokiem po pustych krzesłach. Anna usiadła wygodnie, udając, że czyta program; miała nadzieję, że jakimś cudem nagle pojawi się sto osób, tworząc entuzjastyczną widownię. Przez ostatnie dwa miesiące Philip wypruwał sobie flaki przy pracy nad tym przedstawieniem i w najgorszym razie zasługiwał na garstkę widzów. Prawie wszyscy pracownicy wydziałów anglistyki i dramatu dostali zaproszenia. Naprawdę zachowają się nieładnie, jeśli nie przyjdą. Poza tym po spektaklu przewidziano drinki, a to zwykle wystarczało, by zwabić kilku miłośników darmowych alkoholi. Niespodziewanie obok Anny usadowiła się pulchna Mona Royston z instytutu literatury amerykańskiej. Jej piersi falowały pod turkusową bluzką, jasne loki spadały na ramiona.

– Dobrze, że przyszłaś, Anno. Przynajmniej jest nas dwie do pocieszania Philipa.

– Pocieszania?

– No, wiesz. Ma przechlapane. Takie upokorzenie…

– Podobno sztuka jest bardzo dobra. Philip uważa, że najlepsza, jaką napisał.

– No właśnie – roześmiała się Mona, częstując ją gumą do żucia.

Obserwując nielicznych widzów, którzy zajmowali miejsca, Anna wątpiła, by kiedykolwiek wystarczyło jej odwagi, żeby przedstawić swoje dzieło na scenie. To wymaga dużej pewności siebie, czyli tego, czego ona z całą pewnością jest pozbawiona. Rozmawiała z Moną, ukradkiem przypatrując się Philipowi. Sprawdzał wszystko, krążąc między sceną a kulisami. W spektakl było zaangażowanych sporo studentów dramatu – aktorzy, rekwizytorzy i tak dalej – i na pewno się denerwowali, a Philip dodawał im otuchy. Odetchnęła z ulgą, kiedy dwudziestoosobowa grupa studentów wypełniła dwa pierwsze rzędy. Po odczekaniu kolejnych dziesięciu minut, w czasie których do sali weszła tylko starsza para i zajęła miejsca przy drzwiach, Philip wreszcie dał znak. Światła na widowni zgasły i reflektory oświetliły scenę.

Anna wstrzymała oddech. To właśnie w kilku pierwszych minutach widzowie oceniają spektakl. Główny aktor rozpoczął swoją kwestię z twarzą ukrytą pod złotą maską. Wiele miesięcy temu Philip tłumaczył jej symboliczne znaczenie złotych masek w swojej twórczości i teraz gorączkowo usiłowała to sobie przypomnieć. Przez dziesięć minut kolejni aktorzy w podobnych maskach powtarzali tę samą kwestię, a Anna wciąż nie potrafiła znaleźć w tym sensu. Głównym tematem były dusza i społeczeństwo, ale istota tego, co działo się na scenie, wciąż pozostawała mglista.

Mona hałaśliwie otworzyła torebkę i poczęstowała Annę następną gumą.

– Szkoda, że to takie nierealne.

Anna, choć starała się skupić, złapała się na tym, że jej myśli wędrują ku stosowi prac semestralnych, które musiała poprawić. Po dwudziestu pięciu minutach starsza para głośno pozbierała swoje rzeczy i wyszła, mrucząc coś pod nosem.

Tortury trwały, wysoka szczupła dziewczyna w czarnej masce, odgrywająca rolę muzy, wykonała taniec plemienny do wtóru irlandzkiego bębna bodhran. Anna usiadła prosto, usiłując skoncentrować się na przedstawieniu. W przerwie poszła do toalety. Miejmy nadzieję, że w drugim akcie będzie lepiej, pomyślała. Kiedy Anna wróciła na salę, nigdzie nie dostrzegała Philipa; ucieszyła się, że na razie nie musi recenzować spektaklu. Mona wymknęła się na papierosa.

W drugim akcie na rzęsiście oświetlonych deskach pojawił się główny aktor – tym razem bez maski. Jego przystojna młoda twarz oddawała wszystkie emocje. Po nim na scenę wrócili pozostali aktorzy, powtarzając kwestie i ruchy z pierwszego aktu. Widzowie pochylali się, by lepiej widzieć i słyszeć, o wiele bardziej zainteresowani niż przedtem. Przedstawienie było za długie, ale teraz przynajmniej zrobiło się ciekawie. Bicie w bębny w finałowej scenie, do których wtóru tańczyła zatroskana muza, odbiło się echem w sali.

Widzowie lojalnie klaskali. Uprzejmy aplauz powitał też Philipa, gdy ten wyszedł na scenę i sztywno się ukłonił, ujmując za rękę Ashling.

– Dzięki Bogu koniec! – mruknęła Mona. – Moim zdaniem sukces nie przewróci Philipowi w głowie.

Anna nic nie powiedziała. Nie zdawała sobie sprawy, że Mona potrafi być aż tak sarkastyczna.

– Chodźmy się czegoś napić. Zasłużyłyśmy na coś mocniejszego.

Tłumek krążył wokół kelnerki serwującej wino. Anna ucieszyła się z kieliszka sauvignon blanc.

– Fiu, fiu – zagadnęła Gina. – Co za przedstawienie. Jakie emocje!

– Gdzie Philip?

– Za kulisami. Zaraz tu będzie.

Anna popijała wino i zastanawiała się, co powiedzieć, żeby zabrzmiało pozytywnie i krzepiąco. Z doświadczenia wiedziała, jak źle studenci przyjmują krytykę swoich prac. Pomimo rozdętego ego Philip był wrażliwy, a przecież chodziło o jego sztukę.

– Oto i on. – Gina uściskała Philipa.

– Doskonała robota! – stwierdziła Mona wymijająco, trącając się z nim kieliszkiem; tak gratuluje się maratończykowi, że dotarł do mety.

Philip sprawiał wrażenie wstrząśniętego. Spojrzał Annie w oczy, gdy cmoknęła go w policzek.

– Sądzisz, że potrzeba było więcej prób?

– Bez dwóch zdań.

– Tak myślałem – westchnął. – Z entuzjazmu za bardzo się pośpieszyliśmy z tą premierą.

Annę ogarnęło współczucie.

– Druga część bardziej mi się podobała.

– *Sans masques?*

– O tak. Było o wiele lepiej, gdy Terence i Ashling mogli w pełni wyrazić swoje emocje i pozwolić widzom ocenić kontrast między ich postaciami.

Philip uśmiechnął się drżącymi wargami. Pochylił się ku Annie, spijając słowa z jej ust.

Anna podziękowała opatrzności za doświadczenie w sztuce delikatnej krytyki.

– Nieustannie obnażamy swoje dusze, to właśnie próbowałem zinterpretować: kondycję człowieka.

– Oczywiście.

– Sztuka zawsze musi ku temu zmierzać.

Mona wywróciła oczami, biorąc kolejny kieliszek od przechodzącej obok kelnerki.

Anna postanowiła już się nie odzywać; objęła Philipa, wciągając w nozdrza zapach jego drogiego płynu po goleniu.

Oczy Philipa rozbłysły, troje studentów ostatniego roku dramatu otoczyło go, by pogratulować.

– Zawsze podlizuj się profesorowi – skomentowała Mona. – To szalenie ułatwia zdanie egzaminów.

– Mono!

Oklaski powitały aktorów, którzy mrugali w ostrym świetle audytorium jak podziemne stwory nagle wyprowadzone na powierzchnię.

– Naprawdę nieźle – powiedziała z uśmiechem Anna, rozpoznając jednego ze swoich studentów.

– Hej, idziemy na curry do Madras House – wtrąciła Gina.

– Świetnie. – Philip najwyraźniej już odzyskał panowanie nad sobą.

Anna ukryła rozczarowanie. Miała nadzieję, że wymkną się na cichą kolację we dwoje, zamiast w większej grupie dyskutować o spektaklu, bo wtedy stanie się jasne, jak źle został przyjęty. Mona przyłączyła się do tłumku, który kierował się w stronę Dame Street.

– Boże, umieram z głodu – powiedziała.

– Ja też. – Przechodząc przez zatłoczoną ulicę do hinduskiej restauracji, Anna poczuła, że burczy jej w brzuchu.

Wieczorna godzina szczytu minęła i udało im się zdobyć stolik na szesnaście osób niemal w środku sali. Philip usiadł między dwojgiem aktorów grających główne role, Anna między Simonem a swoim studentem. Prowadzili luźną rozmowę o irlandzkim teatrze, stypendiach na studiach podyplomowych i muzyce U2. Obserwowała Philipa po drugiej stronie stołu. Był w swoim żywiole, rozprawiał o czymś z przejęciem. Gina i Mona sprzeczały się o coś, ale Anna postanowiła się nie wtrącać, gdy dosłyszała słowa „niesprawiedliwe oceny"...

Wszyscy jak ognia unikali tematu przedstawienia. Przy odrobinie szczęścia spektakl nie doczeka się recenzji i przestanie istnieć; w swoim czasie Philip będzie mógł uznać go za jedną ze swoich mało znaczących prac. Anna popiła lodowatym piwem pikantnego kurczaka pieczonego w kamiennym piecu.

– Film to najważniejsza ze sztuk – upierał się Simon, który pracował przy krótkim eksperymentalnym filmie kręconym przez swojego współlokatora. – Oświetlenie odgrywa ogromną rolę, a operator ma wielki wpływ na całokształt.

Boże, daj mi cierpliwość, pomyślała Anna.

O północy połowa towarzystwa wyszła i Anna znalazła się obok Philipa. Głośno opowiadał o następnej sztuce, którą zamierzał wystawić. Planował włączenie do niej elementów dramatu Synge'a *Wesołek z zachodniej krainy*.

– Chyba powinniśmy już iść – zasugerowała dyskretnie. – Musisz być zmęczony. – Nie chciała, żeby w środku nocy na oczach studentów robił z siebie idiotę.

— Jeszcze jeden kieliszek wina i pójdę.

Anna westchnęła. Philip był utalentowany, inteligentny, błyskotliwy i przystojny, ale kiedy się upił, stawał się okropny.

— Philip, rano mam wykład i muszę przygotować artykuł do „Hibernian Magazine". Nie mogę dłużej zostać.

Wcale się tym nie przejął. Miała dwie możliwości: albo pójdzie i niech Philip sam sobie wraca do domu, albo zostanie i wezwie taksówkę, kiedy on zdecyduje się zakończyć imprezę. Postanowiła zostać. Wdała się w dyskusję o aktorstwie i braku teatru w mieście.

Godzinę później poczuła, że nie jest w stanie jeść, pić i rozmawiać ani chwili dłużej. Philip Flynn, teraz obficie cytujący Synge'a, był kompletnie pijany. Musiała wracać do domu i trochę się przespać, bo przez następnych kilka dni czekało ją mnóstwo pracy.

— Philip.

Nie zwrócił na nią uwagi. Ha, dość tego. Wzięła torbę i wstała, życząc dobrej nocy garstce wytrwałych imprezowiczów.

— Wychodzę, Philip.

Na ulicy zatrzymała taksówkę; Boże, co za cholernie trudny facet. Obejrzała się i zerknęła przez restauracyjne okno. Philip nawet nie zauważył jej wyjścia.

Teraz trzymał rękę na ramieniu Giny, która się do niego dosiadła.

Rozdział 24

Pięć filiżanek kawy, miska płatków, opakowanie żelowych miśków i ser dodawały Annie energii. Całą noc przygotowywała projekt na program wymiany ze Stanfordem. Perspektywa wyjazdu z Dublina na dwa semestry do jednego z najbardziej prestiżowych amerykańskich uniwersytetów i zamieszkania w San Francisco była szalenie pociągająca. Po tym, jak tamtego wieczoru Philip nieprzyjemnie ją potraktował, oraz szeptanych plotkach, że po wyjściu z restauracji wylądował u Giny, nie ulegało wątpliwości, że nic ani nikt jej tu nie trzyma. Przy odrobinie szczęścia znajdzie lokatora na kilka miesięcy do swojego domku przy Dodder Row.

– Kalifornio, nadchodzę – śpiewała cicho, stukając w klawiaturę laptopa.

Martin Johnston, amerykański profesor, który miał u nich wykłady, podał jej najważniejsze informacje dotyczące planu zajęć, i Anna zgodnie z tym przygotowała wystąpienie. Synge, Joyce, Behan, O'Casey, Beckett, Keane, Friel, McGahern, O'Brien i Heaney: włączyła wszystkich największych irlandzkich pisarzy z Yeatsem na czele. William Butler Yeats jej nie zawiedzie. W Stanfordzie będzie mogła kontynuować swoje badania, a niewykluczone, że zdobędzie grant na pracę o wielkim wpływie kobiet na poezję Yeatsa.

W drukarce utknęła kartka. Anna musiała zdjąć pokrywę, żeby wyjąć papier, później delikatnie, jakby karmiła dziecko, podawać kolejne kartki. Nie mogła sobie pozwolić na jakieś braki, Martin ostrzegł ją, że niechlujstwo grozi natychmiastowym odrzuceniem. Podczas porannego spotkania z nim miała krótko omówić swoją propozycję. Była wyczerpana, bolały ją ramiona i plecy. To nic, później będzie mnóstwo czasu na sen. Pracowała do piątej rano i zasnęła z głową na klawiaturze. Dzięki Bogu niczego nie skasowała.

O ósmej obudził ją uliczny szum. W panice wzięła prysznic i włożyła prostą czarną spódnicę, obcisłą bluzkę i seksowne szpilki. Niesforne włosy uczesała gładko, narzuciła aksamitny żakiet, łyknęła jeszcze trochę soku pomarańczowego i popędziła na spotkanie.

Minęła Philipa na korytarzu, ale ledwo miała czas się z nim przywitać. Wpadła do gabinetu dziekana i zaczęła prezentację.

Bułka z masłem! Udało się. Widziała wyraźnie, że Brendan, dziekan wydziału anglistyki, i Martin reagują pozytywnie na jej projekt.

– Bardzo nam zależy, żeby w tym roku co najmniej jedna z osoba z Irlandii miała wykłady o irlandzkiej literaturze i wprowadziła własny styl – oznajmił z uśmiechem Martin.

– Kiedy dostanę odpowiedź? – zapytała. Nie potrafiła ukryć entuzjazmu.

– Władze Stanfordu oraz wydziału anglistyki szybko podejmą decyzję.

Pod koniec spotkania Anna zauważyła, że Martin trzyma pod pachą spory plik kopert z projektami. Pożegnała się z nim i patrzyła, jak krępa postać z tłustymi krótkimi nogami zmierza przez brukowany dziedziniec w stronę samochodu.

– Bezpiecznej podróży – szepnęła.

Sprawdziła rozkład zajęć: przed południem miała ćwiczenia, o trzeciej wykład. W głowie szumiało jej z podniecenia, postanowiła więc odwołać zajęcia. Studenci ucieszą się, że mają wolne. Wykład o trzeciej wygłosi – lepiej nie denerwować dziekana, skoro w przyszłym roku chce go prosić o urlop naukowy. Ziewnęła. Wróci do domu i prześpi się kilka godzin, potem będzie rześka jak skowronek.

Nowinę dziesięć dni później przekazała jej Mona.

– Możesz uwierzyć, że ten idiota Philip wyjeżdża do Stanfordu w przyszłym roku? – krzyknęła, gdy w porze lunchu stały w kolejce w stołówce.

Annie ścisnął się żołądek, o mało nie upuściła tacy. Ani słówkiem jej nie wspomniał, że stara się o ten wyjazd. Milczał jak grób, gdy paplała o swoim projekcie i oczekiwaniach Amerykanów.

– Byłam pewna, że wybiorą ciebie, Anno, ale do diabła, czy moi rodacy potrafią odróżnić wykładowców takich jak ty, którzy ściągają tłumy studentów, od egocentryków w rodzaju Philipa, mających na celu wyłącznie autopromocję?

Musiała wyglądać na wstrząśniętą, bo Mona pogładziła ją po ramieniu.

– Wiem, że przyjaźnisz się z Philipem, ale ja jakoś nie mogę się do niego przekonać. Jedyny plus, że na co najmniej pół roku zniknie nam z oczu.

Anna się skrzywiła. Szczegółowo opowiadała Philipowi o własnym projekcie, on natomiast ani razu nie wspomniał, że też zamierza zgłosić swoją kandydaturę. Może Monie coś się pomyliło?

Brendan był w swoim gabinecie, kiedy wpadła jak burza, domagając się wyjaśnień.

– Anno, wiele osób złożyło podania o roczny staż w Stanfordzie – łagodził Brendan. – Konkurowali z pracownikami uniwersytetów w Dublinie, Galway i Cork. Philip wygrał uczciwie. Amerykanom spodobała się jego propozycja. Przykro mi, ale to nie ja decydowałem.

– A co proponował? – zapytała Anna.

– Cóż, wszyscy zajmujecie się podobną dziedziną, zwłaszcza dla odbiorców spoza Irlandii. Philip skupił się na dramatopisarzach, choć jak przypuszczam, Amerykanów najbardziej zainteresował artykuł o „Wpływie kobiet na wielkich dramatopisarzy Irlandii", nad którym obecnie pracuje.

– Brendan, to mój pomysł! – wrzasnęła Anna. – Wiesz o tym! Ukradł mój projekt!

– Istotnie, między waszymi propozycjami istnieją pewne podobieństwa, ale zakres pracy Philipa jest szerszy, a tym samym bardziej atrakcyjny. – Brendan Delaney westchnął. Niech Bóg go broni przed rywalizującymi naukowcami. Philip Flynn to arogancki dupek, Brendana zaskoczyła jego nagła kandydatura i fakt, że zrezygnował z pisania tych swoich okropnych sztuk na rzecz pracy naukowej.

– Przykro mi, Anno, nic nie mogę w tej sprawie zrobić. Wczoraj wieczorem Philip rozmawiał z ludźmi ze Stanfordu i zgodził się na pracę u nich.

Prychając z oburzenia, Anna wyszła na dziedziniec. Jak znajdzie Philipa, nagada mu do słuchu. Okazał się najpodlejszym z podłych – popełnił plagiat! Przez kilka ostatnich miesięcy słuchał jej wynurzeń o pracy, potem zmienił co nieco i przedstawił jako własny projekt. Zabije go!

Rozdział 25

*W*ściekła Anna z rozwichrzonymi włosami i powiewającymi połami długiego, rozpinanego swetra w czarno-czerwone paski przeszukiwała Trinity. Była w pokojach pracowników, bibliotece, w restauracji zajrzała do kąta, gdzie zwykle siadywał Philip, wreszcie dowiedziała się, że poszedł już do domu. Złapała kluczyki i wskoczyła do swojego czerwonego polo, by pojechać do Glasnevein.

Mały dom, w którym Philip mieszkał z matką, stał blisko Ogrodu Botanicznego; latem i wiosną Philip regularnie zabierał tam Annę na pikniki i spacery. Wcisnęła samochód w wolne miejsce na maleńkim parkingu i pobiegła do drzwi.

Otworzyła Dympna Flynn, ubrana w łososiowy sweter, kraciastą spódnicę, nylonowe pończochy i szpilki. Włosy miała ułożone w nieskazitelne fale, jakby właśnie wróciła od fryzjera.

— Jest w domu? — zapytała Anna bez żadnych wstępów.

— Philip wróci w każdej chwili. Poszedł do rzeźnika po steki na kolację. — Pani Flynn, nienawykła do ostrego tonu, sprawiała wrażenie lekko obrażonej.

— Więc poczekam, Dympno, jeśli pozwolisz.

Anna czuła się niezręcznie. Siedziała w dużym pokoju z twardymi sofami i spoglądała na oszkloną szafkę z bibelotami i porcelaną. Dympna tkwiła sztywno naprzeciwko, niespokojnie poruszając splecionymi dłońmi.

— Słyszałaś dobrą nowinę o jego wyjeździe do Ameryki?

— Dlatego tu jestem — odparła szorstko Anna.

— Będę strasznie za nim tęsknić. — Dympna wyjęła z rękawa chusteczkę. — Ale nie mogą stać mu na drodze. Philip tak się cieszy. Namawia mnie, żebym go odwiedziła. Uczelnia zapewnia mu mieszkanie.

Anna zacisnęła zęby. Mama zawsze powtarzała, że nie należy ufać facetowi, który po dwudziestym piątym roku życia wciąż mieszka z matką.

– Świetnie – powiedziała.

– Napijesz się kawy albo herbaty?

– Tak, poproszę kawę z mlekiem bez cukru.

Anna uważnie przypatrywała się wzorzystemu dywanowi, porcelanowym drobiazgom i szklanym zwierzątkom, które kolekcjonowała pani Flynn, koronkowym pokrowcom na fotele i obrazkowi przedstawiającemu jelenia w szkockich górach. Nic dziwnego, że Philip pisze takie gówniane sztuki. Cholerny maminsynek!

Dympna wyszła z kuchni, kiedy wrócił Philip. W plastikowej torbie niósł zakupy.

– Cześć, Anno – powitał ją zakłopotany. Zaskoczyła go.

– Właśnie dowiedziałam się o twoim wyjeździe do Ameryki – oznajmiła, tłumiąc złość.

– Decyzję podjąłem w ostatniej chwili – wyjąkał. – Pod wpływem impulsu postanowiłem stanąć do konkursu.

– Przedstawiając moją propozycję – dorzuciła sarkastycznie. – Pracowałam nad tym tematem cały rok.

Dympna wyczuła napięcie.

– Wybaczcie, pójdę włożyć mięso do lodówki. – Odebrała synowi torbę z zakupami.

Philip przeczesał palcami gęste czarne włosy.

– W mojej są pewne różnice – zaprotestował, mierząc Annę czujnym wzrokiem.

– A kiedy to wpadł ci do głowy błyskotliwy pomysł o wpływie kobiet na irlandzkich dramaturgów? Może wtedy, kiedy cię poprosiłam, żebyś przeczytał mój artykuł o lady Gregory i Yeatsie? Albo kiedy ci powiedziałam o badaniach dotyczących Maud Gonne?

Poruszył wargami i rozejrzał się na boki, jakby szukał podpowiedzi.

– Gówniarz! Intrygant! Wielkie zero!

– Nie zapędzaj się, Anno. Mam takie samo prawo ubiegać się o wyjazd do Stanfordu jak ty czy ktokolwiek inny. Rok z dala od domu, tego mi trzeba. Dobra, dobra, są pewne podobieństwa między naszymi projektami, przyznaję, ale mój jest na bardzo wczesnym etapie.

115

– Ty fałszywa kreaturo!

– Mam nadzieję napisać scenariusz, może nawet sztukę podczas pobytu w Kalifornii.

Anna bacznie przyglądała się jego przystojnej twarzy, z której biło samozadowolenie. Jak mogła kiedykolwiek myśleć, że to interesujący, inteligentny facet? Chyba oszalała!

– W porządku, jeszcze dzisiaj wyślę Martinowi Johnsonowi swoje artykuły i notatki z badań – zagroziła. – Ty możesz wysłać swoje.

– Ja dopiero zaczynam, mam tylko pierwszy szkic – odparł, wycofując się na oślep.

– Czyżby?!

Wiedziała, że trzyma go w garści. Zdemaskowała oszusta! Chociaż podejrzewała, że Philip w żadnym razie nie przyzna się do winy.

– Jesteś żałosny! – syknęła cicho, biorąc torebkę.

Nie ukrywał niedowierzania. Był zbyt płytki, żeby zrozumieć, co jej zrobił. Jak mogła sądzić, że jest wyjątkowy?

Dympna stała w holu z talerzem herbatników w dłoni. Anna przypuszczała, że dotarł do niej sens ich rozmowy.

– Przykro mi, że cię zdenerwował... – zaczęła, podsuwając jej ciastka.

Anna ruszyła w stronę drzwi. Wolała nic więcej nie mówić, bo nie wiedziała, jak by się to skończyło.

Rozdział 26

Anna pogodziła się z faktem, że nie pojedzie do Stanfordu, ale wkurzało ją to, że Philip pokonał ją na polu naukowym. Maminsynek, drań i intrygant. Prędzej kaktus jej na dłoni wyrośnie, niż pójdzie na jego następną okropną sztukę.

Podczas niedzielnego obiadu u matki Grace i Sara lojalnie stanęły po jej stronie i nie zostawiły na Philipsie suchej nitki.

– Gbur i zarozumialec! – mówiła Grace. – I ten facet uważa się za geniusza.

– To wąż ukryty w trawie, jak powiedziałaby babcia – dodała Sara z naciskiem. – Spotkałam go kilka razy i zawsze zachowywał się tak, jakby mnie tam nie było.

Anna zalała się rumieńcem. Najwyraźniej zupełnie nie zna się na mężczyznach. Intuicja kompletnie ją zawodziła, skoro lubiła tak antypatycznego faceta.

– Anno, kochanie, lepiej, że teraz zobaczyłaś Philipa w prawdziwym świetle – pocieszała matka. – Przekonałaś się, jaki z niego podstępny typ, zanim doszło do większej szkody. Taki mężczyzna nie jest wart mojej córki!

Anna wpatrywała się w ryżowy pudding, do którego dodała kopiastą łyżeczkę cukru. Ale ze mnie idiotka, myślała. Straciłam czujność, podsycałam próżność i egotyzm Philipa, przekonując siebie, że jest inteligentnym, wrażliwym człowiekiem. Dostałam za swoje!

– Twój ojciec nigdy by go nie polubił – dodała stanowczo Maggie.

Kiedy później sprzątały kuchnię, Maggie mocno uścisnęła córkę.

– Skarbie, wiem, że ci przykro, bo nie jedziesz do Ameryki, a Philip bardzo cię zranił. Wiele was łączyło. Ale muszę przyznać, że nie mam dobrego zdania o żadnym z twoich kolegów z pracy, z którymi chodziłaś. Może powinnaś dać szansę innym mężczyznom. Facet nie musi mieć szafy pełnej dyplomów i doktoratów, żeby być miłym i kochającym, uwierz mi!

Anna wiedziała, że matka ma sporo racji, ale nie sądziła, by teraz mogła jeszcze jakiemuś mężczyźnie zaufać!

– Och, jestem taka wściekła – wyznała. – Czuję, jakby mózg mi się rozleciał na kawałki.

– Może trochę odpocznij od uniwersyteckiego życia, wyjedź gdzieś na kilka tygodni – zaproponowała Maggie.

– Muszę stanąć na głowie i skończyć pracę o Yeatsie. Nie dopuszczę, żeby Philip mnie wyprzedził.

– To zrób sobie chociaż krótką przerwę.

– Nie mam czasu na urlop – protestowała Anna. – Trzeba ocenić prace studentów pierwszego i drugiego roku.

– Ale chodzi tylko o odrobinę spokoju i ciszy, okazję do relaksu. Co powiesz na kilka dni w domu babci? Nikt tam nie był od lata, ktoś powinien zajrzeć i sprawdzić, czy wszystko w porządku. Poza tym zmiana otoczenia dobrze ci zrobi.

Tak, to brzmiało zachęcająco. Odrobina spokoju bardzo by jej się teraz przydała. Potrzebowała samotności, czasu, żeby zebrać myśli. Kilka dni w domu babci nad morzem, z dala od wszystkiego i wszystkich… idealne wyjście. Jak to jest, że mama zawsze umie tak dobrze doradzić?

Maggie uśmiechnęła się do siebie. Kilka dni w Roundstone to najlepsze lekarstwo dla udręczonej duszy. W domku może być wilgoć, ale takie rzeczy zwykle Annie nie przeszkadzają, a przy okazji sprawdzi, czy czegoś nie trzeba naprawić.

Po ostatnim wykładzie w czwartek Anna wyruszyła do Galway.

Ruch na drogach był mały, kiedy jechała przez kolejne miasteczka: Moate, Athlone i Ballinasloe, omijając Laoughrea. Jak tak dalej pójdzie, ani się obejrzy, a dotrze do Galway. Latem była tu kilka dni z Sarą i Evie, a dwa lata temu odbyło się wielkie przyjęcie z okazji urodzin babci. Rodzina Ryanów spędziła wspaniały weekend w Roundstone – grill, kąpiele w chłodnej wodzie, nocne rozmowy przy kominku. W wieku osiemdziesięciu dwóch lat babcia Annabel cieszyła się doskonałym zdrowiem, z każdym wygrywała w pokera, sama przygotowywała kilkudaniowe obiady, grała na gitarze ballady Joan Baez i przepowiadała przyszłość.

A potem nagle zaczęła tracić pamięć i siły. W jednej chwili sprawna i energiczna, organizowała rodzinie czas, w następnej leżała przykuta do łóżka w dublińskim domu opieki i ledwo pamiętała imiona dzieci i wnuków. Biedna babcia! Jak bardzo musiała tego nie znosić! Jej śmierć przyniosła ze sobą kłopotliwe poczucie ulgi, że błyskotliwej duszy dłużej nie więzi okaleczone ciało i umysł starej kobiety.

– Dzięki Bogu, wreszcie jest wolna. – Maggie ujęła w słowa to, co wszyscy czuli.

Droga prowadząca do domu była ciemna. W świetle reflektorów Anna zobaczyła szczura biegnącego przez ulicę. Wyłączyła silnik i wyłowiła z torby klucze.

Ostrożnie stawiała stopy w wysokiej trawie porastającej ścieżkę do Mewiej Chatki nad plażą. Szum fal i zapach morza jak zwykle ją zauroczył. W słabej księżycowej poświacie położyła dłoń na kamiennym ptaku imieniem „Mewek", który stał obok niebieskich drzwi wejściowych.

W środku powietrze było zatęchłe i wilgotne. Anna zapaliła światło i się rozejrzała. Na parapecie leżały martwe muchy, szybę z plamami morskiej soli zasłaniała pajęcza sieć. W kuchni panował porządek, w polerowanych puszkach czekały na gości kawa, herbata i cukier. Anna włączyła lodówkę i babcine radio z magnetofonem. Pomieszczenie wypełniły dźwięki skrzypiec. Mewia Chatka zawsze serdecznie witała przybyszów.

Anna odkręciła wodę, odczekała chwilę i napełniła czajnik. Z małej torby z zakupami, którą ze sobą przywiozła, wyjęła paczkę pszennych krakersów i ser. Owinięta kocem, bo ogrzewanie dopiero zaczynało działać, obeszła domek. W łazience przeciekał sufit, okno w dodatkowej sypialni trzeszczało złowieszczo, w salonie za niebieską sofą widniała na ścianie plama wilgoci. Anna uśmiechnęła się na widok czerwonego wiaderka i łopatki Evie, które leżały w małym pokoju razem z gumowym kółkiem i zepsutym sandałkiem. Kiedy Anna była mała, robiła tak samo: zostawiała coś w nadziei, że to zagwarantuje jej powrót.

Postanowiła, że kiedy domek nagrzeje się i przewietrzy, pościeli sobie łóżko. Zajrzała do sypialni babci ze staroświeckim podwójnym łożem i toaletką, ale wybrała znajomy pokój, który zwykle dzieliła z siostrami. Tym razem nie miała konkurentek do wygodnej szerokiej wersalki, piętrowe łóżka zajmujące połowę pomieszczenia mogły pozostać puste. Uchyliła okno, żeby do środka wpadło trochę świeżego powietrza, i wróciła do kuchni.

Woda się zagotowała; Anna dokroiła jeszcze sera i położyła na talerzu trzy pomidorki koktajlowe i trochę pikli. Dopiero teraz poczuła, jak bardzo jest głodna. Dolała mleka do herbaty i usiadła w wygodnym fotelu. Przy jedzeniu przeglądała ulubioną książkę kucharską babci. Monica Sheridan była królową irlandzkiej kuchni, babcia ciągle korzystała z jej przepisów – robiła wielkie dzbany lemoniady, a także piekła chleb; na marginesach pozostały babcine notatki. Anna ze wzruszeniem przesunęła palcem po literach pełnych zawijasów. Annabel Ryan była inteligentną i interesującą kobietą, pełną radości życia i ciekawą wszystkiego: znała się na przyrodzie, polityce, literaturze i historii, muzyce i gotowaniu. Z upodobaniem zbierała przepisy, chociaż nie zdołała wykorzystać nawet połowy.

Po posiłku Anna usiadła na sofie w saloniku i włączyła jedną ze swoich ulubionych kaset z piosenkami Simona i Garfunkela. Napięcie powoli ją opuszczało, kiedy słuchała *59th Street Bridge Song*. Przekartkowała dwa stare magazyny i ziewnęła.

Czas na sen. Rozłożyła na materacu szeleszczące białe prześcieradło i oblekła kołdrę w kwiecistą powłoczkę. Słuchając szumu fal przesuwających po plaży kamyczki, szybko zasnęła.

Obudziła się dopiero późnym przedpołudniem; w domku panowała cisza. Przeciągnęła się w wygodnym łóżku, próbując podjąć decyzję. Spacer przed śniadaniem? Śniadanie i prysznic? A może lepiej narzucić szlafrok i pójść popływać? Słońce wprawdzie świeciło mocno, ale wiał silny wiatr, więc z ostatniej możliwości zrezygnowała. Wstała i włączyła ciepłą wodę, potem boso poszła do kuchni nastawić czajnik. Zacznie od kawy i grzanki z marmoladą, później weźmie prysznic i się ubierze. Pojedzie do miasteczka po gazetę, chleb, mleko, masło, mięso i sok. Kupi też środki czystości, żeby wysprzątać domek. Przez resztę dnia będzie pracować. Skoczyła na równe nogi, kiedy uświadomiła sobie, że zmarnowała prawie godzinę, siedząc przy oknie i patrząc, jak wiciokrzew ociera się o ścianę domu, a dzikie róże tańczą na wietrze. Po plaży biegała grupa śmiałków. Jak to jest, że dzieci i labradory nigdy nie czują zimna?

W starej łazience Anna wskoczyła pod prysznic i gorączkowo zaczęła kręcić kranem, żeby woda nie była ani wrząca, ani lodowata. Wytarła się do sucha, włożyła dżinsy, sprany jasnoniebieski T-shirt i granatowy sweter.

W sklepie Foleya panował tłok. Anna uśmiechem witała znajomych.

– Przyjechałaś na wakacje? – zapytała osiemdziesięcioparoletnia Peggy Smith, która grywała w brydża z Annabel.

– Wpadłam tylko na parę dni, w niedzielę wracam do domu – odparła, wrzucając do koszyka kozi ser i szynkę pieczoną w miodzie. Zastanawiała się, czy kupić biały czy żytni chleb, w końcu wzięła oba.

– Miło, że znowu ktoś jest w domku.

Anna z ulgą władowała pełną siatkę zakupów do samochodu.

W Mewiej Chatce jadła prosty lunch z jeszcze ciepłym chlebem i rozglądała się po staroświeckim domku. W dzieciństwie i wczesnej młodości uważały z siostrami, że to najcudowniejsze miejsce na świecie. Rozkoszowały się każdą spędzaną tutaj godziną. Teraz jednak, gdy zabrakło babci, domek wyglądał na zrujnowany i zaniedbany.

Dopiła kawę i wyjęła starą aktówkę, z której na stół wysypały się prace porównujące bohaterki Molly Keane i Edny O'Brien. Niektóre opinie studentów serdecznie ją rozbawiły. Dwie godziny później, zwabiona słońcem, usiadła na jednym ze starych leżaków – już dawno straciły swój pierwotny błękitny kolor i teraz stały między grządkami, donicami i koszykami z kwiatkami. Cały ogród pilnie wymagał porządków, trawa wręcz błagała o przystrzyżenie. Anna poszła do drewnianej szopy po narzędzia.

Po dwudziestu minutach zrezygnowała z prób użycia zdeze-
lowanej kosiarki i zaczęła energicznie ścinać sekatorem chwasty
i cierniste wrzośce, które rozpleniły się na rabatce. Wyrywała kę-
py zdziczałej trawy, wykopywała mlecze, osty i gwiazdnice. Po niemal dwóch godzinach zrobiła sobie przerwę. Wypiła szklankę wody
z lodem i zjadła kawałek ciemnej czekolady.

Słońce chowało się za horyzontem, kiedy wreszcie skończyła
pracę. Miała brudne dłonie, ziemię za paznokciami, obolałe mięśnie. Kiedy zrzuciła ubłocone buty i zerknęła na swoje odbicie w lustrze, zobaczyła zarumienioną twarz – magia ogrodu i domu zaczęła działać. Teraz musi zająć się obiadem, potem może wybierze się
na krótki spacer albo zwinie się na sofie z książką. To był szalenie
atrakcyjny plan.

Spaghetti z sosem pesto i chrupiącą zieloną sałatą okazało się
wyśmienite. Anna usadowiła się na sofie ze starym egzemplarzem
Heidi i słuchała wiadomości rolniczych. O dziesiątej zmęczenie zwy-
ciężyło i położyła się spać.

Rozdział 27

Kiedy nazajutrz rano zadzwoniła Anna, Maggie przeglądała domowe rachunki. Nużąca praca, ale Leo przez lata wykonywał ją bez
słowa skargi. Teraz musiała robić to sama. Zadowolona z przerwy,
odsunęła na bok kalkulator i dokumenty.

– Mamo, zostanę w chacie jeszcze kilka dni, dobrze? Tu jest taki
spokój, praca idzie mi nieźle, trzy razy pływałam w lodowatej wodzie i widziałam foki w zatoczce.

– Jasne, zostań, jak długo zechcesz. – Maggie z ulgą stwierdziła,
że Anna wraca do siebie.

– Przełożyłam kilka wykładów, a nowy doktorant z Belfastu zastąpi mnie na ćwiczeniach. Powinnam wrócić w środę wieczorem.

– Baw się dobrze i dbaj o siebie. – Maggie była zachwycona, że Anna może przedłużyć sobie pobyt. Ostatnio córka żyła w nieustannym pośpiechu i na nic ani dla nikogo nie miała czasu. – Wszystko w porządku? Dobrze śpisz i jesz?

– Daj spokój, mamo! – zaprotestowała Anna. – Chodzę na długie spacery i pływam, a potem mam wilczy apetyt i śpię jak zabita.

– Jest ktoś, kto zwykle przyjeżdża na lato? Ktoś z rodziny Murphych albo Kennych?

– Ani żywej duszy, totalna pustka. Mam plażę tylko dla siebie. Idealnie.

– Na pewno nie czujesz się tam zbyt samotna, Anno?

– Mamo, tego mi trzeba.

– A jak dom?

– Dach chyba przecieka, bo na ścianie w saloniku i łazience są plamy wilgoci. Może brakuje kilku dachówek. Ogród wygląda jak dżungla, jeden kurek w łazience jest zepsuty, poza tym wszystko po staremu.

Maggie uśmiechnęła się do siebie. Annabel Ryan, jej teściowa, nigdy nie przywiązywała wagi do porządku, zawsze żyła wśród stosów książek, puszek z farbami, snuła wielkie plany dotyczące napraw, ale wszystko odkładała na później.

– Może poślę kogoś, żeby sprawdził dach, póki tam jesteś. Nie chciałabym, żeby nas zalało, kiedy się wybierzemy tam w sierpniu. Mam listę osób, którym Annabel zlecała drobne naprawy. Postaram się kogoś złapać.

– Dobrze, mamo.

– Dbaj o siebie, kochanie – powtórzyła Maggie na zakończenie. Dobrze, że Anna się pozbierała.

Powinna już wyjść na popołudniową herbatę z Reginą Reynolds, wielką damą mieszkającą na rogu placu Przyjemnego, która lubiła być na bieżąco z plotkami o sąsiadach i ich rodzinach, ale najpierw wyjęła z kuchennej szuflady książkę adresową teściowej. Założyła okulary do czytania i przesunęła palcem po spisie nazwisk. Tom Leary – zrzędliwy sześćdziesięciolatek, cztery lata temu pomalował dom, a zeszłego lata wymienił wybitą szybę. Mieszkał trzydzieści kilometrów od domku i już miała do niego zadzwonić, kiedy przypomniała sobie Roberta O'Neilla, sympatycznego młodego budowlańca. Annabel zawsze powtarzała, że można na nim polegać w nagłych sytuacjach. Pewnie będzie wiedział, jak załatać dach – kiedyś naprawił stare drzwi w kuchni.

Maggie spotykała go przelotnie podczas wizyt w Roundstone, ale wciąż pamiętała jego dobroć i wyrazy współczucia podczas pogrzebu teściowej. Miły chłopak, a na dodatek mieszkał o wiele bliżej niż Leary. Może się zgodzi sprawdzić dach, a przy okazji roztoczyć dyskretną opiekę nad Anną. Wykręcając numer Roba, uśmiechała się do siebie; był samotny, dość przystojny i z nadzieją na ustatkowanie się wrócił w rodzinne strony po kilku latach pobytu w Anglii...

Rozdział 28

Przez całe przedpołudnie Anna kopała i plewiła, z satysfakcją obserwując rosnący stos pokrzyw, mleczy, liści, uschłych gałązek i główek kwiatów. Przy grządce z warzywami wspominała hodowane przez babcię pomidory, zieloną sałatę, kapustę i marchewkę. Siostry zawsze toczyły walkę, która będzie zbierać soczyste pękate truskawki, które co roku dojrzewały w ogrodzie Annabel Ryan.

Anna nigdy nie uświadamiała sobie, jak wielką satysfakcję musiało dawać babci uprawianie własnych warzyw i owoców; dopiero teraz, pracując w ogrodzie, w pełni dostrzegała uroki prostego życia. Kiedy kruszyła w dłoni ziemię przy wtórze odległego szumu fal i wdychała zapach morskiej soli, czuła jedność z naturą. Umysł miała wolny od wszelkich myśli o wykładach, ocenach i egzaminach.

Dotarł do niej warkot samochodu, ale pracowała dalej, nawet gdy usłyszała skrzyp otwieranej zardzewiałej furtki. Może to listonosz.

– Hej!

Uniosła głowę. Zbliżał się do niej nieznajomy w spłowiałych dżinsach i grubym granatowym swetrze.

– Pani Ryan prosiła, żebym wpadł obejrzeć dom. Podobno jest jakiś problem z dachem. – Zatrzymał się kilka kroków przed Anną. Był wysoki i muskularny, miał obcięte na jeża włosy i okulary w drucianych oprawkach.

Anna oblała się rumieńcem. Pewnie wygląda cudownie.

– Nazywam się Rob O'Neill. Mieszkam niecały kilometr stąd. Przyjaźniłem się z Annabel. Czasem naprawiałem jej różne rzeczy. Niedawno zauważyłem, że ktoś jest w chacie.

– Anna Ryan, wnuczka Annabel – przedstawiła się, ale nie podała okropnie brudnej ręki. – Przyjechałam na parę dni.

– Fajnie, że ktoś tu jest. Domy popadają w ruinę, jeśli zbyt długo stoją puste. Już lepiej wynająć albo sprzedać.

Anna powstrzymała się od ostrej odpowiedzi, choć nie zamierzała pozwolić, by ten facet, który pojawił się nie wiadomo skąd, mówił jej, co ma robić.

Bez dalszych ceregieli zaprowadziła go do domku. Rob sprawdził drzwi, okna, krany i dach. Rzeczywiście brakowało kilku dachówek.

– W lutym mieliśmy sztorm. Powinienem tu zajrzeć. Wichura uszkodziła wszystkie dachy. Niestety, tę wilgotną plamę trzeba zagipsować.

– Może pan to zrobić?

– Postaram się dobrać dachówki, ale będę miał czas dopiero w przyszłym tygodniu. Wtedy zajmę się też oknem i kranem.

– Zostawię panu zapasowe klucze.

– Świetnie. Ładnie pani uporządkowała ogród – zauważył.

– Chwasty strasznie się rozpleniły, a kosiarka jest zepsuta.

– Obejrzę ją, zgoda? Czasami kosiłem trawę dla Annabel. Pod koniec życia sama już nie dawała rady.

Anna nie potrafiła rozstrzygnąć, czy potępiał rodzinę, że pozwalała staruszce mieszkać tu zupełnie samej.

125

– Kochała to miejsce – stwierdziła wyzywająco; niech tylko spróbuje się z nią nie zgodzić.

– Dziwi się pani? – Jego twarz złagodniała. – Przeprowadziłem się do Roundstone cztery lata temu; postanowiłem dać sobie spokój z wyścigiem szczurów. To była najlepsza decyzja w moim życiu.

Anna złapała się na tym, że intryguje ją ten przystojny chłopak. Może był złotą rączką i jakimś cudem udawało mu się zarobić na życie na takim odludziu.

Poprowadziła go do szopy, chociaż Rob najwyraźniej dobrze wiedział, gdzie to jest. Wypchnął starą kosiarkę na żwirowaną ścieżkę.

– Padła na amen?

Nie od razu odpowiedział; pochylony, ze skupieniem przeglądał maszynę. Trzykrotnie próbował ją uruchomić, potem rozłożył na części.

– Muszę sprawdzić silnik.

Przez kilka minut obserwowała, jak Rob usiłuje rozwikłać problem.

– Ma pani śrubokręt? – zapytał wreszcie, unosząc okulary.

Musiała wyglądać na zdezorientowaną. Nie wiedziała, gdzie babcia trzymała narzędzia. W szopie? W kuchennych szufladach?

– Niech się pani nie przejmuje. Wezmę z samochodu. – Rob wyprostował się i wytarł dłonie o dżinsy.

Anna odprowadzała wzrokiem szczupłą postać kierującą się do starego zielonego dżipa. Podejrzewała, że O'Neill jest w jej wieku, może trochę starszy. Ciekawe, czy kogoś ma, pomyślała mimowolnie.

Wrócił po kilku minutach i nie zwracając na nią uwagi, rozłożył na trawie części kosiarki.

– Chce pan kawy? – Nagle przypomniała sobie o dobrych manierach.

Woda zagotowała się szybko; Anna z ulgą stwierdziła, że w lodówce wciąż jest mleko. Na szczęście nie wyjadła też wszystkich czekoladowych galaretek. Położyła je na tacy, żeby wynieść na dwór.

126

– W środku też pani sprząta?

Okręciła się na pięcie. Rob stał w progu kuchni, spoglądając na stosy starych puszek, naczyń i garnków, które porządkowała i myła.

– Tak. Spory tu bałagan.

– Annabel lubiła chomikować różne rzeczy – wspomniał z uczuciem. Bez zaproszenia wszedł i usiadł na krześle. – Na tym polega problem. – Pokazał jej mały zardzewiały kawałek metalu. – To jest śruba obrotowa. Trzeba ją wymienić.

– Zrobi pan to?

– Dzisiaj po południu jadę do Clifden, może uda mi się dokupić. Jeśli nie, w przyszłym tygodniu będę w Galaxy i tam poszukam. Ale niewykluczone, że potrzebna będzie nowa kosiarka. – Uśmiechnął się, wsypując do kawy dwie łyżeczki cukru. – Zawsze lubiłem tę kuchnię. Przez cały dzień jest tu słońce i z okna widać morze.

Sprawiał wrażenie zadomowionego i Anna próbowała sobie wyobrazić babcię gawędzącą z nim o ogrodzie i miejscowych nowinach. Tak, Annabel Ryan cieszyła się powszechną sympatią.

– Ma pan ochotę na galaretkę?

– O, to moje ulubione. – Odwinął sreberko i włożył cukierka do ust.

Nie odrywał wzroku od Anny, której wygląd daleki był od ideału: włosy wymykające się z końskiego ogona byle jak związanego starą zieloną wstążką, ani śladu makijażu, przez co jasnych rzęs pewnie wcale nie widać, brudny T-shirt.

– Jak długo pani tu zostanie?

– Tylko kilka dni. W czwartek muszę wracać do pracy w Dublinie.

– Biedactwo – powiedział Rob ze współczuciem, spoglądając na wspaniały krajobraz za oknem.

– Biorę udział w ważnym uniwersyteckim programie – wyjaśniła Anna, zastanawiając się, dlaczego próbuje mu zaimponować.

– Pracowałem w Dublinie – oznajmił Rob z kwaśną miną. – Potem w Londynie i Manchesterze... – Poczęstował się herbatnikiem.

– W końcu przekonałem się, że wielkie miasta… to nie dla mnie. Ja jestem chłopak ze wsi, więc wróciłem do korzeni. Poza tym rodzice bardzo się ucieszyli, kiedy zjawił się syn marnotrawny.

Zaciekawiona, już chciała zapytać, gdzie pracował, ale zadzwonił jego telefon.

– Muszę się zbierać. – Rob zerknął na komórkę i odstawił kubek do zlewu. – Wstawię brakujące dachówki i postaram się o tę część do kosiarki.

– Bardzo dziękuję. – Anna wręczyła mu zapasowy klucz do Mewiej Chatki intuicyjnie przekonana, że temu chłopakowi może zaufać.

Odprowadziła Roba do samochodu, potem patrzyła, jak odjeżdża drogą wzdłuż wybrzeża.

Po kolejnych dwóch godzinach pracy zrobiła sobie przerwę i poszła popływać w zatoczce. Woda jak zwykle była lodowato zimna; z bezpiecznej odległości przyglądała się Annie ciekawska foka. Anna wytarła się, włożyła dres i pobiegła truchtem, żeby się rozgrzać. Na kolację ugotowała wielki garnek wegetariańskiej potrawki, a przy jedzeniu przeglądała szkicowniki babci z rysunkami krajobrazu, fuksji ciężkich od kwiatów, dereni i niskiego kamiennego murka, za którym ciągnęły się pola przecięte żywopłotem, a w oddali połyskiwał błękitny pas wody. Każda kreska dawała wyraz miłości babci do tego zakątka ziemi. Tutaj Annabel odnalazła spokój i stopiła się z miejscową społecznością. Anna niemal jej zazdrościła. Wyjęła teczkę ze swoimi notatkami. Przeglądała je, uzbrojona w mazak, a kiedy pojawiły się pomysły, włączyła laptop i zaczęła pisać.

Przez następne dwa dni rano pracowała, a po południu porządkowała ogród; wysiłek fizyczny odprężał ją i uspokajał. Rob się nie pokazywał. Anna przypuszczała, że jest zbyt zajęty pracą i nie ma czasu na wizyty. Naprawa starej kosiarki babci na pewno nie była dla niego najważniejsza.

W środę po południu Anna z ociąganiem spakowała rzeczy i zaniosła do samochodu. Kiedy zamykała drzwi na klucz, przysięgła sobie, że wróci tu za parę tygodni, nawet jeśli zdoła się wyrwać tylko na weekend. Wsiadając do małego czerwonego polo, w duchu przygotowywała się na powrót do miasta i uniwersyteckiego życia.

Rozdział 29

W pewne popołudnie pod koniec kwietnia Oscar Lynch grzał się w promieniach słońca wpadającego przez wysokie okno do salonu i podziwiał plac Przyjemny z rzędami domów z czerwonej cegły, otoczonych metalowymi ogrodzeniami. Przez niemal pół wieku oglądał ten sam widok: park z wysokimi orzechami i czereśniami, centralny skwer obrośnięty zielenią, małe boisko z trzema huśtawkami, trawiasty kort tenisowy na końcu. Decydując się na zakup tego domu, razem z Elizabeth sporo uwagi poświęcili korzyściom wynikającym z posiadania niemal prywatnego parku w charakterze frontowego ogródka. Oboje uznali, że to idealne miejsce do założenia rodziny, o wiele lepsze niż nowo powstające osiedla na obrzeżach miasta. Urok placu, bliskość centrum i naturalnie park zwyciężyły. To nic, że trzeba położyć nowy dach, zmodernizować instalacje i wyremontować kuchnię.

Czas mijał, a oni cierpliwie czekali na wytęsknione dziecko. Elizabeth poroniła w szesnastym miesiącu i nigdy więcej nie zaszła w ciążę. Niestety, nie chciała nawet brać pod uwagę adopcji.

– Jeśli będziemy mieć dziecko, to tylko własne – powtarzała, ignorując jego prośby, by zwrócić się do ośrodka adopcyjnego.

Z czasem Oscar też pogodził się z myślą, że jego dziecko nie będzie biegało po trawie, huśtało się na czerwonej huśtawce czy odbijało piłeczkę nad siatką.

Z ciężkim sercem patrzył, jak latem całe rodziny wypełniają park, pokrzykują i śmieją się, jesienią biegają po liściach i szukają kasztanów, zimą lepią bałwany, a gdy znowu wraca wiosna, na wietrze puszczają latawce. W końcu przestali z żoną rozmawiać o tym, co przez długie lata małżeństwa powodowało tyle bólu i cierpienia. Oscar uwielbiał Elizabeth Fortune od pierwszej chwili, gdy ją zobaczył. Była inteligentna i piękna, a to zdarza się rzadko. Teraz dzięki cudom medycyny pary mogą mieć dzieci z probówki albo poddać się zapłodnieniu in vitro; ale w czasach, gdy Oscar i Elizabeth byli młodzi, pozostawało tylko z godnością pogodzić się z losem.

Wypełnili więc swoje życie muzyką, operą i podróżami. Regularnie jeździli do La Scali, do wszystkich największych teatrów operowych świata. Pili wino w winnicach Szampanii, Burgundii, Dordogne, Douro, Stellenbosch, Franschhek, Napa Valley i Hunter Valley. Pragnęli poznawać świat i ludzi. Oscar, dentysta z liczną i lojalną grupą pacjentów, pracował do sześćdziesiątego ósmego roku życia. Ze spokojem plombował, robił koronki, czyścił zęby przerażonym ludziom. Wieczorami Elizabeth cierpliwie słuchała jego opowieści o życiu i fobiach tych, którzy siadali w wielkim dentystycznym fotelu.

– Dla wszystkich jesteś miły, Oscarze – chwaliła go, przygotowując kolację i podając szklaneczkę dżinu z tonikiem. – Mają szczęście, że opiekuje się nimi taki dobry dentysta.

Uśmiechnął się na widok dwóch chłopców ścigających się na rowerach. Jeden to pewnie McCarthy, drugi to jego kolega. Ta rodzina wychowała się w parku!

Naturalnie Elizabeth już przy nim nie było. Umarła prawie osiem lat temu. Jego piękna żona została sparaliżowana po udarze, którego nagle doznała pewnego poranka zaraz po przebudzeniu. Odwieziono ją do szpitala, gdzie w ciągu tygodnia wywiązały się poważne komplikacje i zapalenie płuc. Nie reagowała na leki i pomimo wysiłków lekarzy umarła. Straszny okres. Oscar wciąż pamiętał go wyraźnie, jakby to było wczoraj. Żałoba, wielki gniew, a potem samotność. Bez Elizabeth już nie podróżował po świecie. Pięć lat temu starzy przyjaciele namówili go na wyjazd na festiwal operowy w Wexford, ale kiedy oglądał *Carmen*, łzy płynęły mu strumieniem. Nigdy więcej. Bez niej nie jest w stanie.

Teraz jego życie znowu miało się zmienić. Cierpiał na artretyzm i stał się niemal więźniem we własnym domu, zależnym od dobrej woli przyjaciół i sąsiadów. Tom Moore, lekarz z Balckrock Clinic, zadzwonił i powiedział, że konieczna jest operacja stawu biodrowego.

– Wciąż ma pan w sobie dużo życia, Oscarze – namawiał. – Nie może pan się przykuć do łóżka. A operacja bardzo pomoże. Gwarantuję, że za kilka miesięcy nie pozna pan samego siebie.

Oscar obawiał się operacji, martwił długim pobytem w szpitalu i rekonwalescencją. Pytał siebie, czy to ma jakiś sens? Czego pragnęłaby Elizabeth? A z drugiej strony nie chciał być ciężarem dla nikogo, także dla państwa! Jedynym rozsądnym wyjściem było posłuchanie rady lekarza i poddanie się operacji. Decyzja została podjęta i dzisiaj miał iść do szpitala. Maggie Ryan zaproponowała, że go odwiezie; wiedział, że na niej może polegać, będzie odbierała pocztę, opiekowała się domem i ogrodem podczas jego pobytu w szpitalu.

Spakowana torba już czekała. Jeszcze raz powiódł wzrokiem po salonie: kosztowny złoty dywan, mahoniowa biblioteczka, stolik i krzesła, kominek i wygodny fotel z wysokim oparciem, w którym zwykle siadał. Nabrał powietrza w płuca, słysząc samochód parkujący na podjeździe. Wyprostował się, w lustrze poprawił granatowy krawat i spojrzał na swoje siwe włosy i pomarszczoną twarz. Po raz pierwszy od dawna przyznał sam przed sobą, że się boi. Operacji, przyszłości, samotności.

Rozdział 30

Leżąc na szpitalnym łóżku, Oscar musiał przyznać, że czuł coś więcej niż strach: paraliżujące przerażenie. Choć sam miał medyczne wykształcenie, w szpitalach czuł się nieswojo. Mógł zrobić tylko jedno – spróbować nie myśleć o bliskiej operacji.

Pielęgniarki były miłe i zajmowały się nim troskliwie. Mary, rudowłosa dziewczyna z Mayo, sprawdziła mu ciśnienie krwi i temperaturę, by mieć pewność, że jutrzejsza operacja może się odbyć.

Za oknem kusiła Zatoka Dublińska, nadchodził przypływ, fale rozbijały się o brzeg między Blackrock a Booterstown. Pies jak szalony gonił za mewą, która zerwała się do lotu i pofrunęła na pełne morze. Zatłoczony zielony pociąg jeździł po pętli pomiędzy Bray a miastem.

– Dobrze się pan czuje, panie Lynch? – zapytała inna pielęgniarka, piękna młoda Filipinka.

– Cudownie. – Uśmiechnął się, pragnąc tylko, by zostawiono go w spokoju.

Na podwieczorek zamówił rybę z frytkami, później będzie pościł. Uporządkował wszystkie sprawy. Powiadomił o swoim pobycie w szpitalu brata Jamesa w Sydney i kuzynkę Glorię w Belfaście. Umościł się wygodnie i pogrążył w powieści P.G. Woodehouse'a, bo śledzenie wybryków Bertiego Woostera i Jeevesa to idealny sposób zabicia czasu do przyjścia Moore'a.

W oszołomieniu wywołanym morfiną Oscar śnił o Elizabeth. Wyglądała promiennie i pięknie, gładziła go po czole i mówiła „kochanie". Kiedy się obudził, przy łóżku zobaczył jednak siostrę Mary. Sprawdzała kroplówkę i sączki. Zapewniła, że operacja się udała i Moore przyjdzie później z nim porozmawiać. Oscar z ulgą poddał się działaniu środka znieczulającego i zapadł w głęboki sen.

Nowy staw biodrowy z tytanu okazał się skuteczny i po dwóch dniach Oscar stanął na nogi, a raczej na kule. Po raz pierwszy w życiu czuł się naprawdę stary i słaby, gdy pokonywał odległość od łóżka do krzesła, od krzesła do łazienki, a potem podtrzymywany przez dwie pielęgniarki wybrał się na krótki spacer szpitalnym korytarzem, co dla jego wyczerpanego organizmu było jak maraton. Przepełniała go potężna wola życia, mimo to wciąż się zastanawiał, jak sobie poradzi z codziennymi zajęciami, kiedy opuści Blackrock Clinic.

– Bardzo jesteśmy zadowoleni z rezultatów operacji – oznajmił Tom Moore po gruntownym przebadaniu Oscara. – Jeszcze kilka dni w szpitalu, a potem uda się pan na dwutygodniową rekonwalescencję.

– Dziękuję. Jestem głęboko wdzięczny za doskonałą opiekę.

– Na razie wszystko idzie dobrze – ciągnął lekarz. – Wygląda na to, że wróci pan do zdrowia. Większość pacjentów dzięki pomocy domowników i regularnej fizjoterapii odzyskuje sprawność niemal w stu procentach. Ale widzę, że mieszka pan sam, a to poważny problem. Dlatego proponuję, żeby zastanowił się pan nad przeprowadzką do domu opieki.

– Dom opieki! – wybuchnął Oscar, patrząc na różową okrągłą twarz lekarza, który wyglądał ledwo na czterdzieści lat. – Bardzo jestem wdzięczny panu i pańskiemu zespołowi za to, co dla mnie zrobiliście, ale za żadne skarby nie przeniosę się do jednego z tych okropnych domów. Zapewniam, że najlepiej mi będzie przy placu Przyjemnym.

– Ale wie pan, że trzeba się oszczędzać? Rekonwalescencja zawsze długo trwa.

– Oczywiście – odparł Oscar wyczerpany tą dyskusją. Zastanawiał się, jak sobie poradzi z gotowaniem, sprzątaniem, praniem i prasowaniem w dość dużym, dwupiętrowym domu, w którym mieszka sam jeden.

Maggie przyszła do szpitala na początek pory odwiedzin; w dyżurce pielęgniarek na piętrze zapytała, gdzie znajdzie pana Lyncha. Miała ze sobą bukiecik zerwanych w ogrodzie róż, ulubione miętówki Oscara, najnowszy numer „Phoeniksa" i błękitną piżamę, którą kupiła u Marksa i Spencera przy Grafton Street – mogła ją zwrócić, gdyby rozmiar okazał się niewłaściwy. Dyskretne spojrzenie na rzeczy z pralni przekonało ją, że staruszkowi potrzebna jest nowa piżama na pobyt w szpitalu. Wzięła też pocztę i kartkę od Evie. Dziewczynka narysowała kredkami fioletowego wieloryba i jaskraworóżową rybkę.

Oscar zajmował jednoosobowy pokój ze wspaniałym widokiem na morze. Maggie ucieszyła się, że przyjaciel doczekał się rekompensaty po latach płacenia wysokich składek na ubezpieczenie zdrowotne, z którego do tej pory nigdy nie korzystał.

– Maggie, moja droga, jak dobrze cię widzieć – powitał ją serdecznie, siedząc na fotelu z wysokim oparciem. – Miło, że przyszłaś odwiedzić takiego starego uparciucha jak ja.

Mimo osłabienia i zmęczenia jak zawsze był szarmancki. Maggie uściskała go, potem zajęła się kwiatami i prezentami. Nową piżamę włożyła do szafki.

Opowiedział o operacji i inżynierskiej precyzji, której wymaga dopasowanie nowego biodra.

– Zdumiewające są cuda nowoczesnej medycyny i techniki!

– Kiedy wypuszczą cię ze szpitala? – zapytała zadowolona z pomyślnych rezultatów operacji.

– Za kilka dni, ale czeka mnie jeszcze rehabilitacja.

– No tak, nic dziwnego.

– Ale doktor Moore zasugerował potem, że powinienem się przeprowadzić do domu opieki – poskarżył się Oscar z nagłą irytacją. – A przecież doskonale sam sobie dam radę.

– Oczywiście, że tak. – Maggie dobrze znała niezależność Oscara, który zawsze upierał się, by wszystko robić samemu. Pamiętała, jak przycinał wielką czereśnię i utknął na szczycie. Na szczęście zobaczyła go Sara i przybiegła na pomoc z drabiną. – Ale przez jakiś czas będziesz chodził o kulach i na pewno musisz zwolnić. – Dlaczego mężczyźni są takimi opornymi pacjentami? – Włożę róże do wody, dobrze? – zmieniła temat. – Siostry na pewno mają jakieś wazony. – Po krótkich poszukiwaniach trafiła do dyżurki. – Jak sobie radzi pan Lynch?

– Doskonale – odparła z uśmiechem młoda pielęgniarka. Dobrze patrzyło jej z oczu.

– Jestem sąsiadką – wyjaśniła Maggie. – Od dawna się przyjaźnimy, a teraz pilnuję jego domu.

– Nie ma rodziny?

– Właściwie nie. Brat mieszka w Australii, żona umarła kilka lat temu.

– Biedaczysko. Ciągle o niej mówi.

– Była miłością jego życia. Stanowili cudowną parę.

– Musi teraz czuć się bardzo samotnie.

– O tak – przyznała Maggie; aż za dobrze znała samotność, którą przynosi wdowieństwo.

– Lekarz zaproponował, żeby pan Lynch rozważył przeprowadzkę do domu opieki. Mężczyzna w jego wieku po poważnej operacji zwykle wymaga długiej rekonwalescencji. Ktoś musi się nim opiekować. A kiedy wróci do domu, szpital sprawdzi, czy ma odpowiednią pomoc.

– Oscar jest bardzo niezależny, dlatego chce wrócić do własnego łóżka i domu.

– Naturalnie – potaknęła pielęgniarka. – Chodzi tylko o to, że przez kilka następnych miesięcy będzie potrzebował pomocy.

Maggie podziękowała za wazon i wróciła do Oscara.

Oscar drzemał, cicho pochrapując. Był przystojnym mężczyzną, przypominał szekspirowskich aktorów. Teraz wyraźnie się postarzał, szczupłą twarz miał zapadniętą z wyczerpania. Maggie cicho napełniła wazon wodą i włożyła róże. Postawiła wazon na szafce blisko łóżka. Elizabeth i Oscar zawsze byli dobrymi sąsiadami, wiele razy jej pomagali w kryzysowych sytuacjach – a to dzieci się rozchorowały, a to zepsuł się samochód. A raz, kiedy spaliła się pralka, przez pięć dni pozwalali używać swojej, dopóki Ryanowie nie kupili nowej. Elizabeth, wspaniała kucharka i gospodyni, przez lata często zapraszała ich na przyjęcia. Teraz wyglądało na to, że biedny Oscar po operacji sam będzie musiał sobie radzić. Cóż, Maggie pomoże mu w miarę możliwości, ale musi być jakieś rozwiązanie. Po prostu musi. Pochyliła się i lekko pocałowała Oscara w czoło, potem wzięła torebkę i wyszła.

Rozdział 31

Po powrocie do Dublina Anna pogrążyła się w pracy. Najczęściej udawało się jej unikać Philipa. Raz tylko zdarzyła się niezręczna sytuacja, kiedy oboje zostali zaproszeni na premierę nowego tomu wierszy Michaela O'Shei w Arts Club. W gruncie rzeczy śmiesznie to wyglądało – każde z kieliszkiem wina w dłoni dokładało starań, by znajdować się po przeciwnej stronie pokoju.

Anna złapała się na tym, że tęskni za chatą i spokojnymi porankami, za widokiem kormorana zlatującego ze skał na plażę. Zbliżał się koniec semestru, studenci przygotowywali się do egzaminów, postanowiła więc zrobić sobie przerwę. Załadowała bagażnik papierami i książkami, zabrała cenny laptop i ruszyła do Roundstone.

Odprężyła się, gdy za ostatnim zakrętem zobaczyła szare dachówki i komin Mewiej Chaty. Co za cudowny widok. Nie to co w hałaśliwym Dublinie. Zwolniła, by dobrze się przyjrzeć morzu i chacie. Nic dziwnego, że babcia pod koniec życia nie chciała się stąd ruszać. Anna głęboko odetchnęła czystym powietrzem, z rozkoszą wyczuwając osobliwy smak soli i wodorostów, niesiony wiatrem na brzeg.

Z plecakiem w dłoni otworzyła drzwi i zaczęła radośnie biegać po pomieszczeniach. Ucieszona zauważyła, że dach jest naprawiony, a brzydka plama wilgoci w salonie świeżo zagipsowana. Okno nie klekotało, kran w łazience działał, trawę ścięto. Zajrzała do szopy: kosiarka stała na dawnym miejscu. Rob jednak znalazł na to wszystko czas. Musi pamiętać, żeby przed wyjazdem zapłacić mu za naprawy.

Na dworze wiał wiatr; Anna włożyła kurtkę. Po długiej jeździe samochodem postanowiła wybrać się na spacer. Na plaży nikogo nie było. Jak małe dziecko biegała i skakała, goniąc fale i krzycząc ile sił w płucach. Doszczętnie przemoczyła buty i spodnie, włosy całkiem jej się zmierzwiły, a piasek miała nawet w uszach.

Po półtorej godziny z ociąganiem ruszyła w stronę domu. Znad oceanu nadciągały deszczowe chmury; lało solidnie, gdy dobiegała do drzwi. Przebrała się w ciepłą piżamę i polarową bluzę. Włączyła radio, ale informacje o sytuacji na drogach i giełdzie zupełnie jej nie interesowały, wsunęła więc w magnetofon kasetę z piosenkami Simona i Garfunkela. Przy łagodnej muzyce przyrządziła sobie warzywną potrawkę z ryżem, potem usiadła na sofie i zaczęła jeść. Za oknem wolno zapadał zmierzch.

Wieczorem zasiadła przed laptopem, żeby pisać o kobietach w życiu W.B. Yeatsa: matce, żonie, uwielbianej kobiecie, siostrach, mecenaskach. Był to człowiek żywiący się miłością ludzi ze swojego otoczenia, którym wystarczało to, że obcują z geniuszem. Pusty ekran z marnymi szesnastoma linijkami tekstu kpił z niej, gdy bezskutecznie poszukiwała odpowiednich słów i fraz do opisania intymnego związku poety z jego muzą, piękną Maud Gonne. Wciąż od nowa czytała notatki i gryzmoliła na papierze i nic: nie potrafiła wyrazić swoich myśli. Ona, która ganiła studentów za brak głębi i zrozumienia, teraz nie umiała znaleźć słów.

– Daj sobie spokój! – powiedziała.

Zdjęła z półki książkę o latarniach morskich w Irlandii. Czytała dwie godziny, później wypiła kubek kawy z mlekiem i poszła do łóżka. Wiatr wył całą noc, ale Anna, otulona po uszy ciepłą kołdrą, smacznie spała.

Rano plażę pokrywały wodorosty i śmieci wyrzucone przez fale na brzeg. Był odpływ, morze znowu się uspokoiło.

Po śniadaniu pojechała do sklepu po gazetę i mleko. Wodząc wzrokiem po pełnych półkach w sklepie Foleya, który równocześnie pełnił funkcję poczty, ogarnęła ją pokusa, by kupić więcej. Wzięła wędlinę w plasterkach, kiełbaski, wiejskie jaja, bochenek pszennego chleba, trochę pieczonej szynki, pomidory, masło. Śmieszne, ale tu zawsze miała wilczy apetyt; w dzieciństwie ciągle chodziły głodne, więc babcia i mama nieustannie coś dla nich pichciły.

Kiedy płaciła w kasie za zakupy, Rose Foley zapytała, co u Maggie.

– Pozdrów ją ode mnie i niech nie odkłada przyjazdu.

– A wie pani przypadkiem, gdzie mieszka Rob O'Neill?

– Ten nicpoń, mój siostrzeniec? Przy nadmorskiej drodze, z osiemset metrów za domem Grogana – odparła Rose. – Łatwo tam trafić! To stara szkoła.

Samochód podskakiwał na wyboistej drodze prowadzącej między wybujałym żywopłotem. Anna zahamowała przed kamiennym szkolnym budynkiem z nowymi oknami i furtką pomalowaną jasną farbą. Auto Roba stało na podjeździe. Anna długo pukała do drzwi, ale nikt nie otworzył. Może zostawić liścik w skrzynce pocztowej? Chciała zapłacić chłopakowi, tylko nie wiedziała ile. Na wszelki wypadek obeszła budynek. Na tyłach zobaczyła Roba. Lakierował ogrodowy stół i krzesła. Widok od frontu był zwodniczy. Z tyłu budynek w niczym nie przypominał szkoły. Wysokie okna, niemal od sufitu do podłogi, dawały wspaniały widok na morze, w ukośny dach wbudowano świetliki.

– Ojej, jak ślicznie!

Rob przerwał pracę i podszedł do niej, wycierając dłonie. Za nim biegł czarno-biały kundelek.

– Naprawiłem kosiarkę i uzupełniłem dachówki.

– Dlatego tu przyjechałam. – Anna uśmiechnęła się serdecznie. – Bardzo dziękuję. Ile jestem winna.

– Trzysta będzie w sam raz. I proszę mi mówić po imieniu.

– Dom wygląda niesamowicie – powiedziała i wyjęła szeleszczące banknoty, prosto z bankomatu w Galway.

– Zamierzałem zrobić sobie przerwę – oznajmił, wsuwając pieniądze do kieszeni dżinsów. – Masz ochotę na kawę i ciastko? Oprowadzę cię po domu.

– A na pewno nie przeszkadzam?

Rob poprowadził ją przez jasne patio ze szkła i sosny do przestronnej kuchni z prostymi dębowymi szafkami, długim stołem i krzesłami. Słońce odbijało się od białych ścian, ozdobionych obrazami olejnymi i współczesnymi grafikami.

– Pięknie, Rob. – Anna stanęła za blatem i podziwiała widok na morze. – Gotowanie tutaj musi być przyjemnością.

Z kuchni przeszli do otwartego salonu z kominkiem, dwiema wielkimi sofami, telewizorem plazmowym, odtwarzaczem DVD i wieżami.

Anna roześmiała się na widok staroświeckiej tablicy szkolnej, która wisiała w głębi.

– No wiesz, co to za szkoła bez tablicy!

Anna nie mogła się powstrzymać. Złapała kredę i napisała swoje imię, a niżej narysowała wielkie roześmiane słoneczko.

Na parterze znajdowała się jeszcze mała, pomalowana na żółto sypialnia. Stąd widać było frontowe podwórko i pomieszczenie gospodarcze.

Gdy Rob zaprowadził ją na piętro, Anna nie potrafiła ukryć zazdrości na widok głównej sypialni. Z wielkiego łóżka rozciągał się zapierający dech w piersiach widok na morze i plażę. Dominowały biel i kolor kremowy, na łóżku leżały trzy potężne poduchy w powłoczkach z irlandzkim wzorem.

– Mama zrobiła je na drutach – powiedział Rob.

W pokoju panował nieskazitelny porządek; w garderobie wszystko leżało na swoim miejscu. Na piętrze Anna zajrzała jeszcze do prostej białej łazienki z nowoczesnym prysznicem i pokoju gościnnego, który Rob kończył urządzać.

– Niesamowite, w głowie mi się nie mieści, że to była szkoła.

– Trzy lata trwał remont. Sporo się przy tym napracowałem – przyznał. – Większość zrobiłem sam i mam nadzieję, że udało mi się choć w części zachować charakter budynku.

– Dom jest uroczy, Rob. Szkoda, że moja siostra Grace go nie widzi. Jest architektem. Bardzo by jej się spodobał.

Zeszli do kuchni. Przy kawie Rob opowiedział, jak kupił szkołę.

– Ojciec do mnie zadzwonił i przekazał wiadomość, że ogłoszono przetarg na budynek. Pracowałem wtedy w Manchesterze, ale dobrze znałem tę szkołę, bo razem z braćmi się w niej uczyliśmy.

Od pięciu lat stała pusta, okna były częściowo zabite deskami. Połączyli szkoły dla chłopców i dziewcząt i na szczęście dla mnie tę postanowili sprzedać. Złożyłem ofertę, no i wygrałem. Latem przyjechałem do domu, załatwiłem pozwolenie na budowę, a jesienią wróciłem na stałe.

– Dokonałeś prawdziwych cudów – pochwaliła. Była pod wielkim wrażeniem.

– Tak, długo to trwało, ale się opłaciło.

Nie dostrzegała w domu śladów kobiety. Ciekawe więc, dlaczego włożył w dom tyle pracy.

– Siedziałem w ławce pod tą ścianą. Naszego nauczyciela, pana Horana, doprowadzałem do szału – wspominał Rob. – Nie przykładałem się do nauki, chciałem tylko grać w piłkę i w hokeja na trawie. Pan Horan ciągle mi powtarzał, że jestem beznadziejny i niewiele się po mnie spodziewa. Miałem dziesięć lat, jego słowa bardzo mnie zabolały. Zabawne, jak czyjaś niewiara w ciebie może być impulsem do zrobienia rzeczy, które wcześniej nawet nie przyszły ci do głowy.

Choć się uśmiechał, jego oczy wciąż zdradzały ból. Anna poczuła pokusę, by ująć Roba za rękę.

– I chyba dlatego tak mi zależało na kupnie tego budynku.

Pies skomleniem domagał się wyjścia. Od progu jak błyskawica popędził przez trawnik za mewą, ujadając jak szalony.

– Masz ochotę na spacer po plaży? – Zaskoczył ją tą propozycją. – Tippy lubi gonić fale.

Anna się ucieszyła, że włożyła sportowe buty. Pies kręcił się wokół nich, gdy równym krokiem przemierzali niemal pustą plażę.

– A ty co robisz? – zapytał Rob.

– Jestem twoim przeciwieństwem – powiedziała szczerze, wpatrując się w łódź płynącą w oddali. – W szkole byłam prymuską. Ciągle siedziałam z nosem w książkach. Nauka przychodziła mi łatwo. Kochałam poezję i dramat, więc po skończeniu college'u podjęłam pracę na uniwersytecie. Teraz jestem młodszym wykładowcą

na wydziale anglistyki w Trinity i specjalizuję się w literaturze anglo-
-irlandzkiej.

– Nigdy nie lubiłem poezji – wyznał bez ogródek Rob. – Nie
mogłem zrozumieć, dlaczego ktoś nie mówi wprost tego, co myśli.
Wiersze zawsze wydawały mi się szaradami, zawiłymi opisami pro-
stych rzeczy.

– Może masz rację. – Annę zdumiała jego przenikliwość i szcze-
rość. Wcale nie udawał, że zna się na literaturze. – Ostatnio chyba
zaczęłam sobie uświadamiać, że w życiu jest coś więcej, nie tylko
książki – powiedziała. – Chyba pomógł mi w tym pobyt w domu
babci.

– W takim razie to dobrze – ucieszył się Rob, rzucając patyk
psu, który pognał jak wariat, by po chwili przynieść zdobycz panu
do stóp. Rob wybuchnął śmiechem. – Myśli, że jest psem myśliw-
skim.

Kiedy wchodzili po zapiaszczonych schodach ze starych pod-
kładów kolejowych, Rob znów ją zaskoczył. Zaproponował, żeby
została na kolacji.

– To tylko curry z kurczaka – uprzedził lojalnie. – Ale uratujesz
mnie przed kolejnym samotnym kawalerskim posiłkiem.

Anna przełknęła ślinę. Nie przypominała sobie, by jakiś mężczyzna chciał dla niej coś ugotować.

– Zgoda – odparła lekko.

Przyglądała się, jak Rob kroi piersi kurczaka i szatkuje cebule.
Po chwili aromat czosnku i curry napełnił kuchnię. Anna nakryła do stołu i przyrządziła zieloną sałatę. Rob powiedział jej, gdzie
w kredensie znajdzie chutney z mango.

Curry było gorące i pikantne. Kiedy Anna sięgnęła po szklankę
zimnej wody, Rob głośno się roześmiał.

– Mówiłaś, że lubisz chili!

– Bo lubię.

Po kilku minutach jej kubki smakowe przyzwyczaiły się do przy-
prawy.

– Robię świetną kormę – zażartowała. – Musisz spróbować.

– Trzymam cię za słowo. – Rob wstał i wyjął z lodówki dwie butelki piwa.

Jedli i rozmawiali długo, na dworze zapadł zmrok. Anna z zakłopotaniem spojrzała na zegarek.

– Lepiej już pójdę. – Wstała i raz jeszcze podziękowała za posiłek.

– Możesz zostać – odparł, patrząc jej prosto w oczy.

Anna odetchnęła głęboko. Miała ochotę się zgodzić, ale coś ją powstrzymywało. Może to staroświeckie, ale nie była zwolenniczką przelotnych romansów.

– Przykro mi, Rob, ale naprawdę muszę iść.

– Odprowadzę cię – zaproponował uprzejmie. Pies poszedł za nimi.

Noc była spokojna, księżyc jasno świecił. Rob pochylił się i pocałował ją w usta. Anna, zaskoczona własną reakcją, odwzajemniła pocałunek. Ciemny zarys żywopłotu, pole, kamienne murki zawirowały, gdy przytuliła się do niego.

– Nie zmienisz zdania? – zapytał żartobliwie.

– Nie! – odparła ze śmiechem, szukając kluczyków. Wsiadła, uruchomiła silnik i ruszyła do domu.

Rozdział 32

Nazajutrz Rob nie dał znaku życia i Anna musiała przyznać, że jest rozczarowana. Może źle odczytała sygnały, a on jednak ma gdzieś dziewczynę albo żonę. Poirytowana wróciła do pracy. Dzień spędziła na studiowaniu prac lady Augusty Gregory, mecenaski i wielbicielki Yeatsa.

Skoro Rob O'Neill się nią nie interesuje, w porządku; miły z niego facet, ale nie w jej typie. Owszem, czują się ze sobą swobodnie, ale Rob stanowi całkowite przeciwieństwo każdego mężczyzny, z którym się spotykała. Absolutnie nic ich nie łączy. Mama twierdzi, że przeciwieństwa się przyciągają, za to zwykła logika podpowiada, że nie ma sensu angażować się w związek z człowiekiem o skrajnie odmiennych cechach i zainteresowaniach. Wyłączyła komórkę i siedziała przy laptopie do drugiej w nocy. Była zadowolona z tego, co napisała; jeśli jutro nic jej nie przeszkodzi, skończy rozdział.

Po śniadaniu włączyła laptop i zabrała się do pracy. W porze lunchu zjadła zupę z żytnim chlebem. Potem, żeby rozjaśnić myśli, włożyła polar i ruszyła nad morze. Plaża znowu była pusta. Anna zeszła na brzeg, gdzie fale z cichym pluskiem rozbijały się o piasek. Na horyzoncie gromadziły się ciemne chmury. No tak, zapowiadali deszcz. Anna stała pogrążona w marzeniach na jawie; nagle zobaczyła biegnącego w jej stronę małego psa.

– Tippy?

Kundelek skoczył na nią entuzjastycznie.

– Do nogi! Do nogi! – wołał Rob. – Przepraszam, ale ona zupełnie mnie nie słucha.

Anna roześmiała się, widząc, jak pies nadstawia ucha.

– Byłem u ciebie. Samochód stał na podjeździe, okna zostawiłaś otwarte, więc pomyślałem, że poszłaś na spacer.

– Potrzebowałam świeżego powietrza – odparła. – Oczy już mnie bolały od komputera.

– Wybieram się do starej latarni morskiej Corry'ego. Może masz ochotę pojechać ze mną?

Anna chwilę bacznie mu się przyglądała. Ubrany był w stare dżinsy, koszulę i sweter robiony na drutach. Skórę miał opaloną, oczy za okularami w złotych oprawkach szczere i spokojne. Wydawało się, że nie zdaje sobie sprawy ze swojej atrakcyjności.

– W dzieciństwie widziałam światło tej latarni – przypomniała sobie. – Leżałam w ciemności i udawałam, że ktoś przesyła mi zaszyfrowaną wiadomość.

– Anno, zostaw pracę, jedź ze mną – nalegał Rob.

Kusiło ją, by się zgodzić. Już wiele lat nie była przy latarni morskiej. Poza tym w żaden sposób nie dało się porównać popołudnia spędzonego w towarzystwie Roba z popołudniem w towarzystwie lady Gregory.

– Dobrze!

Latarnia morska Corry'ego stała na cyplu nad Atlantykiem. Przez sto lat ostrzegała żeglarzy przed zdradliwymi skałami i wirami.

– Sprzedano ją cztery miesiące temu – wyjaśnił Rob, podjeżdżając możliwie najbliżej. Zaparkował range rovera na błotnistej ścieżce. – Razem z hektarem ziemi.

Anna przyglądała się budowli. Teraz, gdy zniknęły światła, latarnia wyglądała ponuro. Annę ogarnął smutek na myśl, że żółty snop nie będzie już rozświetlał tej niebezpiecznej części wybrzeża.

– Co się z nią stanie? – zapytała.

– Nie wiem. – Wzruszył ramionami. – Jeszcze się nie zdecydowałem.

– Ty się nie zdecydowałeś!

– Kupiłem latarnię od wydziału rybołówstwa. – Wyjął z kieszeni pęk kluczy. Wyglądał jak dziecko, które zdobyło wielką nagrodę. – Nie mogłem patrzeć, jak niszczeje. Może to szaleństwo, ale zamierzam odrestaurować tę latarnię. – Na jego twarzy malował się szczery entuzjazm. – Chcesz wejść do środka?

Anna przytaknęła. Wstrzymała oddech, gdy Rob otwierał ciężkie drewniane drzwi. Wewnątrz unosił się zapach stęchlizny, warstwy brudu i pajęczyn pokrywały okna na parterze. Biegali po budynku jak dzieci. Tippy deptała im po piętach, kiedy wchodzili po długich krętych schodach. Po drodze minęli salonik, małą kuchnię, dwie sypialnie, spiżarkę; widoki były cudowne. Annie aż dech zaparło w piersiach, gdy dotarli do pomieszczenia na szczycie. W środku jak gigantyczne oko stała lampa.

– Działa? – zapytała.

– Niestety nie. Ostatni latarnik wyprowadził się w 1989 roku.

– Możesz ją naprawić?

– Nie wiem, ale spróbuję. Słyszałem, że pod Spiddal mieszka człowiek, który umie reperować takie rzeczy.

144

– Rob, tu jest pięknie. – Anna stanęła przy oknie, skąd rozciągał się widok na wybrzeże i pofałdowany krajobraz Connemary.

– Dzięki.

Kiedy zwiedzali latarnię, Rob opowiedział o swoich planach. Zamierzał zrobić łukowe okno na każdym piętrze, założyć nowe oświetlenie, odnowić łazienkę i kuchnię, zbudować taras wokół szczytu.

– Brzmi niesamowicie – stwierdziła z przejęciem.

– Tak, ale mnie zależy wyłącznie na tym, żeby było tu wygodnie i żeby warunki mieszkalne dorównywały fantastycznemu otoczeniu.

– Gdzie się tego wszystkiego nauczyłeś? – zapytała ciekawie, opierając się o parapet.

– Mówiłem ci, że w szkole byłem do niczego. Kiedy skończyłem szesnaście lat, rzuciłem naukę i zacząłem pracować u Johna Foleya. To budowlaniec, mąż Rose i kuzyn mojej mamy. – Roześmiał się serdecznie. – Wtedy nie było takiego boomu budowlanego jak teraz, większość zleceń dotyczyła przebudowy strychu albo powiększenia kuchni. Ale postawiliśmy też kilka domów. Na jakiś czas przeprowadziłem się do Dublina, potem do Londynu. Pracowałem w Ealing i Ipswich na wielkich budowach. Później jeden z moich braci, Gary, zamieszkał w Manchesterze. Pojechałem do niego. Głównie budowaliśmy, choć adaptowaliśmy też zrujnowane budynki. Stare domy! Łatwo je zburzyć i zacząć od początku, ale mnie zafascynowało przywracanie ich do życia i dodawanie czegoś nowego. Modernizowaliśmy stodoły, fabryki, magazyny, dworzec, remizę, młyn. Wiele się można nauczyć przy takiej robocie. Nie boję się ciężkiej pracy i tak to się zaczęło. W college'u zapisałem się na kurs wieczorowy zarządzania projektami. Od lat po raz pierwszy usiadłem w ławce. Tam nam wpajano, że jeśli coś zaczynasz, zajmujesz się tym do samego końca. Nie jestem jak budowlaniec, który stawia mury i odchodzi. Ja muszę być przy budowie od początku do końca.

Anna słuchała z podziwem. Rob był chłopakiem ze wsi, praktycznym i uczciwym. Nie obchodziły go wiersze ani poezja, niuanse języka. Jego świat to drewno, kamień, ziemia i woda, a także budynki stworzone przez poprzednie pokolenia. Tylko pomyśleć, jest właścicielem latarni morskiej! Niesamowite!

– Dan Regan był ostatnim latarnikiem – ciągnął Rob, przeglądając stos starych map i gazet. – Jego dziadek, Tim Corry, pracował tu wiele lat. I tak przez pokolenia. Wychowywali tu dzieci, co pewnie było trudne, a w dodatku łamali prawo, bo przepisy zabraniały mieszkać w latarni całym rodzinom. Żonie i dzieciom Tima oddano starą chatę na wybrzeżu, ale nie przetrzymała zimowych sztormów, więc wszyscy przeprowadzili się tutaj.

– Dla dzieci mieszkanie w latarni musiało być super!

– Latarnikom zawsze doskwiera samotność – powiedział Rob. – Mężczyźni tracą zmysły bez kobiet i towarzystwa. Dan nigdy się nie ożenił. Przypuszczam, że trudno znaleźć dziewczynę, która zgodzi się żyć w takich warunkach.

– Och, ale są też pewne plusy – stwierdziła Anna, wpatrując się w surowy krajobraz i ocean.

– Samotność to okropna rzecz – wybuchnął Rob. – Można być samotnym w środku wielkiego miasta, na wsi, w otoczeniu ludzi, których znasz. Czasem nie potrzeba do tego latarni morskiej.

Spojrzała mu prosto w oczy, poruszona jego gwałtownością i szczerością. Bez namysłu pocałowała go w policzek. Uśmiechnęła się, gdy przesunął palcami po jej twarzy i lekko pocałował w usta.

Oderwali się od siebie, zaskoczeni emocjami, jakie ich ogarnęły.

– Anno – szepnął Rob i ujął ją za rękę.

Całowali się powoli, raz po raz, a wokół latarni morskiej krążyły mewy i wiatr burzył taflę morza.

– Powinniśmy już iść – odezwał się po długiej chwili.

Zeszła za nim na dół. Poczekała, aż Rob zamknie ciężkie drzwi, potem w ślad za Tippy ruszyli do range rovera.

– Jeśli masz ochotę coś zjeść, kilka kilometrów stąd jest rewelacyjny pub – zaproponował. – Mają najlepsze ryby i steki poza Roundstone.

Roześmiała się.

– Brzmi zachęcająco.

U O'Flaherty'ego panował spokój, przy stolikach obiad jadły tylko dwie rodziny i pięć innych osób, stali bywalcy siedzieli przy barze. Anna i Rob znaleźli stolik niedaleko kominka, w którym płonęły drewniane szczapy i torf.

Czytając menu, Anna nagle uświadomiła sobie, jak bardzo jest głodna. Krewetki, kraby, homary, przegrzebki z pieczonymi ziemniakami. Wybrała krewetki z masłem cytrynowym, pieczone ziemniaki, sałatę i kieliszek wina. Rob zamówił ryby w panierce i piwo.

– Latarnia jest cudowna. Dziękuję, że mi ją pokazałeś.

– Kiedy skończę remont, będzie wyjątkowa. Zamierzam wynajmować ją wczasowiczom, ludziom, którzy przyjeżdżają na zachód, żeby być blisko natury. Zwróciłem się też o pozwolenie na budowę kilku domków po drugiej stronie pola.

– Wspaniale.

– To śmieszne – powiedział z namysłem. – Dawniej nie mogłem się doczekać, kiedy wreszcie wyrwę się z Connemary, ze wsi, gdzie wszyscy się znają. Nie było tu dla mnie nic ciekawego.

– Kompletne pustkowie.

– Ale odkąd wróciłem i zapuściłem korzenie, nie wyobrażam sobie, że mógłbym mieszkać gdzie indziej. Teraz widzę, jak tutejsza okolica wpływa na ludzi.

– Moja babcia mówiła, że zachód rzucił na nią urok – przypomniała sobie Anna.

Jedzenie było dobre, pub zasługiwał na swoją doskonałą reputację. Na deser Rob zamówił lody.

Rozmawiali ponad godzinę, później lokal zaczął się zapełniać. Widząc kolejkę czekających na stolik, postanowili wyjść.

Jechali ciemną, krętą drogą. Anna trzymała na kolanach drzemiącą Tippy i raz po raz zerkała na Roba. Na obrzeżach miasteczka zwolnił.

– Szkoła czy chata? – zapytał.

Spojrzała na niego. Był dobry, uczciwy, serdeczny i instynkt wyraźnie jej podpowiadał, żeby się zgodziła. W głębi serca wiedziała, że nie chce marnować więcej czasu, spędzać ani jednego dnia i nocy bez niego.

– Szkoła – odparła, kładąc dłoń na jego ręce.

Od tamtego wieczoru Anna i Rob niemal się nie rozstawali. Oboje byli zaskoczeni intensywnością swoich uczuć. Anna nigdy nie znała nikogo takiego jak on i z nikim nie mogła go porównać. Rob tak bardzo się różnił od wszystkich jej poprzednich partnerów. Przy nim miała wrażenie, że jest na swoim miejscu. Jak teraz wrócić do Dublina, opuścić morze, plażę, psa, który chodził za nią jak cień, i Roba?

– Muszę jechać do pracy – powiedziała, zwinięta wygodnie na sofie przy jego boku. – Studenci mają egzaminy. Prace mogę poprawić tutaj, ale przez jakiś czas muszę pobyć w Dublinie.

– W porządku, Anno – odparł wesoło, mierzwiąc jej skręcone w pierścionki włosy. – Ja nigdzie się nie wybieram. Będę czekał, dobrze?

Odetchnęła głęboko. To wszystko było niemal jak sen. Bała się, że coś pójdzie nie tak, ale Rob wziął ją w objęcia i pocałunkami rozwiał obawy.

Rozdział 33

Sara nie czuła nóg. Od jedenastej rano pomagała Corze przygotować jedzenie na wielką stypę w domu w Blackrock. Uczestnikom podano gotowanego łososia, pieczoną szynkę, soczystego kurczaka w sosie z białego wina. Kiedy sprzątała i pakowała to, co zostało, rodzina zmarłego dała jej spory napiwek. Potem czekała na przystanku przy Mount Merrion Avenue na autobus numer 5, gdy zatrzymał się przy niej znajomy czarny range rover.

– Saro, podwieźć cię? – zapytał Mark McGuinness, otwierając okno.

– Dzięki, Mark. – Westchnęła z ulgą. – Wracam z pracy. Na tej trasie autobusy często się spóźniają.

– Jak udało się przyjęcie?

– Przyjęcie?

– Twojej córki. Przepraszam, że nie przyszedłem, ale musiałem wyjechać do Niemiec.

– Nie ma sprawy, dostałam wiadomość. Było super. Dziewczynki przebrały się za wróżki i jadły deser w ogrodzie.

– Mmm... Przyjęcia urodzinowe z dzieciństwa człowiek zawsze pamięta – powiedział Mark. – Evie jest świetna. To twoja zasługa.

– Dziękuję – odparła, obserwując jego profil. Zsunęła buty. – Co za ulga – mruknęła. – Przez kilka godzin byłam na nogach. Podawałam jedzenie.

– Wydawało mi się, że pracujesz w szkole.

– Trzy razy w tygodniu, ale dzisiaj obsługiwałam gości na stypie, jedzenie przygotowywała moja przyjaciółka Cora. Było ponad sto osób. Pracuję u niej w niektóre weekendy i przy specjalnych okazjach.

– Nie marnujesz czasu, Saro – stwierdził z podziwem.

Seksowny z niego facet, pomyślała. Dojrzały, ale swobodny.

– Co u twojej siostry? – zapytał, gdy zatrzymali się na światłach.

– Mam dwie. Anna wyjechała do Connemary pisać o poezji. Grace jest architektem.

– Tak, tego dowiedziałem się podczas naszej dość gorącej dyskusji. – Mark się roześmiał.

– Biedna Grace. Niedawno zerwała ze strasznym dupkiem. I dobrze, bo żadna z nas go nie lubiła. No i teraz Grace pogrążyła się w pracy.

– Ciężka praca jeszcze nikogo nie zabiła – skwitował Mark, ruszając w kierunku placu Przyjemnego.

Rozmawiali o sąsiadach. McGuinness może nie jest w moim typie, myślała Sara, ale to porządny facet. Pomimo opinii Grace lubiła Marka. Dobrze, że zamieszka w domu naprzeciwko.

– Dziękuję za podwiezienie. – Włożyła buty i wysiadła z samochodu.

– Dobrze widziałam, że podwiózł cię Mark McGuinness? – zapytała matka, kiedy Sara zwolniła ją z opieki nad Evie.

No nie, ależ mama jest ciekawska.

– Tak. Pewnie wciąż bym sterczała na przystanku w Blackrock, gdyby nie on.

– Lubisz go, Saro?

– Mamo, przestań, dobrze? To nasz nowy sąsiad, podrzucił mnie i tyle.

Po podwieczorku wykąpała Evie i przebrała w piżamkę. Potem poszła do sypialni, żeby przejrzeć garderobę – głównie dżinsy w rozmaitych odcieniach i fasonach. Karen, najlepsza przyjaciółka, organizowała w sobotę kolację i Sara chciała zrobić dobre wrażenie. Nie mogła pojawić się w dżinsach. Wyjęła kolorową spódnicę Zary, którą zwykle nosiła z czarną bluzką na ramiączkach; nie, zbyt stara i znoszona, żeby pójść w niej na przyjęcie. Luźna niebieska sukienka i następna z drukowanego jedwabiu, z wyprzedaży – to samo.

– Co robisz, mamusiu? – zapytała Evie, przyglądając się jej z progu.

– Szukam czegoś ładnego na sobotni wieczór, bo idę na kolację do Karen i Micka. Powinnam elegancko się ubrać.

– Ciocia Grace ma ładne ubrania – zasugerowała mała.

– Bierz, co chcesz! – Grace otworzyła drzwi przestronnej garderoby, pełnej bluzek, szali i pasków. Sama usiadła na łóżku. – Kilka rzeczy Karen Millens może ci się spodobać. Mam też śliczny gorset z Rococo. Pasuje do tej marszczonej spódnicy.

Sara wolno przeglądała drogie markowe ubrania. Chanel, Stella McCartney, Chloe. Grace musiała wydać na to fortunę.

W niektórych rzeczach utonęła, bo była niższa od Grace, choć figurę miała bardziej zaokrągloną i o wiele mniej wysportowaną.

– A co powiesz na to? – Grace zdjęła z wieszaka dwuczęściową sukienkę z szyfonu. – Kupiłam ją w Paryżu.

Sara przymierzyła sukienkę. W szaroniebieskim było jej do twarzy. Dekolt w literę V podkreślił krągłość piersi i optycznie wydłużył szyję.

– Mnie nie jest w niej tak dobrze – oceniła Grace.

– Na pewno mogę ją wziąć? – Sara się wahała. Od bardzo dawna nie ubierała się elegancko, nie starała się wyglądać seksownie i atrakcyjnie.

– Sandałki na wysokich obcasach i będzie super.

Sara okręciła się na pięcie i przyjrzała swojemu odbiciu w lustrze. Jak rzadko wyglądała i czuła się świetnie.

– Ślicznie, Saro, naprawdę – powiedziała szczerze Grace.

Sara nie potrafiła uwierzyć, że Grace coś jej pożyczy. Kiedy były młodsze, Grace wrzeszczała na siostry, jeśli z jej pokoju zabrały rajstopy albo T-shirt. Dochodziło do prawdziwych bitew z powodu kosmetyków, wacików do demakijażu, tuszu do rzęs i lakieru do paznokci. Lynchowie musieli myśleć, że mają za sąsiadów kompletnie zwariowaną rodzinę, która wiecznie krzyczy i wali drzwiami. Teraz chyba wreszcie dorosły.

– Jak jutro pojedziesz do Karen?

– Autobusem albo taksówką.

– W żadnym razie. Ja cię podwiozę – oznajmiła stanowczo Grace. – Obiecałam, że jutro wpadnę do Roisin, więc będzie mi po drodze.

– Dziękuję – odparła z wdzięcznością Sara.

Evie bacznie obserwowała mamę, gdy ta się ubierała, suszyła włosy i robiła sobie makijaż. Z poważną miną studiowała rytuał przygotowań przed „wielkim wyjściem".

Sara ostatni raz przesunęła spiralką po rzęsach. Dzięki srebrno-szaremu cieniowi do powiek z nutką różu, który znalazła na dnie kosmetyczki, zdołała sprawić, że jej oczy wydawały się ogromne. Na koniec delikatnie spryskała się perfumami.

– Wyglądasz ślicznie, mamusiu – zapewniła ją córka, mocno się przytulając.

– Och, oczu od ciebie nie można oderwać, Saro – oznajmiła matka. – Jesteś olśniewająca.

Sara zdawała sobie sprawę, że to stronnicze opinie, ale też była zadowolona z rezultatu swoich wysiłków.

Evie spędzała noc u babci, gdzie czekały na nią przysmaki i długa opowieść na dobranoc. Nic dziwnego, że uwielbiała zostawać z babcią.

Wsiadając do samochodu Grace, Sara głęboko odetchnęła. To głupie, że tak się denerwuje, przecież przyjaźni się z Karen od dawna. Razem chodziły do szkoły, dwa lata temu Sara była druhną na jej ślubie. Mick okazał się miłym facetem. Stanowili rewelacyjną parę. Kolacja u nich w domu zapowiadała się na świetną zabawę. Więc skąd te obawy?

– Wyglądasz cudownie! – zapewniła raz jeszcze Grace, kiedy siostra wysiadła przed białym domem przy Sycamore Road. – Baw się dobrze.

– Saro, tak się cieszę, że jesteś – powitała ją Karen. Ciemne włosy miała upięte, obcisła czarna sukienka podkreślała wąską talię i mały brzuszek.

– Przyniosłam wino i słodycze. – Sara serdecznie uścisnęła przyjaciółkę.

– Moje ulubione! Orzechy i migdały w czekoladzie. Jak tak dalej pójdzie, osiągnę rozmiary słonia, zanim dziecko się urodzi.

– Nikt by się nie domyślił, że jesteś w ciąży!

– Powiedz to Mickowi! W zeszłą sobotę zarzygałam cały samochód, kiedy wracaliśmy z przyjęcia, a nawet nie powąchałam alkoholu.

– Biedactwo! – współczuła jej Sara. – Kiedy ja byłam w ciąży z Evie, nie znosiłam zapachu smażenia. Nie mogłam nawet przejść obok smażalni.

– Ale warto, no nie?

– Bez dwóch zdań.

– Chodźmy do salonu. Poznasz kilka osób. Jest Rachel ze swoim chłopakiem Danem i kuzyn Micka, Ronan Dempsey. Na tydzień przyjechał do domu z Londynu.

Sara zebrała się w sobie, gdy Karen przedstawiała gości. Mick podał jej kieliszek musującej cavy.

Rachel Donovan też była szkolną koleżanką; przywitały się entuzjastycznie.

– Nie widziałam cię od ślubu Karen! – wykrzyknęła Rachel. – Co u ciebie?

– Evie chodzi do przedszkola, a ja wciąż pracuję to tu, to tam. Trzy dni w tygodniu prowadzę zajęcia plastyczne i pomagam w szkolnej bibliotece.

– To wspaniale – odparła Rachel.

– A ty?

– Ja nadal wypruwam sobie żyły u Goodbody'ego.

– Dzięki temu się spotkaliśmy – wtrącił Dan. – Rachel awansowała na starszego specjalistę od leasingu lotniczego i kolejowego, a ja zajmuję się statkami i satelitami.

– W ten sposób firma zyskała też większe kontrakty – zażartowała Rachel.

Sara trochę się zawstydziła, że nie wykonuje bardziej interesującej pracy, ale wychowywanie dziecka pochłaniało jej niemal cały czas.

Wśród gości była jeszcze jedna para: Brian, kolega z pracy Micka, i jego żona Chloe, drobna brunetka, nieszczególnie sympatyczna. Pracowała w wielkiej agencji reklamowej.

Po dwóch następnych drinkach usiedli na ciemnobrązowych skórzanych krzesłach przy wielkim dębowym stole. Na początek Karen podała mus łososiowy. Sara siedziała między kuzynem Micka a Susan, przyjaciółką Karen. Dalej miejsce zajmował Sean, niemal dwumetrowy, rudowłosy facet. Sara popijała wino, przysłuchując się rozmowie. Siedząca naprzeciwko Chloe traktowała ją jak powietrze. Głównym daniem była wołowina z gorczycą i ziołami, ziemniaki gratin i małe marchewki. Sara pogratulowała przyjaciółce umiejętności kulinarnych.

– To jeden z przepisów mojej mamy – odparła Karen. – Ulubione rodzinne danie.

Rozmowa zeszła na politykę. Sara od razu pożałowała, że nie poświęcała czasu na lekturę „Irish Timesa": polityka zagraniczna Ameryki, demokraci kontra republikanie, czy Irlandii bliżej do Waszyngtonu czy Brukseli...

– A ty jak uważasz, Saro? – zapytał Ronan, uprzejmie próbując włączyć ją do dyskusji.

Poczuła, jak zalewa się rumieńcem, i gorączkowo zastanawiała się, co powiedzieć.

Niepewnie rozejrzała się po zebranych.

– W Unii przykłada się wielką wagę do ochrony środowiska, opieki zdrowotnej i wspierania samotnych rodziców – zaczęła. – Poza tym mamy doskonałe szkoły państwowe i system stypendialny umożliwiający pójście do college'u, co oznacza, że Irlandia bardzo się różni od Ameryki. – Widziała, że Karen kiwa głową. – Chcę, żeby Evie miała wszystko, co najlepsze, a Irlandia daje sporo możliwości. Samotne wychowywanie dziecka jest trudne nawet w najbardziej sprzyjających okolicznościach, ale wszyscy rodzice bez wyjątku pragną jednego: żeby ich dzieci były szczęśliwe i bezpieczne.

– Właśnie – zawołała z entuzjazmem Karen. – A ja chcę wykorzystać te cudowne unijne urlopy macierzyńskie i rodzicielskie, kiedy pojawi się junior!

– Racja! – potaknęli pozostali.

Mick otworzył kolejną butelkę wina i dopilnował, by goście mieli pełne kieliszki.

– Ale rząd musi prowadzić politykę, która tak jak w innych krajach Unii ochroni nasze zasoby naturalne i zmniejszy wykorzystanie energii – podjął Sean. – Zaciąganie kredytów na emisję z innych krajów o mniej rozwiniętym przemyśle do niczego nie prowadzi.

– Słusznie – zgodzili się Susan i Mick.

– Może w przyszłości będą inne źródła energii. Kto to wie? – wtrąciła się Chloe. – Ważne jednak, by chronić istniejący przemysł i rozwijającą się ekonomię, a nie myśleć o gruszkach na wierzbie.

Sean wdał się z nią w gorącą dyskusję o jakimś polityku i ustawie energetycznej, o której Sara nigdy nie słyszała. Skupiła się na wyśmienitym jedzeniu, przyrzekając sobie w duchu, że niedługo postara się i zrobi dla rodziny wystawny obiad.

Karen podała gorącą tartę z melasą i lody waniliowe. Sara, która była łakomczuchem, rzuciła się na słodkości jak dziecko. Dopiero kiedy spojrzała na innych, uświadomiła sobie, że pozostałe kobiety zrezygnowały z deseru.

– Smakowało ci! – powiedział wesoło Ronan. – Widziałem wyraźnie.

– Jeśli przebywałbyś z sześciolatkami tak często jak ja, wiedziałbyś, że lody i pudding to najważniejsze wydarzenie po każdym posiłku!

Ronan wybuchnął śmiechem.

– Taa, dzieci są wspaniałe, nie ma co.

Nie do wiary – mężczyzna, który lubi dzieci i z chęcią o nich słucha. Sara opowiedziała Ronanowi o Evie, a potem wymienili się historyjkami o dorastaniu.

– Kiedy miałem sześć lat, starszy brat ogolił mi głowę, a nasza biedna mama omal nie zemdlała, jak mnie zobaczyła, bo za trzy tygodnie szedłem do Pierwszej Komunii.

– O nie! I co zrobiłeś?

– A co mogłem zrobić? Do zdjęć na zewnątrz założyłem czapkę, ale w kościele musiałem ją zdjąć! Wyglądałem jak uciekinier z gułagu.

– Biedactwo.

– Nigdy tego nie zapomnę. Ot, braterska miłość!

– Mnie siostra złamała duży palec u nogi.

– Jak?

– Pojechaliśmy do babci, do Connemary. Było strasznie zimno, więc babcia dała nam do łóżka kamienne dzbany z gorącą wodą. Spałyśmy razem i ciągle się przepychałyśmy. No i w pewnej chwili Anna kopnęła dzban. O Boże, ten ból! Słyszałam, jak kość mi pęka! Do końca wakacji chodziłam o kulach i nosiłam grubą wełnianą skarpetę, która nie mieściła się w żadnym bucie.

– Grunt to rodzinka. Czasem masz ochotę ich zabić! – Ronan pokiwał głową, dolewając jej wina.

Sara się odprężyła. Ronan był miły i w dodatku przystojny. Miał ciemne kręcone włosy i niebieskie oczy tak jak jego kuzyn.

– Od dawna jesteś w Londynie?

– Od sześciu lat. Chociaż niekiedy mam wrażenie, że o wiele dłużej!

– Tęsknisz za Dublinem?

– Jasne. Im jestem starszy, tym częściej mam ochotę przyjeżdżać do domu na weekendy, odwiedzać rodziców i znajomych. Londyn jest wspaniały i rewelacyjnie mi się tam ułożyło, ale brak mi tutejszej atmosfery!

Sara się uśmiechnęła. Nie bywała w dublińskich klubach.

– A ty dokąd chodzisz? Tylko na takie eleganckie przyjęcia jak to? – zapytał wesoło.

– Nie. – Poczerwieniała. – Zwykle moje życie płynie spokojnie.

– To dziwne – odparł.

Sara cieszyła się z jego towarzystwa. Dowiedziała się, że Ronan jest grafikiem, uwielbia oryginalne hinduskie curry, mieszka w adaptowanych stajniach koło Notting Hill, a jego pasją jest fotografowanie natury.

– Oszczędzam wszystkie wolne dni albo jeśli mogę sobie pozwolić, biorę miesiąc bezpłatnego urlopu i jadę w świat z aparatem fotograficznym. Nic nie da się porównać z widokiem lwicy z lwiątkami, wieloryba baraszkującego w Pacyfiku albo stada słoni u wodopoju.

156

– Niesamowite!

– No wiesz, oglądasz różne programy o egzotycznych zakątkach i myślisz sobie: dlaczego samemu tam nie pojechać!? Zrób to, póki jeszcze te niezwykłe zwierzęta, miejsca i rośliny istnieją.

Na Sarze zrobiło to wielkie wrażenie; podczas gdy Chloe, Susan i Sean dyskutowali o plusach kupowania mieszkań w Marbelli czy Portugalii, w duchu przysięgła sobie, że pewnego dnia zabierze Evie do Afryki.

– A ty? Co tobie dodaje sił do życia?

Sara nie kryła zdumienia. Ludzi zwykle nie obchodziły jej zainteresowania.

– Ponad wszystko kocham córkę. Poza tym lubię rysować, pisać i ilustrować książki dla dzieci.

– Studiowałaś sztukę?

– Tak.

– Utalentowana dama!

Nikt wcześniej nigdy tak do niej nie mówił. Z wyrazu oczu Ronana Sara odczytała, że to nie były czcze grzeczności, ale szczery podziw.

– Napisałam książeczkę o kocie Psotku i jego właścicielce, a teraz pracuję nad drugą częścią. Robię to dla Evie – wyznała zaskoczona swoimi zwierzeniami. – Bohaterem jest pan Kostka. To ciekawski pies detektyw, mieszka nad sklepem rzeźnika. Doskonale się przy tym bawię. Odprężam się, zapominam o rachunkach, pieniądzach i codziennych problemach.

Czas mijał, goście zaczęli się rozchodzić. Karen zrzuciła buty i usadowiła się wygodnie na sofie w salonie. Sara usiadła obok niej.

– Mam nadzieję, że miło spędziłaś czas! – powiedziała Karen.

– Tak, bardzo miło – odparła Sara zupełnie szczerze. Towarzystwo dorosłych przy doskonałym jedzeniu i winie sprawiło jej przyjemność. I to, że Ronan traktował ją jak interesującą kobietę.

Wypiła strzemiennego kieliszkiem baileya i chciała zamówić taksówkę.

– Jedziemy w twoją stronę – oznajmiła Rachel. – Podzielimy się kosztami.

Sara spojrzała na Ronana – siedział pogrążony w rozmowie z Mickiem. Nie zaproponował, że ją odwiezie. Tłumiąc żal, wzięła torebkę i żakiet.

– To był wspaniały wieczór – podziękowała Karen i Mickowi.

Ronan wstał i uścisnał ją na pożegnanie.

Siedząc w mrocznej taksówce obok Rachel i Dona, którzy trzymali się za ręce, Sara nagle poczuła się bardziej samotna niż kiedykolwiek.

Rozdział 34

Grace uznała, że trzydziestka to straszny wiek, nie, gówniany wiek, którego żadna kobieta przy zdrowych zmysłach nie chce osiągnąć; z całą pewnością nie jest to okazja do świętowania, nawet w towarzystwie najbliższych i najdroższych osób. Wpatrywała się w ścianę sypialni jak w ekran. Wspominała poprzednie etapy: radosne dzieciństwo, wiek nastoletni, kiedy człowiek jest przekonany, że wszystko wie najlepiej, beztroskie lata studenckie, po których zaczęła pracę i stała się młodą profesjonalistką. Weszła w dorosłe życie i nic już tego nie zmieni. Przyszłość widziała w jednostajnych kolorach.

Dzisiaj kończyła trzydzieści lat i była sama w swoim nieskazitelnie białym, drogim łóżku: czegoś takiego nie wyobrażała sobie w najgorszych snach. Kiedy we wczesnej młodości myślała o sobie jako kobiecie trzydziestoletniej, zawsze widziała męża i dziecko u swojego boku, a teraz okazało się, że jest sama jak palec! Z całą pewnością nie planowała, że w wiek średni wkroczy jako osoba samotna. Przeciągając się, usiłowała odpędzić ponury nastrój. Celowo zaplanowała sobie na dzisiejszy dzień mnóstwo zajęć. Umówiła się też na lunch w Bang Café z Niamh, Claire i Roisin w nadziei, że dziewczyny ją rozweselą.

Zadzwonił telefon na nocnym stoliku: to na pewno mama zaraz odśpiewa *Sto lat*, zgodnie z uświęconą od lat tradycją. Grace o mało się nie rozpłakała.

– Wszystkiego najlepszego, kochanie – powiedziała Maggie. – W głowie mi się nie mieści, że minęło trzydzieści lat, odkąd po raz pierwszy wzięłam cię na ręce. Byłaś takim ślicznym dzieckiem, twój tata i ja pękaliśmy z dumy.

– Dziękuję, mamo – odparła, próbując nadać swojemu głosowi pogodne brzmienie.

– Mam dla ciebie prezent, dam ci go, jak spotkamy się wieczorem.

– Świetnie.

– Nie zapomnij i nie spóźnij się do Sary, bo stolik w Havanie zamówiony jest na ósmą trzydzieści. I nie pracuj dzisiaj za ciężko – ostrzegła Maggie. – Nie rozumiem, czemu nie wzięłaś sobie wolnego.

– Mamo, przecież nie mogę nie pójść do pracy tylko dlatego, że mam urodziny!

Maggie chrząknęła z irytacją. Od dawna planowała ogromne przyjęcie w domu z okazji trzydziestych urodzin najstarszej córki. Zamierzała zaprosić jej przyjaciół ze szkoły i college'u, krewnych i sąsiadów. Była rozczarowana, kiedy córka tupnęła nogą i uparła się przy małej kolacji. Z całą pewnością Grace nie chciała hucznej imprezy, obwieszczającej wszem wobec, że oto opuściła szeregi dwudziestolatków i wkroczyła w wiek średni! Już sama myśl o tym była okropna. W końcu ustaliły, że pójdą do restauracji w Ranelagh.

– Do zobaczenia, córeczko.

Boże, jęknęła w duchu Grace. Jak ja przetrwam ten piekielny dzień?

Wzięła prysznic, zrobiła sobie piling z awokado i kokosa, a później nałożyła balsam nawilżający. Patrząc na swoje odbicie w lustrze

159

podczas suszenia gęstych jasnych włosów, z trudem się powstrzymywała, by nie poszukać siwych pasemek. Śniadanie zjadła, słuchając porannej audycji w radiu. Kiedy się ubierała, z ulgą stwierdziła, że przynajmniej pogoda dopisała i świeci słońce, a nie leje jak z cebra.

Jej twarz jaśniała po zabiegu, który zafundowała sobie w sobotę. Włożyła drogi kostium Johna Rocha i szpilki, pocieszając się w duchu, że wygląda dobrze mimo trzydziestki na karku. Złapała kluczyki i torebkę, wyszła z mieszkania i energicznym krokiem ruszyła na parking.

Ledwo zdążyła usiąść przy biurku, zadzwoniła Anna z życzeniami.

— Do zobaczenia, starsza siostro — zakończyła wesoło.

Pół godziny później odezwała się Sara. Ona też była podekscytowana urodzinami.

— Evie zrobiła ci laurkę, a ja upiekłam twój ulubiony tort z lukrem.

— Dziękuję. — Grace starała się sprawiać wrażenie, że jest w doskonałym humorze.

Kate zamówiła od całej firmy kwiaty z Crazy Flowers. Dostawca sporo się namęczył, żeby wnieść na piąte piętro kolorowy bukiet ze strelicji i ostrych zielonych liści. Raz po raz ktoś przychodził z życzeniami; Grace dostrzegała współczucie w oczach niektórych koleżanek, kiedy pytały o plany na wieczór.

— Rodzinna kolacja — odpowiadała.

Zajęła się pracą; przygotowując kosztorys budowy centrum handlowego w Gorey, odpowiadała na esemesy od przyjaciół. Dobrze, że Shane wyjechał na dwa dni do Londynu. To oszczędziło jej spotkania go akurat dzisiaj.

Na lunchu przy Baggot Street zamówiła dwa kieliszki wina do risotta ze szparagami i zielonej sałaty. Dziewczyny kupiły jej wspólny prezent, drogą torebkę Helen Cody.

— Cudowna — powiedziała z uznaniem Grace, podziwiając wzór koloru terakoty i turkusu na jasnej skórze.

– Uczcij fakt, że przeszłaś przez okropny okres nastoletni i poradziłaś sobie z burzliwym czasem po dwudziestce – poradziła Roisin, która miała trzydzieści jeden lat i prowadziła własną agencję PR-ową. – Teraz zaczynasz być kobietą dojrzałą, która wie, czego chce.

– Wcale nie jestem pewna, że wiem, czego chcę – odparła Grace szczerze. – Kocham swoją pracę, ale parę innych rzeczy chętnie bym zmieniła.

– Bycie singielką to nie wstyd – oznajmiła Roisin. Uwielbiała wygłaszać kazania o niezależności i władzy kobiet, choć ostatnio zaczęła umawiać się na randki z przyjacielem z college'u, księgowym, który wrócił do Irlandii z Chicago.

– Ja przeryczałam swoje trzydzieste urodziny – wyznała Claire. – I Lorcan w żaden sposób nie mógł mnie pocieszyć. Zamówił nawet pokój w tym eleganckim hotelu w Wicklow. Pamiętacie?

– Jasne, że tak – odparła kpiąco Grace. – A dziewięć miesięcy i dwa dni później przyszedł na świat malutki Cormac.

– No właśnie. Nie miałam pojęcia, że takie wspaniałe rzeczy czekają mnie po trzydziestce.

Przeglądając kartę z deserami, Grace uznała, że skoro żaden kochający partner nie pojawi się, żeby porwać ją na romantyczny wieczór, musi zaspokoić żądzę czekoladową tartą. Dziewczyny poprawiły jej humor. Długoletnia przyjaźń z tymi inteligentnymi babkami cenna rzecz, pomyślała.

– Za dwa tygodnie kolacja u mnie – oznajmiła Niamh.

Wszystkie zanotowały datę w swoich kalendarzykach i blackberries.

– Udanego przyjęcia urodzinowego – zawołały chórem na pożegnanie.

Po powrocie do biura Grace usiłowała skupić się na pracy. Jeśli miała zostać kobietą sukcesu, najlepiej zrobi, zajmując się projektem.

W domu pomalowała powieki jasnobrązowym cieniem i nałożyła kolejną warstwę tuszu na rzęsy, co powiększyło jej niebieskie oczy. Tłumiąc pokusę wczołgania się do łóżka, przebrała się w nową obcisłą sukienkę, którą w zeszłym miesiącu kupiła w Londynie. Na plac Przyjemny pojedzie samochodem i tam go zostawi, bo obiecała Sarze, że najpierw wpadnie do niej na kieliszek wina i pozwoli siostrzenicy zdmuchnąć świeczki na torcie.

– Wyglądasz cudownie – skomplementowała ją Sara, obejmując na powitanie.

– Ciociu Grace, mam dla ciebie prezent i laurkę! – wołała Evie.

Matka i Anna zerwały się z granatowej sofy i serdecznie wycałowały jubilatkę.

Sara wyjęła butelkę schłodzonego białego wina i kieliszki.

– Postanowiłyśmy dać ci prezenty od razu, zanim pójdziemy do restauracji – oznajmiła Sara.

Nastrój Grace natychmiast się poprawił; świętowanie urodzin w otoczeniu rodziny jest najważniejsze, a wiek nie ma znaczenia. Spojrzała na Evie, która wprost pękała z podniecenia, choć przecież to nie było jej święto.

– To dla ciebie, ciociu. – Dziewczynka z powagą wręczyła Grace wielką, składaną kartę. Na wierzchu widniał niezgrabny rysunek kobiety z okrągłą uśmiechniętą twarzą, żółtymi włosami i niebieskimi oczami, w sukience w różowe i niebieskie grochy i wielkich czerwonych butach. Otaczały ją gigantyczne stokrotki. – To ty w swoje urodziny – wyjaśniła.

– Widzę, Evie – powiedziała z podziwem Grace. – I jestem przeszczęśliwa.

– A teraz musisz otworzyć prezent – nalegała Evie. – Naprawdę ci się spodoba.

Grace odpakowała pierwszy prezent – wielki czerwony latawiec z wielobarwnym ogonem.

– O mój Boże. – Roześmiała się. – Jest cudowny, dziękuję, skarbie.

– Widzisz, mamusiu, mówiłam ci, że ciocia potrzebuje latawca. Teraz zobacz resztę – rozkazała dziewczynka, kucając przed Grace.

162

Anna podała siostrze wielką różową paczkę związaną wstążką. Czując się jak dziecko, Grace zdjęła bibułkę. W środku była elegancka jedwabna koszula Kenzo: na biało-różowym tle widniały klasyczne japońskie motywy.

– Och, Anno! Cudowna! Musiała kosztować fortunę.

– Owszem – zgodziła się siostra. – Ale jesteś tego warta.

– A to ode mnie. – Sara trzymała w dłoni ciężką kwadratową paczkę w kolorowym papierze.

Zaciekawiona Grace zerwała opakowanie. W środku był rysunek siostry oprawiony w ramki. Przedstawiał małą dziewczynkę z jasnymi warkoczykami, która trzyma jaskrawoczerwony latawiec. Koło jej stóp stał mały drozd.

– To jest piękne – zawołała z zachwytem Grace.

– Przypomina mi ciebie, kiedy byłaś mała.

– To wyjątkowy prezent. Bardzo ci dziękuję. – Grace uświadomiła sobie, że to pierwsze dzieło jej utalentowanej siostry, które będzie miała na własność.

– Teraz kolej na babcię – dyrygowała Evie.

Maggie podała córce małe pudełko w złotym papierze. Grace otworzyła je ze wstrzymanym oddechem. To był złoty pierścionek mamy z trzema małymi niebieskimi szafirami i trzema brylantami.

– Twój ojciec podarował mi go na trzydzieste urodziny – powiedziała Maggie. – Teraz chcę, żebyś ty go miała.

– Mamo, nie mogę… – Grace poznała rodzinny klejnot przywieziony z Afryki Południowej.

– Ależ możesz – odparła matka. – Jesteś naszą najstarszą córką i Leo chciałby, żebyś go miała. Należał do jego babki Grace, po której dostałaś imię. Pewnego dnia przekażesz go swoim dzieciom.

Grace głośno przełknęła. Teraz taka perspektywa wydawała się zupełnie nieprawdopodobna i w duchu postanowiła, że da pierścionek Evie. Wsunęła go na palec, pasował idealnie.

– Dziękuję – wykrztusiła z trudem.

– Jeszcze tort – przypomniała Evie.

163

Tort był ogromny i miał co najmniej dwadzieścia świeczek. Sara zgasiła światła. Płomyki migotały, cała rodzina odśpiewała *Sto lat*. Evie, dysząc i posapując, pomogła zdmuchnąć świeczki. Potem zjadły po małym kawałku tortu, resztę zostawiły na weekend.

– Ruszajcie się, musimy już iść – ponaglała Sara, kiedy Sinead, studentka mieszkająca na drugim końcu placu, przyszła zaopiekować się Evie. – Wiecie, ile tam ludzi przychodzi w piątkowe wieczory. Nie chcemy chyba stracić stolika.

Rozdział 35

W Havanie panował tłok i Grace cieszyła się, że siostry były na tyle przewidujące, by zamówić stolik na urodzinowy wieczór.

– Tędy, moje panie. – Główny kelner Jake poprowadził je do stolika w środku lokalu.

Zamówiły butelkę sauvignon blanc. Mama jak zwykle pytała o dania specjalne i rybne; trzy siostry wznosiły oczy do nieba, gdy młoda kelnerka cierpliwie udzielała szczegółowych wyjaśnień.

– Spróbuję tych krewetek z salsą. Wydają się apetyczne – oznajmiła matka, podejmując wreszcie decyzję.

Grace wybrała na przekąski czerwoną paprykę i grzyby, a na danie główne morskiego basa pieczonego w limecie.

Matka i siostry wzniosły toast.

– Wszystkiego najlepszego, Grace!

Grace nagle poczuła się jak idiotka: siedzi otoczona ludźmi, którzy ją kochają, za chwilę podadzą wspaniały posiłek, a ona rozczulała się nad sobą!

– Za najlepszą rodzinę na świecie – odparła. – I za następnych trzydzieści lat wspólnej zabawy!

– Zajmowanie się waszą trójką to była niezła zabawa – zgodziła się Maggie ze wzruszeniem. – Grace, pamiętam szok, jaki oboje z tatą przeżyliśmy na wieść, że jesteś w drodze. Byliśmy małżeństwem dopiero od dwóch lat i niewiele wiedzieliśmy o wychowywaniu dziecka. Bóg tylko wie, jak udało nam się przetrwać.

Przez resztę wieczoru częstowała córki opowieściami o ich wybrykach i rodzinnych katastrofach. Grace śmiała się tak bardzo, że dostała ataku czkawki. Jedzenie było wyśmienite. Sara rozprawiła się z potężnym stekiem, Anna zjadła kurczaka z makaronem.

– Szkoda, że nie ma tu z nami waszego taty – powiedziała cicho Maggie. – W urodziny i Boże Narodzenie szczególnie dotkliwie odczuwam jego brak.

Grace pomyślała o ojcu, który pewnie zaprosiłby je do najmodniejszej restauracji Dublina i zamówił szampana z najbardziej wykwintnymi daniami, żeby uczcić urodziny swojej pierworodnej. Bardzo go kochała, uważała, że niewielu mężczyzn może mu dorównać. Leo Ryan był wyjątkowy.

Matka zniknęła w toalecie.

– Może któraś powinna do niej pójść? – zasugerowała Sara. – Wzruszyła się z powodu taty.

– Zaraz wróci – odparła Grace z przekonaniem. – Zostawmy ją w spokoju.

Podano desery, a Maggie się nie pokazywała. Zaniepokojona Anna ruszyła na poszukiwania, ale wycofała się, widząc, że mama rozmawia z ludźmi przy stoliku w głębi.

– Wszystko w porządku – zapewniła siostry.

– Dobrze się czujesz, mamo? – zapytały, gdy Maggie wreszcie wróciła.

– Nie zgadniecie, kogo spotkałam! Marka McGuinnessa. Je kolację z przyjaciółmi.

– Mark jest tutaj!? – Sara wyraźnie się ucieszyła.

– Powiedziałam mu, że świętujemy twoje urodziny – zwróciła się do Grace rozpromieniona Maggie.

O nie, westchnęła w duchu Grace. Mama na pewno zdążyła już wtrącić informację o wieku swojej najstarszej córki. Maggie Ryan nigdy nie słynęła z dyskrecji.

Kilka minut później podeszła do nich kelnerka. Poinformowała, że pan przy stoliku w rogu przysyła im butelkę szampana.

– Boże, nie możemy tego przyjąć! – upierała się Grace.

– Wręcz przeciwnie – odparła Maggie. – To po prostu miły sąsiedzki gest.

– Fajnie byłoby napić się szampana – przekonywała Sara. – Mark jest taki sympatyczny.

No akurat tego by Grace nie powiedziała po krótkiej znajomości z nowym sąsiadem mamy.

Podziękowały na migi, kiedy kelnerka nalewała szampana. Pół godziny później chichotały jak szalone, wspominając Halloween, na które mama przygotowała im stroje trzech małych świnek.

– Ja musiałam nosić snopek słomy – mówiła Sara, raz po raz wybuchając śmiechem.

– Wybaczcie, drogie panie. Mam nadzieję, że dobrze się bawicie.

Podskoczyły, gdy nowy sąsiad nagle pojawił się przy stoliku w towarzystwie innego mężczyzny, niższego, i bardziej muskularnego, z jasnymi włosami, które już zaczęły się przerzedzać.

– Bardzo dziękujemy za szampana – powiedziała Maggie. – Jeszcze trochę zostało, jeśli macie ochotę się do nas przyłączyć.

Grace chętnie udusiłaby matkę gołymi rękami. Zmieszana zerkała na dwóch mężczyzn w drogich garniturach. Po krótkim wahaniu przyjęli zaproszenie. O co mamie chodzi? Kelnerka przyniosła kieliszki. Mark McGuinness zajął miejsce obok Grace i przedstawił Johna, przyjaciela z college'u, który przyjechał na dziesięć dni z Ameryki.

– Słyszałem, że to wyjątkowe urodziny? – zagadnął Mark. – Trzydzieste?

No nie, naprawdę zabije matkę. Teraz będzie wyglądać na nieszczęśnicę opijającą swoje trzydzieste urodziny w towarzystwie samych kobiet.

– Tak – odparła z uśmiechem, jakby to była najwspanialsza okazja w życiu.

– Na swoją trzydziestkę pojechałem do Nowego Jorku – powiedział. – Z Johnem i kilkoma przyjaciółmi zrobiliśmy rajd po knajpach. Szczerze mówiąc, nie pamiętam zbyt wiele, tylko to, że dobrze się bawiliśmy. Śmiesznie, jak nagle człowiek czuje się zupełnie dorosły, choć wcale tego nie chce.

Przytaknęła energicznie. Dokładnie opisał jej odczucia.

John Maloney, przyjaciel Marka, zabawiał ich opowieściami o swoim barze w Nowym Jorku, gdzie często zaglądają znani ludzie ze świata polityki, Irlandczycy i Amerykanie z irlandzkimi korzeniami.

– Bardzo mi przykro, ale naprawdę muszę już iść – oznajmiła godzinę później Anna. Niechętnie opuszczała restaurację, bo szczerze ubawiły ją dowcipne uwagi Johna o amerykańskiej polityce. – Jutro rano mam wykład dla stu dwudziestu amerykańskich naukowców.

– Anno, nie rób mi tego – zaprotestowała Grace, której spotkanie niespodziewanie sprawiało prawdziwą przyjemność.

– Mówienie o Joysie, Becketcie i Synge'u jest samo w sobie trudne, ale możesz mi wierzyć, nie chciałabyś robić tego na kacu.

– Ja też muszę się zbierać – powiedziała z ociąganiem Sara. – Obiecałam opiekunce, że nie wrócę zbyt późno.

– Saro, kochanie, ty zostań. – Maggie wstała. – Dopijcie z Grace drinki i bawcie się dobrze. Ja wrócę z Anną do domu i zaopiekuję się Evie.

Grace poczuła zakłopotanie na te szyte grubą nicią knowania matki. Mark i John pewnie pomyślą, że wszystkie mają kompletnego bzika.

– Na pewno, mamo? – Sara miała wielką ochotę zostać.

– Jasne – zapewniła Maggie. – Wy, młodzi, cieszcie się swoim towarzystwem, ja nie jestem wam potrzebna.

Grace w duchu się skrzywiła, gdy Mark zamówił drugą butelkę szampana.

– Uregulowałam rachunek. Bawcie się dobrze! – Maggie pomachała i razem z Anną zniknęła za drzwiami.

– Twoja rodzina jest zabawna! – Mark spoglądał na Grace znad okularów.

Miał oczy o dziwnej, niemal orzechowej barwie i gęste czarne rzęsy. Grace z niepokojem usiłowała rozstrzygnąć, czy mówił szczerze, czy z ironią. Skierowała rozmowę na dom.

– Mam związane z nim wielkie plany – odparł.

Zaalarmowana postanowiła się dowiedzieć, jakie.

– O'Connorowie trochę zaniedbali dom – przyznała, wspominając kwieciste dywany, żeliwne kaloryfery i gazową kuchenkę.

– To mało powiedziane. – Mark ze śmiechem napełnił jej kieliszek szampanem z nowej butelki. Przesuwał wzrokiem z sukni na szyję, potem spojrzał Grace w oczy.

– Ale to są wspaniałe rodzinne domy – upierała się. – W każdym razie w tym celu je zbudowano, a chociaż nie ma nakazu konserwatora zabytków na tamtą okolicę, większość właścicieli zgodziłaby się uszanować oryginalny styl.

– Brawo dla większości właścicieli! – powiedział żartobliwie.

Nagle uświadomiła sobie, że nie może traktować go tak samo jak małżeństw kupujących dom albo wielbicieli architektury z czasów króla Jerzego. Mark McGuinness jest niezależny! Wątpiła, by kiedykolwiek kogoś naśladował albo przejmował się tym, co myślą sąsiedzi.

– Powiedz mi, Grace, co ty byś zrobiła, gdyby to był twój dom? – zapytał.

W myślach powędrowała z pokoju do pokoju. Założyłaby wielkie okna z tyłu, by wpuścić światło; zburzyła ściany w małych pokojach przy kuchni i w piwnicy, żeby powiększyć przestrzeń mieszkalną. Zanim się zorientowała, minęło ponad dwadzieścia minut. Siedzieli tuż obok siebie, patrząc sobie w oczy. Mark słuchał jej uważnie.

– Zgadzam się, ten dom ma wielkie możliwości, ale nie może odstawać od sąsiedztwa, dlatego trzeba brać pod uwagę pierwotny wygląd – przyznał.

– Hej, wy tam, dokąd teraz pójdziemy? – zawołał John, który obejmował Sarę. – Dziewczyny, na pewno znacie najmodniejsze kluby?

Matko Boska, pomyślała Grace, chcą, żebyśmy z nimi poszły. Próbowała gestem dać znać siostrze, że czas wracać do domu, ale tej aż błyszczały oczy. Sara miała ochotę na ciąg dalszy.

– Daj spokój, Grace, są twoje urodziny – namawiał John. – Przecież noc jeszcze młoda!

– Proszę, Grace, spędźmy ten wieczór razem – błagała Sara.

Grace spojrzała na Marka. Był miłym kompanem, dobrze się bawiła, a skoro Sara chce poszaleć, to ona też!

– Może pójdziemy do The Club? – zaproponował Mark, gdy wyszli z kubańskiej restauracji.

Przed eleganckim klubem na rogu St. Stephen's Green w kolejce stało kilka osób, ale portier pomachał do nich, rozpoznając Marka. W salce na piętrze panował tłok. Mark i John ruszyli do baru.

– Jeszcze szampana, drogie panie? – zapytał John.

– Nie, prosimy o kieliszek białego wina – odparła z uśmiechem Grace, sygnalizując Sarze, żeby się zgodziła.

Goście The Club, w większości modnie ubrani, mieli od dwudziestu paru do trzydziestu paru lat; grupa mężczyzn we frakach najprawdopodobniej przyszła z oficjalnego przyjęcia. Już byli wstawieni, ale nie zamierzali skończyć zabawy. Grace starała się ich omijać i ucieszyła się, kiedy Mark zaprowadził ich do innej części sali. Z parkietu poniżej dobiegała pociągająca muzyka, będąca mieszanką swingu i soulu. Przez jakiś czas prowadzili luźną rozmowę, potem John ujął Sarę za rękę i poprosił do tańca. Grace poczuła się niezręcznie, bo Mark najwyraźniej nie miał ochoty pójść w jego ślady. Zakłopotana już chciała się wycofać pod byle pretekstem, kiedy przedstawił jej olśniewającą rudowłosą piękność w skąpej koktajlowej sukience. Dziewczyna była śliczna, młoda i nie odrywała od niego oczu. Na litość boską, pomyślała Grace zniecierpliwiona, przecież to podobno bardzo ważny wieczór w moim życiu, więc co ja tutaj robię z nieznajomym, który wcale się mną interesuje? Chyba oszalałam. Jeśli tak ma wyglądać moja przyszłość, to dziękuję bardzo.

Dziewczyna bezwstydnie flirtowała z Markiem, więc Grace odsunęła się, żeby nie przeszkadzać. Potem poszła do toalety, gdzie wyszczotkowała włosy i ochłonęła, słuchając rozmów innych kobiet w niewielkim pomieszczeniu. Kiedy wyszła, na cel wzięli ją dwaj mężczyźni we frakach, którzy teraz byli jeszcze bardziej pijani i nieprzyjemni niż wcześniej. Jeden zagrodził Grace drogę i szeptem komentował wielkość jej piersi.

– Hej, tu jestem. – Mark objął ją w pasie. – Chodźmy tańczyć.

Z ulgą przywarła do niego jak do boi, gdy schodzili na dół.

– Dlaczego zniknęłaś bez uprzedzenia? – zapytał.

– Byłeś zajęty, nie chciałam przeszkadzać – odparła lekko.

– Sharon ma dopiero dziewiętnaście lat – powiedział z namysłem. – Jej ojciec jest dyrektorem mojego banku. Miła dziewczyna, znam ją, odkąd skończyła dziesięć lat, ale dzisiaj trochę przesadziła z alkoholem, więc ją odprowadziłem do drzwi i dopilnowałem, żeby wróciła z przyjaciółką do domu.

– Rozumiem – szepnęła Grace.

Mark objął ją i zaczęli wolno tańczyć do piosenki Niny Simone. Był doskonałym tancerzem. Muzyka i bliskość jego ciała sprawiała Grace przyjemność; wyobrażała sobie, jak by to było, gdyby zostali tylko we dwoje. Czuła ciepło silnych dłoni na talii, oddech na szyi, usta przyciśnięte do skóry. Oboje milczeli. Może wypiła za dużo, może oszołomiły ją urodzinowe emocje albo zwyczajnie uwiódł ją atrakcyjny nieznajomy… Niezależnie jednak od przyczyny, chciała, by to potężne wrażenie zmysłowości, które nagle między nimi się narodziło, trwało jak najdłużej.

Zamrugała, sprowadzona na ziemię przez Sarę i Johna. Oboje się śmiali i gadali jak nakręceni.

– Hej, Mark! – zawołał John. – A może pozwolisz mi zatańczyć z jubilatką?

Mark i Grace z ociąganiem oderwali się od siebie, wytrąceni z rytmu. Przez moment jednak Mark trzymał ją za rękę. Grace uniosła ku niemu wzrok, ale nastrój minął. Zamienili się partnerami. John wziął ją pod ramię, Sara okręciła się na pięcie i pociągnęła za sobą Marka.

– Sara to świetna dziewczyna, opowiedziała mi o Evie i całej rodzinie – powiedział John, gdy z głośników popłynęła piosenka Justina Timberlake'a.

Grace zmusiła się, by wesoło wymieniać uwagi o ulubionych budynkach w Nowym Jorku i zmienionym obliczu Dublina.

– To raj dla budowlańców – zażartował John. – Nic dziwnego, że faceci od inwestycji, tacy jak Mark, zarabiają kupę szmalu.

Czas mijał, parkiet pustoszał. Grace złapała się na tym, że patrzy na Marka i swoją siostrę. Przestali tańczyć i z czegoś się śmiali przy stoliku po lewej. W przeciwieństwie do Grace Sara zachowywała się całkowicie swobodnie w towarzystwie Marka. Kiedy didżej ogłosił koniec zabawy, Grace i John podeszli do stolika.

– Może wpadniemy do mnie na strzemiennego? – zapytał Mark, spoglądając na Grace.

Poczuła ulgę, kiedy Sara odmówiła.

– Dzięki, ale nie. Grace i ja musimy już wracać.

– Złapiemy taksówkę i podwieziemy was – zaproponował Mark. – John zatrzymał się u mnie.

W drodze do domu Grace uzmysłowiła sobie, że bawiła się o wiele lepiej, niż się spodziewała. Złowieszcza zjawa trzydziestych urodzin została odpędzona. Kolacja, szampan, klub i towarzystwo dwóch całkiem przystojnych mężczyzn – wszystko to zrobiło swoje.

– Rewelacyjny wieczór! – chichotała Sara, kiedy taksówka zatrzymała się przy placu Przyjemnym. Po kolei uściskała i ucałowała Marka i Johna. – Dziękuję, chłopaki, wspaniale się bawiłam!

– Ja też – dodała Grace. Pożegnała się z Johnem, który za dwa dni wracał do domu. Kiedy tańczyli, przez pół godziny opowiadał jej o żonie Cindy i dwuletnim synku Samiem. Cindy spodziewała się drugiego dziecka i nie mogła latać. John był bardzo sympatycznym facetem. Pocałowała go w policzek, potem objęła Marka.

171

– Cieszę się, że wieczór sprawił ci przyjemność, Grace. – Przytrzymał ją za rękę, zmuszając, by spojrzała mu w oczy. – Wyjeżdżam na tydzień, ale po powrocie zadzwonię... – Spoglądał na nią poważnie.

– Jasne – odparła nagle zirytowana. Faceci zawsze obiecują, że się odezwą. Gadka szmatka.

– Wszystkiego najlepszego z okazji urodzin, Grace! – Pochylił się i niespodziewanie czule musnął ustami jej usta.

Rozdział 36

Maggie Ryan wstała wcześnie. Wzięła prysznic i wypiła szklankę soku ze świeżych pomarańczy, po czym tramwajem pojechała do miasta. Umówiła się na śniadanie ze swoją siostrą, po którym od razu pójdą na „weselne zakupy".

Biedna Kitty, bez rezultatu przeszukały butiki przy Southside, Northside, w Wicklow i Gorey. Wybór właściwego stroju dla matki panny młodej okazał się bardzo ulotny. Nawet uroczy dzień w sławnym ślubnym sklepie McElhinneyów, gdzie Kitty przymierzyła co najmniej dwadzieścia sukien, zakończył się fiaskiem. Żadna nie przypadła jej do gustu.

– Jestem matką panny młodej – powtarzała. – Muszę wyglądać jak trzeba w tym ważnym dla Orli dniu.

Maggie miała więcej szczęścia. Kupiła jedwabną sukienkę bez rękawów w kolorze terakoty, a do tego kremowy szal, idealny zestaw na ślub we wrześniu.

– Dzisiaj nie będziemy biegać po całym sklepie – oznajmiła stanowczo przy herbacie, grzankach i kiełbaskach. I żadnych wędrówek do działu z torebkami czy butami, Kitty. Naszym celem jest strój. Jak będziesz go miała, resztę dobierzesz. Zaczniemy od Browna Thomasa, znowu zajrzymy do Richarda Alana, Arnottsa i Clerys!

– Orla mi mówiła, że u Arnottsa są rewelacyjne rzeczy od znanych projektantów – powiedziała Kitty. – Mama jej przyjaciółki Jennifer kupiła sobie tam kreację Pameli Scott.

Dzięki Bogu tego ranka w sklepach jest spokojnie, pomyślała Maggie, kiedy wędrowały od przymierzalni do przymierzalni. Podawała siostrze kolejne ubrania, pomagała zapinać guziki i zamki i wygłaszała szczere opinie:

Poszerza cię w biodrach; nieodpowiedni kolor, wyglądasz w nim blado; podkreśla wałek na brzuchu...

Kitty była niższa i szczuplejsza niż Maggie, ale miała dużą pupę. Po drodze Kitty opowiedziała jej o zaproszeniach, które już drukowano, o chórze wynajętym przez Orlę, skandalicznym koszcie kwiatów dla panny młodej i do kościoła. Maggie słuchała z uwagą. Jeśli dopisze jej szczęście, któregoś dnia ona też będzie organizowała ślub dla jednej ze swoich córek.

Odpowiedni strój znalazły – wreszcie! – po drugiej stronie Halfpenny Bridge u Arnottsa: zieloną suknię ze ślicznym żakietem w tym samym kolorze, z kremowymi lamówkami u dołu, przy kołnierzu i zapięciu. Pasowała jak ulał.

– Cudowna! – stwierdziła Kitty, obracając się przed lustrem.

– To jest to! – potwierdziła Maggie z podnieceniem, szczerze przekonana, że siostra nie znajdzie nic innego, w czym tak bardzo będzie jej do twarzy.

– Tak myślę. – Piwne oczy Kitty błyszczały radością. – Ale chciałabym, żeby Orla też ją zobaczyła.

Siwowłosa sprzedawczyni, uosobienie dobroci, zgodziła się odłożyć komplet do jutra.

– Maggie, bardzo ci dziękuję za pomoc i cierpliwość. Chodź, postawię ci za to lunch – zaproponowała Kitty.

U Fallona i Byrne'a znalazły stolik przy oknie.

Maggie opowiedziała siostrze o urodzinowym przyjęciu i o tym, jak byłoby wspaniale, gdyby do czegoś doszło między Grace a ich nowym sąsiadem.

– Oni są wprost dla siebie stworzeni – mówiła zadowolona. – Ale sama wiesz, że matka niewiele może zrobić!

– Czekam na szczegóły – odparła Kitty; pamiętała, jak burzliwy był związek Orli i Liama, zanim się zaręczyli. – A może w przyszłym tygodniu też pójdziesz ze mną na zakupy? Muszę dobrać buty – namawiała siostrę, gdy jadły łososia, szpinak w cieście i zieloną sałatę.

Maggie zgodziła się towarzyszyć Kitty w kolejnej wędrówce po sklepach; miała nadzieję, że wyszukanie dodatków okaże się prostsze.

Na Grafton Street młody rockowy gitarzysta przygrywał przechodniom. Maggie zawsze uważała, że talenty należy wspierać, więc wrzuciła mu do puszki euro. Potem pobiegła do kościoła przy Clarendon Street, jak zwykle pomodlić się za Leona i rodzinę, a także zapalić świecę w intencji biednego Oscara Lyncha.

Biedny staruszek ostatecznie przeniósł się ze szpitala do drogiego domu opieki Oak Park w Blackrock. Był rozdrażniony i niespokojny, pragnął wrócić do domu, ale przecież nie mógł w taki stanie mieszkać samotnie. W księgarni przy St. Stephen's Green kupiła mu grubą książeczkę z sudoku.

Do domu wróciła tramwajem. Zadowolona, że już jest u siebie, zrzuciła buty i wsunęła stopy w wygodne kapcie. Zostawiła torby przy schodach i ruszyła prosto do kuchni, żeby napić się kawy i przegryźć herbatnika.

Już miała włączyć czajnik, kiedy zauważyła, że Irena śpi na wygodnej dwuosobowej kanapie przy wyjściu na taras. Polka była blada i wyglądała na wyczerpaną. Bóg jeden wie, o której rano wstała. Wykańcza się pracą, pomyślała Maggie. Pozwoliła jej spać, po cichutku zaparzyła kawę i poszła do salonu, gdzie usiadła wygodnie, by poczytać „Irish Timesa".

Godzinę później wróciła do kuchni.

– Dobrze się czujesz, Ireno? – zapytała łagodnie, żeby nie przestraszyć dziewczyny.

– Och, pani Ryan, tak mi przykro. Jak skończyłam odkurzać, usiadłam na chwilę i zaraz zasnęłam.

– Nic się nie stało, wszyscy bywamy zmęczeni – uspokoiła ją Maggie. – Wczoraj miałaś wieczorną zmianę?

– Nie, ale zerwałam się bladym świtem. Muszę wyjść o szóstej, żeby złapać autobus o wpół do siódmej.

– Zjadłaś porządne śniadanie?

– Tylko pączka w sklepie, kiedy rozłożyłam gazety i obsłużyłam pierwszych klientów. Był duży tłok i musiałam uzupełnić towar na półkach, zanim tu przyjechałam.

– Ireno! Nic dziwnego, że lecisz z nóg!

– Chciałam sobie zrobić coś gorącego do picia, ale zasnęłam. Jest pani na mnie zła?

– Ależ skąd – odparła Maggie. – Tylko się o ciebie martwię. Nie wysypiasz się, ciężko pracujesz, nie dojadasz…

– Muszę zarabiać, żeby mieć na czynsz i jeszcze trochę zaoszczędzić! – krzyknęła Irena przez łzy. – Pracuję, ile mogę, ale w Irlandii wszystko jest takie drogie.

– Wiem. – Maggie usiadła obok niej. – Ale musisz też pamiętać o sobie. Zrobię ci coś do jedzenia.

– Grzanka i kawa mi wystarczą, bardzo pani dziękuję.

– Nie – sprzeciwiła się Maggie.

Wyjęła z lodówki jaja, cebulę, pomidory, kilka plastrów szynki i usmażyła puszysty, sycący omlet. Irena nakryła do stołu.

– Nie chciałabyś przeprowadzić się bliżej pracy? – zapytała Maggie.

– Zrobiłabym to, gdyby mnie było stać – odparła Irena. – Ale czynsze są takie wysokie, że musimy wynajmować mieszkanie w kilka osób. W Polsce jest taniej.

– A gdyby pojawiła się taka możliwość…? – zaczęła Maggie, myśląc o biednym Oscarze i jego trudnej sytuacji. Może przy drobnej ingerencji zdoła pomóc w rozwiązaniu problemów dwojga osób, a oni z kolei pomogą sobie nawzajem… – Gdybyś dostała propozycję pracy z mieszkaniem w zamian za prowadzenie domu, sprzątanie i gotowanie, a także dotrzymywanie komuś towarzystwa, czy to by cię interesowało?

– Nie rozumiem. – Irena spojrzała na nią z powątpiewaniem.

– Jeden z moich przyjaciół potrzebuje pomocy. Jest w podeszłym wieku i mieszka sam w wielkim domu – wyjaśniła Maggie. – Nie wiem, czy taki układ będzie mu odpowiadał, ale obiecuję, że z nim o tym porozmawiam.

– Gdzie on mieszka?

– Niedaleko stąd. – Maggie miała nadzieję, że Oscar Lynch przynajmniej rozważy taką możliwością.

– Och, to by mnie bardzo interesowało, pani Ryan – powtarzała Irena, gdy usiadły do stołu.

Maggie z radością patrzyła, jak dziewczyna ze smakiem zajada omlet.

Dwa dni później odwiedziła Oscara. Siedział ubrany w rozpinany sweter i wyprasowane szare spodnie. Wyglądał słabo, siwe włosy miał starannie uczesane, twarz wychudłą i bladą. Kończył rehabilitację za trzy tygodnie i kategorycznie nie zgadzał się na dłuższy pobyt w ośrodku.

– Nie jestem aż tak zniedołężniały – narzekał ze złością. – Jeszcze nie.

– Oczywiście, że nie – potwierdziła Maggie, krzątając się wokół niego.

– Tylko chodzenie sprawia mi trudność i w ogóle nie mogę się schylić. Przeklęte biodro się goi, ale trwa to znacznie dłużej, niż planowałem.

Maggie stłumiła uśmiech rozbawiona jego zrzędliwością. Przyniosła mu świeże owoce, ciasteczka i książkę z sudoku.

– To ci pomoże zabić czas. – Wzięła głęboki oddech, przygotowując się do rozmowy o najbliższej przyszłości. – Posłuchaj, po powrocie na plac Przyjemny naprawdę będziesz potrzebował pomocy.

– Myślałem o tym – przyznał, z wysiłkiem przesiadając się na łóżko. Maggie go podtrzymała. – Zawsze byłem niezależny, dbałem o siebie i Elizabeth, ale z tym biodrem…

– Może ktoś powinien z tobą zamieszkać? – zasugerowała Maggie.

– Opiekun! – rzucił z irytacją. – Nie jestem zdziecinniałym staruszkiem.

– Nie to miałam na myśli. Po prostu ktoś mógłby ci towarzyszyć, dopóki w pełni nie odzyskasz sił. Zająłby się gotowaniem, sprzątaniem, robieniem ci masaży – mówiła wolno, obserwując jego reakcję kątem oka.

– A skąd wziąć taką osobę?! Jak można komuś zaufać, że cię nie obrabuje albo nie wykorzysta?

– Cóż, chyba mam dla ciebie odpowiednią kandydatkę – odparła Maggie. – Szuka mieszkania z rozsądnym czynszem i gotowa jest w zamian wykonywać prace domowe. – Widziała wyraźnie, że rozbudziła ciekawość Oscara. – Irena to urocza, pracowita dziewczyna. Przyjechała z Polski do Irlandii ponad rok temu. Mnie też pomaga. Można na niej całkowicie polegać.

– I gdzie by zamieszkała?

– Przecież masz trzy pokoje gościnne.

– Nie chcę, żebyś ktoś nade mną mieszkał – zaprotestował Oscar. – Poza tym Elizabeth nigdy by się nie zgodziła, żeby obca kobieta dzieliła ze mną dom.

– A piwnica? – podsunęła Maggie.

– Gabinet? Nadal jest tam całe wyposażenie.

– Na pewno można je gdzieś przenieść – upierała się Maggie. – Raczej nie będzie ci już potrzebne.

– No tak. Tam jest jak w muzeum.

– Sara i Evie uwielbiają swoje mieszkanie na strychu – powiedziała Maggie zachęcająco. – Dzięki temu mamy odrobinę prywatności, a przy tym wiemy, że o kilka kroków jest ktoś, kto dotrzyma nam towarzystwa albo pomoże w trudnej chwili.

– Wiem, jak można by to zrobić – odparł z namysłem Oscar. – Trzeba wynieść cały sprzęt, a pomieszczenie wymalować.

– Posłuchaj, pogadam z Grace. Na pewno zna ludzi, którzy by się tym zajęli.

– Dobrze – zgodził się Oscar, przesuwając długimi palcami po czole.

– To co? Umówić cię na spotkanie z Ireną? Mogłabym ją tutaj przyprowadzić.

– Ale od początku ma wiedzieć, że to tylko tymczasowy układ. Kiedy wrócę do zdrowia, sam się sobą zajmę.

– Nie przejmuj się, Irena na pewno to zrozumie – zapewniła Maggie.

Rozdział 37

Maggie pracowała przy rabatkach, kiedy na ścieżce zobaczyła Angusa z ładną ciemnowłosą młodą kobietą.

Uśmiechnął się i zatrzymał.

– Maggie, pozwól, że ci przedstawię swoją dziewczynę Megan.

Szkotka! Przynajmniej raz się postarała i odwiedziła go w Dublinie. Miała urodę modelki: krótkie włosy, porcelanowa blada buzia, ogromne piwne oczy, długie szczupłe nogi. Wyglądała, jakby od miesięcy nic nie jadła, i pewnie by zemdlała, gdyby popracowała chwilę w ogrodzie, taka była krucha. W dzisiejszych czasach mężczyznom najbardziej podobają się anorektyczki!

– Na długo przyjechała pani do Irlandii? – zapytała Maggie, kryjąc dłonie pobrudzone ziemią.

– Na kilka dni. Angus pokaże mi Dublin, potem na trzy dni jedziemy do Kilkenny.

Maggie słyszała, że Megan kategorycznie odmówiła przeprowadzki do Dublina i bardzo nie podobały jej się te weekendy, które Angus spędzał w Irlandii.

– To bardzo miła perspektywa – stwierdziła Maggie. – Oglądanie nowych miejsc jest zawsze interesujące. Pamiętam, jak pojechaliśmy z Leonem do Edynburga. Irlandia grała ze Szkocją w rugby, a...

– Już miała szczegółowo opisać wycieczkę, ale zobaczyła, że Megan ciągnie Angusa za rękaw. – Przepraszam, nie będę was zatrzymywać. Chcę to skończyć, bo potem idę odwiedzić Oscara.

– Przekaż mu moje pozdrowienia – powiedział Angus. – Wpadnę do niego, kiedy wróci do domu.

Maggie musiała przyznać, że Megan jest o wiele ładniejsza, niż się spodziewała. Nic dziwnego, że Angus się zakochał. Teraz, kiedy dziewczyna pojawiła się osobiście, Maggie miała niezbity dowód, że Angus nie jest wolny.

Wróciła do pracy, bo przed przyjściem Ireny zamierzała posadzić begonie. Dzisiaj obie pojadą do Oak Park, żeby Polka poznała Oscara. Roześmiała się, widząc Sarę uginającą się pod ogromnym koszem prania, która wpadła prosto na Megan i Angusa. Córka wyglądała nieporządnie w obciętych dżinsach, T-shircie z U2 i sandałkach, z jasnymi włosami zebranymi w kucyk. Megan natomiast miała na sobie kremowy żakiet, obcisłą czarną spódniczkę i buty na wysokich obcasach, przez co jej nogi wydawały się jeszcze dłuższe. Evie biegała wokół nich z piłką. Angus przedstawił je sobie i Maggie ucieszyła się, że Sara, niezależnie od okoliczności, potrafi nawiązać przyjacielską pogawędkę. Evie dla odmiany marudziła, żeby Angus pobawił się z nią piłką.

– No dobrze – odparł chłopak i zaczął pokazywać małej sztuczki.

– Angus – wtrąciła się poirytowana Megan. – Mieliśmy iść na zakupy.

– Tak jest. – Uśmiechnął się pojednawczo. Rzucił piłkę do Evie, po czym w ślad za Megan ruszył do samochodu.

Sara postawiła koszyk i podeszła do matki.

– I co o niej myślisz? – zapytała Maggie.

– Jest piękna – przyznała Sara. – Faceci zawsze zakochują się w takich dziewczynach.

– Nie zawsze – odparła łagodnie Maggie, widząc przygnębienie w oczach córki.

179

– Angus w każdym razie za nią szaleje – stwierdziła gwałtownie Sara. Odwróciła się i poszła do domu.

Maggie westchnęła; Megan w zwykle spokojnej, dobrodusznej Sarze wzbudziła zazdrość. Co też opętało młodego Szkota, że dał się uwieść takiej lalce Barbie?!

Podlewała sadzonki, kiedy przyszła Irena. Zaskoczył ją widok dziewczyny. Zamiast zwykłych dżinsów, swetra i sportowych butów miała na sobie jasnoróżową sukienkę, krótki sweterek i buty na płaskich obcasach, a świeżo umyte włosy błyszczały.

– Wyglądasz ślicznie, moja droga – pochwaliła ją Maggie.

– Chcę, żeby pan Oscar mnie polubił – odparła Irena.

Pan Oscar ją polubił. Zaczęli rozmawiać jak starzy przyjaciele o Warszawie i jakimś polskim zespole ludowym. Maggie zostawiła ich i wybrała się na spacer po terenie ośrodka. Kiedy wróciła, Oscar oznajmił, że zgadza się, by Irena na jakiś czas z nim zamieszkała.

– Dziękuję ci, kochana Maggie, że nas ze sobą poznałaś. Masz rację, lepiej, że ktoś ze mną zamieszka, dopóki nie odzyskam sprawności.

Irenie błyszczały oczy i Maggie ogarnęła ogromna ulga, że jeden z jej planów wypalił.

Rozdział 38

Sara zapomniała o bożym świecie, tworząc historyjkę o panu Kostce, psim detektywie z wielkim nosem, wiecznie tropiącym jakieś zagadki. Zachichotała, rysując liść spadający mu na nos. Zadzwonił telefon. Odebrała, wciąż się śmiejąc.

– Słyszę, że jesteś w doskonałym humorze. – To był kuzyn Micka, Ronan. – Sara od razu go rozpoznała. Dzwonił z Londynu. Przyjeżdżał do Dublina w przyszłym tygodniu i pytał, czy miałaby ochotę pójść z nim i jego przyjaciółmi na kolację. – Wybieramy się do tej miłej knajpki Mario w Sandymount. Stolik jest zamówiony na ósmą trzydzieści.

– Świetnie!

– Więc spotkamy się tam?

– Doskonale.

– Fajnie nam się rozmawiało u Karen i Micka – wspomniał Ronan. – Następnego dnia wcześnie leciałem na Heathrow, więc u nich spałem. Ich też zaprosiłem na sobotę.

Super, pomyślała Sara, przynajmniej kogoś jeszcze będę znała. Po paru minutach odłożyła słuchawkę wciąż zdziwiona, że Ronan się odezwał i zaprosił ją na kolację. Dobra, nie chodziło o romantyczną randkę, ale zadzwonił. Wcześniej próbowała randek w ciemno i randek błyskawicznych. Totalna porażka. Wyglądało na to, że przyciągała tylko starych pierdzieli i świrów. A ostatnio myślała o randkach w sieci, ale ta perspektywa trochę ją niepokoiła.

Tego Sara nie mogła przewidzieć: mama była zajęta, w sobotę wieczór wybierała się do teatru Abbey z Fran i Rhoną.

– Mogę to odwołać, jeśli nie ma innego wyjścia – zaproponowała. – A z kim idziesz na tę kolację? Z mężczyzną?

– Nie, mamo, to wspólny wypad z Karen, Mickiem i kilkoma innymi osobami. Nie przejmuj się, znajdę jakąś opiekunkę.

Mama lubiła wyprawy do teatru z przyjaciółkami i nie byłoby w porządku prosić ją, żeby zrezygnowała z czegoś, co pewnie zaplanowała wiele tygodni temu. Sara zaniepokoiła się jednak, gdy się dowiedziała, że zwariowanym zrządzeniem losu obie jej siostry też mają zajęty weekend. Anna jechała ze studentami na seminarium o poezji Paddy'ego Kavanagha do Monaghan, a Grace wybierała się do Manchesteru.

– Jeśli zmienisz termin kolacji, chętnie zajmę się Evie – zaproponowała.

Cóż, to nie wchodziło w grę. Sara sprawdziła listę licealistek i studentek z sąsiedztwa, z których usług zwykle korzystała. Sinead miała egzaminy, Lucy Conway była chora na anginę, a Aoife Mulligan podjęła pracę jako barmanka i zrezygnowała z opieki nad dziećmi. Katastrofa: nikt nie zajmie się Evie.

Kiedy wieczorem kładła córkę spać, do drzwi zapukał Angus.

– Poczekaj, aż ją uśpię, potem napijemy się kawy, dobrze?

Evie chciała pokazać Angusowi nową książkę z biblioteki.

– Obiecasz, że jeśli przeczytam ci jedną bajkę, zaraz potem grzecznie zaśniesz? Umowa? – zapytał.

– Umowa – zgodziła się dziewczynka.

Ciekawe, czemu przy Angusie Evie jest taka posłuszna? – pomyślała Sara. Ja muszę usypiać ją godzinami. Nastawiła wodę i poszukała w szafkach czekoladowych herbatników, ulubionych Angusa. Z sypialni dobiegał jego głos. Z miękkim szkockim akcentem czytał baśń o księżniczce na ziarnku grochu. Evie słuchała cichutko, później oboje chwilę rozmawiali. Na koniec Angus zaśpiewał szkocką kołysankę. Siedział w milczeniu do momentu, gdy Evie odwróciła się i tuląc do siebie wielkiego białego misia, zasnęła.

– Angus, jesteś cudotwórcą! – pochwaliła go Sara.

– Wygląda na to, że dzieci lubią ze mną zasypiać – zażartował. – Choć nie wiem, czy to samo odnosi się do kobiet!

Sara się zarumieniła. Angus, wcale niezakłopotany, wsypał sobie do kawy dwie łyżeczki cukru. Podała mu herbatniki; miała nadzieję, że nie zmiękły. Usiedli przed kominkiem. Sara podwinęła pod siebie gołe stopy.

– Chciałeś mnie o coś zapytać – przypomniała.

– A tak. Będziesz jutro w domu?

Przez jeden szalony moment pomyślała, że tego samego dnia dostanie dwa zaproszenia, ale zaraz uświadomiła sobie, że dla Angusa jest przecież tylko sąsiadką i córką gospodyni.

– Jutro przywiozą mi nowy komputer. Mogłabyś wpuścić dostawców?

– Jasne. Akurat jutro nie pracuję.

– Umówiłem się na spotkanie z ludźmi z Google'a i nie chciałbym tego odwoływać.

– Nie ma sprawy. – Uśmiechnęła się, bo wiedziała, że Angus czci bogów Internetu.

Wyjął z kieszeni zapasowy klucz.

– Nic nie musisz robić, tylko dopilnuj, żeby ostrożnie obchodzili się ze sprzętem.

Sarze nagle wpadł do głowy pewien pomysł.

– Angus, a czy ty przypadkiem jesteś wolny w sobotę wieczór? – Wszystko przemawiało za tym, że będzie robił coś ważnego albo poleci do Edynburga, do Megan. Wstrzymała oddech.

– Nic nie zaplanowałem. Jestem cały twój – odparł, uśmiechając się do niej wyczekująco.

– Prawdę mówiąc, masz być cały Evie! – wyjąkała zakłopotana. – Przyjaciele zaprosili mnie na kolację. Zwykle małą opiekuje się mama albo jedna z sióstr, ale w sobotę są zajęte. Nie prosiłabym ciebie, ale to naprawdę sytuacja kryzysowa. – Zauważyła, jak zmienia się wyraz jego twarzy. – Spokojnie, jeśli nie możesz, wcale się nie pogniewam.

– Jeśli to dla ciebie ważne, chętnie zaopiekuję się Evie – odparł, poważniejąc. – Z wielką przyjemnością spędzę sobotni wieczór w towarzystwie jednej z moich ulubienic. O której przyjść?

– O wpół do ósmej. Evie będzie zachwycona.

– Cieszę się, że jedna z panien od Ryanów lubi moje towarzystwo – odparł z namysłem, odstawiając kubek.

– Zostań jeszcze! – usłyszała własny głos Sara. – Zaparzę więcej kawy.

– Przepraszam, ale już dość wypiłem.

Sara naprawdę lubiła Angusa; dobrze się rozumieli, a w dodatku mieszkał tak blisko i mogli sobie wzajemnie pomagać. Po przyjacielsku odnosił się do dzieci i ludzi starszych jak Oscar, a ją potrafił rozśmieszyć, nawet kiedy była bardzo smutna. Idealny facet: zabawny, inteligentny i zdolny wygrać w każdej znanej ludzkości grze komputerowej. Ta Megan to miała szczęście. Trafił jej się taki wspaniały chłopak.

Rozdział 39

*W*szystkie plany zawaliły się jak domek z kart, kiedy w piątkowy wieczór Evie dostała wysokiej gorączki.

Sara siedziała na sofie, trzymając córkę na kolanach. Mała była rozpalona i rozdrażniona. Domagała się tylko zimnej wody i… czerwonej galaretki.

Nazajutrz rano przy śniadaniu nie mogła przełknąć ani kęsa. Zwykle tryskała energią, zwłaszcza w soboty, ale dzisiaj, osowiała i cicha, chciała tylko leżeć na sofie pod różowym kocykiem i oglądać telewizję. Nic nie wskazywało na przeziębienie, gardło wyglądało na zdrowe i Sara nie wiedziała, czy umówić się na wizytę u lekarza, bo sobotnie poranki zarezerwowane były dla nagłych przypadków.

— Przynieść ci coś, skarbie? — Próbowała nakłonić córkę, by coś zjadła.

— Sok z czarnej porzeczki, mamusiu.

Sara miała ochotę odwołać kolację. Przecież nie zostawi chorego dziecka!

Evie spała z przerwami całe popołudnie, a kiedy się obudziła, jej stan trochę się poprawił. Na podwieczorek zjadła małą kanapkę z serem.

Sara zadzwoniła do Karen i podzieliła się swoimi wątpliwościami.

— Wiesz, chyba nie przyjdę…

— Saro, to tylko kolacja, w dodatku blisko domu — zapewniła ją przyjaciółka. — Ja nie piję, więc w każdej chwili mogę cię odwieźć.

Spoglądając na zegarek, Sara w szalonej panice wskoczyła pod prysznic. Może jednak los chce, żeby zrezygnowała z wyjścia?

Wciąż nie podjęła decyzji, kiedy przyszedł Angus. W szlafroku otworzyła mu drzwi.

— Evie jest chora — wyjaśniła. — Nie mogę jej zostawić. Dam sobie spokój z tą kolacją.

Angus bez słowa wszedł do salonu i uważnie przyjrzał się pacjentce, która oglądała telewizję.

– Moim zdaniem będzie żyła – oznajmił z powagą. – Ale na wszelki wypadek daj mi numer swojej komórki.

– Och, dziękuję, Angus. Na pewno możesz z nią pobyć? – zapytała.

Kiedy potwierdził, pobiegła się przebrać.

Wciągnęła obcisłe dżinsy i różową koszulę. Może to jednak zbyt swobodny strój? Spojrzała w lustro i wróciła do salonu.

– I jak?

Angus siedział obok Evie i czytał sportowy dział w „Irish Timesie". Uniósł wzrok z szerokim uśmiechem.

– Super.

Sara ceniła jego zdanie, bo zazwyczaj szczerze mówił, co sądzi.

– Poczekaj. – Pobiegła do sypialni, włożyła obcisłą różową spódnicę we wzorki, skórzany pasek i zielony żakiecik.

– Angus! – Okręciła się na pięcie. – Tak lepiej?

Nie domagała się komplementów, tylko pomocy, bo sama nie mogła się zdecydować. Grace i Anna od razu wiedziały, w co się ubrać i w czym jest im do twarzy, ona wahała się godzinami.

– W tym też wyglądasz ślicznie – zaczął dyplomatycznie Angus. – Choć ta spódnica... – Patrzył na nią bardzo uważnie. – Idź w spódnicy.

Znowu wróciła do sypialni. Pośpiesznie zrobiła makijaż i uczesała włosy. Kiedy brała kurtkę, rozległ się dzwonek do drzwi. Podjechała taksówka.

Uściskała Evie i podała Angusowi kartkę z numerem swojej komórki i nazwą restauracji.

– Obiecaj, że jakby co, zadzwonisz.

– Obiecuję – odparł Angus. – Ale Evie nic nie będzie, nie martw się.

Restauracja Mario była zatłoczona; Sara pozbyła się wszelkich wątpliwości, kiedy Ronan uściskał ją na powitanie i poprosił, żeby zajęła miejsce obok niego. Przezornie zarezerwował wielki okrągły stół blisko okna, przy którym już siedzieli Karen i Mick. Ronan przedstawił Sarze Jamesa i Chrisa, swoich przyjaciół z college'u. Wszyscy pilnie przeglądali karty, kiedy pojawiła się siostra Ronana, Mary, ładna brunetka, ze swoim chłopakiem. Było sympatycznie. Sara się odprężyła. Zamówiła krewetki na przystawkę oraz, po krótkim namyśle, faszerowane cennelloni i sałatkę. Wszyscy wybrali włoskie wino Barolo. Sara poprosiła tylko jeden kieliszek – nie chciała przesadzać z alkoholem, na wypadek gdyby musiała szybko wracać do Evie.

Jedzenie okazało się wyśmienite, rozmowa przyjemna. Ronan dbał o miłą atmosferę przy stole.

– Co z twoją książką? – zapytał, atakując wielką pizzę.

– Ronan, przestań, to właściwie nie jest książka! – zawołała Sara. – Powiedziałabym raczej, że to dla mnie świetna rozrywka.

– Chciałbym zobaczyć twoje dziecko – odparł, wsuwając do ust wielki kęs pizzy z pomidorami i pepperoni.

Nie wiedziała, czy Ronan przypadkiem z niej nie kpi.

– Mówię poważnie – ciągnął. – Projektuję nowe logo i katalog dla jednego z największych wydawców książek dla dzieci w Londynie. Wydają niesamowite rzeczy. Teraz literatura dziecięca dobrze się sprzedaje, tak przynajmniej twierdzi moja przyjaciółka Jill, a jest doświadczoną redaktorką. Jeśli chcesz, mogę ją poprosić, żeby obejrzała twoją książeczkę, przynajmniej kilka stron.

– Naprawdę? Nie nabierasz mnie?

– W żadnym razie. Jilly i ja bardzo się przyjaźnimy. – Uśmiechnął się, nadziewając na widelec sałatę z talerza, który stał między nimi. – Chodziłem z jej bratem.

Czy ja się nie przesłyszałam? – pomyślała Sara, ale nie przestała się uśmiechać.

– Byłoby wspaniale, Ronan.

Miała totalny zamęt w głowie. Rozmowa zeszła na rynek nieruchomości. Sara nie planowała kupowania domu i była całkowicie zależna od dobrego serca matki w kwestii swojego mieszkania, więc nie włączyła się do dyskusji. Stwierdziła tylko, że ludziom brak piątej klepki, jeśli płacą pół miliona euro albo i więcej za zwykły lokal w betonowym pudełku, w środku pustkowia, gdzie nie ma żadnego parku, placu zabaw ani nawet miejsca na spacery. Co wyrośnie z dzieci, które tam się wychowują!

Karen po raz kolejny wyszła do toalety. Sara przeprosiła i ruszyła za przyjaciółką.

— Boże, nie powinnam jeść tego makaronu — zażartowała Karen. — Zaraz chyba eksploduję. A cała woda przewala się we mnie jak w akwarium.

Sara zachichotała, gdy Karen dyskretnie beknęła.

— Lepiej ci? — zapytała.

— Odrobinę. Boże, co to dziecko ze mną wyprawia? Najpierw nie mogłam patrzeć na jedzenie, teraz ciągle chodzę głodna.

— Pamiętasz mój apetyt na salami?

— Irlandzkie salami z whisky! — Karen się roześmiała. — Pożerałaś całe paczki. Cieszysz się, że przyszłaś?

— Tak, wspaniale się bawię — odparła Sara. — Ronan jest bardzo miły…

Karen spojrzała na nią w lustrze.

— Tak, szkoda, że tacy fajni faceci są gejami.

Sarę musiały zdradzić oczy.

— Nie wiedziałaś, Saro! Przecież ci mówiłam na swoim ślubie? Wyjechał wtedy z przyjaciółmi na Fidżi i nie zdążył wrócić. Niezły z niego typ!

To prawda. Sara straciła intuicję. Czy dlatego, że od dawna nie chodziła na randki? Odzyskując panowanie nad sobą, pomalowała usta szminką i wróciła do stolika.

Kiedy koło niego usiadła, powiedział, że wygląda olśniewająco. Bawił wszystkich opowieściami o udrękach projektowania okładki albumu zespołu rockowego.

— Mieli okropną nazwę, wyglądali strasznie, a jeśli mam być szczery, grali jeszcze gorzej.

— Co zrobiłeś? — zapytały Karen i Sara.

– Przechrzciliśmy ich na „Ice House" i zrobiliśmy okładkę jak z kreskówki. Plotki głoszą, że na pierwszym singlu wytwórnia zatrudniła dublera dla solisty.

– I co dalej? – zapytał James.

– Album sprzedał się dobrze, singiel często puszczano w radiu. Ostatnio słyszałem, że zaproponowano im trasę po Ameryce. Ciekawe, co się stanie, jak usłyszą ich na żywo!

Kiedy pozostali zaczęli zamawiać kawę i ostatnie kolejki alkoholu, Sara sięgnęła po torebkę.

– Nie mów, że już idziesz! – zaprotestował Ronan.

– Przykro mi, ale Evie jest chora, muszę wracać do domu.

– Kiedy zobaczę twoją książeczkę?

– Wyślę ci pocztą albo zeskakuję i prześlę e-mailem.

– Posłuchaj, jutro mam wolne popołudnie, więc może wpadnę do ciebie i obejrzę całość?

– Świetnie.

– Wylatuję dopiero o dziewiątej wieczorem. Dasz mi parę stron, to pokażę Jilly.

Sara nie potrafiła uwierzyć w jego wielkoduszną propozycję. Na pożegnanie mocno go uściskała.

– Do widzenia. Bawcie się dobrze.

– Mogę cię podwieźć – zaproponowała Karen. – O tej porze marzę wyłącznie o łóżku.

Sara zgodziła się, bo widziała, że Karen chętnie wymknie się już do domu. Mick najwyraźniej miał wielką ochotę wypić jeszcze parę drinków z Ronanem, Jamesem i resztą. Wszyscy zamierzali bawić się do późna w klubie przy Leeson Street.

Sarze wieczór w tym towarzystwie sprawił prawdziwą przyjemność; mogła śmiać się i rozmawiać z dorosłymi. Kiedy dojechały do placu Przyjemnego, zapytała Karen, czy wpadnie na kawę.

– Dziękuję, ale nie, Saro, jestem taka wykończona, że zasnęłabym u ciebie na sofie.

– W porządku. Jedź ostrożnie! – zawołała Sara, wyskakując z samochodu.

W salonie panowała cisza, w telewizorze z wyłączonym dźwiękiem leciał stary film Hitchcocka. Na sofie drzemał wyciągnięty Angus. Włosy mu sterczały, laptop stał na dywanie.

Ku zaskoczeniu Sary Evie spała smacznie w swoim łóżeczku, po brodę otulona kołdrą.

– Hej! – zawołała cicho Sara, tłumiąc dziwną pokusę, by położyć się obok Angusa.

Usiadł i przeczesał palcami włosy, przez co jeszcze bardziej je nastroszył.

– Myślałem, że wrócisz nad ranem – wymamrotał zaspanym głosem.

– Nie chciałam zostawiać jej na zbyt długo – odparła.

– Na zachodnim froncie panował spokój, możesz mi wierzyć – szepnął. – Napiła się soku porzeczkowego i zjadła kilka łyżek jogurtu. Chyba poczuła się lepiej, jak pojawiła się wysypka.

– Wysypka!?

– Pewnie wietrzna ospa.

– Boże, Angus, ale cię wpakowałam. Nie przypuszczałam, że jest aż tak źle.

– Nic jej nie będzie, Saro. To typowa dziecięca choroba. Ja też ją miałem.

Sara podziękowała opatrzności za spokój i opanowanie Angusa. Większość mężczyzn pewnie by spanikowała.

– Jak udała się gorąca randka? – zapytał, przeciągając się.

– Nie była taka gorąca! – odparła ze śmiechem Sara. – I właściwie wcale nie randka, tylko kolacja z przyjaciółmi.

– Więc tego wieczoru tańce i romanse nie wchodziły w grę. – Nie odrywał od niej wzroku.

– Absolutnie. – Sara głośno przełknęła. – Pomyliłam się. Ronan to wspaniały chłopak, ale nie jestem w jego typie.

– Jakoś nie mogę w to uwierzyć.

– Jestem beznadziejna, bo myślę, że skoro jakiś chłopak jest dla mnie miły, to znaczy, że mnie lubi. Ale Ronan naprawdę mnie lubi, tylko go nie pociągam. Woli facetów. Ale ze mnie idiotka, że wcześniej się nie zorientowałam.

Nagle rozczuliła się nad sobą. Była taka głupia i żałosna. Po co w ogóle o tym wszystkim opowiada Angusowi?

Roześmiał się, wziął ją w ramiona i pociągnął na sofę.

– Każdy, komu się nie podobasz, musi być gejem – zapewnił, tuląc Sarę do siebie.

– Dzięki, Angus.

– Mówię poważnie, ślicznotko. Kiedy dzisiaj zobaczyłem cię w tej spódniczce...

Nie wierzyła własnym uszom.

– Jesteś piękna – wyznał niespodziewanie.

Tak się upiła, że wyobraziła sobie słowa Angusa? A może już zupełnie się pogubiła?

Nagle poczuła na ustach jego ciepłe i czułe wargi. Zareagowała natychmiast. Całowała i całowała... mmm, urocze. Już zapomniała, jaka to przyjemność. Angus ujął jej twarz w dłonie i całował coraz mocniej, a ona odwzajemniała pocałunek. Potem muskała ustami jego policzki, oczy, szyję i wargi. Ładnie pachniał, jego skóra miała słony, seksowny smak. Zarzuciła mu ramiona na szyję, on mocno ją przytulił. Minęła długa chwila, zanim się od siebie oderwali.

– Saro...

– Angusie. – Zachichotała. To było szalone. Angus opiekował się Evie, był przyjacielem, sąsiadem i narzeczonym kościstej Megan.

– Nic nie mów – powiedział chrapliwie, przesuwając po jej ustach palcem. – Rozwiążę ten problem, obiecuję.

Wciąż w szoku patrzyła, jak Angus wstaje z sofy, chowa koszulę w spodnie i bierze komórkę.

– Lepiej już pójdę. – Podniósł laptop. – Mam nadzieję, że jutro Evie poczuje się lepiej.

Sara na bosaka odprowadziła go do wyjścia, raz jeszcze dziękując za pomoc.

– Pamiętaj, żeby zamknąć za mną drzwi – przypomniał.

Miała ochotę go poprosić, żeby został, ale się powstrzymała. Obserwowała, jak Angus ścieżką przez ogród idzie do domku.

Rozdział 40

Ronan Dempsey dotrzymał słowa i zawitał w niedzielę po południu. Przyniósł lody, czekoladowe herbatniki i bukiecik frezji. Sara włożyła kwiaty do wody.

Evie, zwykle przyjacielska, dzisiaj trzymała się z dala, pewnie zakłopotana swoim wyglądem. Wysypka pojawiła się wszędzie: na powiekach, wargach, głowie, twarzy, tułowiu. Przywitała się nieśmiało z Ronanem, potem z lodami uciekła do swojego pokoju.

– Biedactwo – powiedział współczująco Ronan. – Pamiętam, jak z bratem i siostrą zachorowaliśmy na ospę. Przez tydzień nie chodziliśmy do szkoły i doprowadzaliśmy matkę do szału, kłócąc się, kto jest bardziej chory i ma więcej bąbli.

Przy kawie poprosił, żeby pokazała mu swoją książeczkę. Od razu spodobał mu się kotek Psotek. Uważnie czytał historyjkę o panu Kostce i oglądał pierwsze szkice.

– Są rewelacyjne, Saro. – Był szczerze zachwycony. – Proste i zabawne, dobre dla dzieci w różnym wieku.

– Tak sądzisz?

– Dasz mi kopię Psotka dla Jilly? I pana Kostki, może być fragment historii i kilka rysunków.

– Ronan, jesteś wspaniały – zawołała z entuzjazmem Sara. Zaczęła biegać po mieszkaniu, szukając wielkiej koperty, papieru i zszywacza.

– Jilly mówi, że co roku dostają tysiące propozycji, ale większość to śmieci. Nie chcemy, żeby Psotek utknął w stosie, więc przekażę maszynopis osobiście. Przynajmniej będziemy mieć pewność, że go przeczyta.

– W głowie mi się nie mieści, moja książeczka jedzie do wydawcy w Londynie.

– Saro, nie rób sobie zbyt wielkich nadziei – przestrzegł Ronan. – Mnie się bardzo podoba, ale nie jestem wydawcą.

– Wiem, wiem. Wszyscy odrzucali *Harry'ego Pottera*, więc się nie spodziewam, że od razu wydrukują *Psotka*. Ale świetnie się bawiłam przy pisaniu i obie z Evie uwielbiamy tego kociaka!

Ronan rozśmieszył ją do łez, opowiadając o późniejszych wyczynach towarzystwa. Przenieśli się do klubu w centrum miasta, gdzie szaleli do czwartej nad ranem. O tej porze taksówek było jak na lekarstwo, a te, które się pojawiły, nie chciały ich zabrać.

– Mick i ja wracaliśmy pieszo – ciągnął. – Musiałem go prawie nieść. Strasznie chrapał, więc spał ze mną w pokoju gościnnym, żeby nie obudzić Karen.

– Mądra decyzja – pochwaliła Sara.

Kiedy nadeszła pora wyjazdu na lotnisko, pożałowała, że Ronan mieszka tak daleko.

– Dbaj o siebie – powiedział, ściskając ją na pożegnanie. Przyrzekli sobie, że pozostaną w kontakcie.

W ciągu tygodnia Angus się nie pokazywał i esemesem odwołał cotygodniowy seans filmowy. Rozczarowana Sara wypożyczyła *Dziennik Bridget Jones*, żeby się pocieszyć.

Dziesięć dni później z Londynu zadzwoniła Jilly Greene. Sara omal nie zemdlała, gdy redaktorka mówiła, jak bardzo spodobała jej się ilustrowana książeczka o Psotku. Zaprosiła Sarę na spotkanie w przyszłym tygodniu.

Sara krzyczała z radości, skacząc po pokoju jak pięciolatka.

– Co się stało, mamusiu? – spytała zdziwiona Evie, która siedziała przy kuchennym stole z kolorowankami.

– Coś cudownego, skarbie. Pani z Londynu bardzo spodobał się Psotek i chce, żebym przyjechała na spotkanie. Niewykluczone, że zrobią z tego książkę!

– Ale to jest książka – zauważyła Evie.

– Wiem – zgodziła się Sara. – Ale oni zrobią taką, którą sprzedaje się w księgarniach albo pożycza z biblioteki i inne dzieci też będą mogły ją przeczytać.

Evie rzuciła się matce na szyję i mocno uściskała. Jej też udzieliło się podniecenie. Dopiero dziesięć minut później do Sary dotarło podstawowe pytanie: jak może jechać do Londynu i zostawić Evie samą? A co z kosztami lotu i hotelu? Wyjazd po prostu nie wchodzi w grę. Czuła zamęt w głowie, ale i radość, że coś dobrego i pozytywnego dzieje się w jej życiu, że otwierają się możliwości, których nie wyobrażała sobie w najdzikszych marzeniach. Przecież mama będzie mogła zaopiekować się Evie przez dzień albo dwa, a w Internecie ciągle reklamują tanie loty.

– Chodźmy do babci, Evie, przekażemy jej dobrą nowinę.

Maggie Ryan ucieszyła się bardzo, słysząc nowiny.

– Zawsze wiedziałam, że masz talent, Saro. Rysowałaś i malowałaś, odkąd byłaś w wieku Evie. Poczekaj tylko, aż powiemy twoim siostrom, będą zachwycone!

– Mamo, nie chcę zapeszać. Przed spotkaniem z wydawcą wolałabym nikomu nic mówić.

– Oczywiście – odparła Maggie, dumna z najmłodszej córki.

– Książka mamusi będzie w sklepach babciu – oznajmiła Evie, której niebieskie oczy aż błyszczały. – I mamusia musi jechać do Londynu.

– To cudownie, prawda? A ty przez ten czas zostaniesz ze mną.

– Tak – potwierdziła dziewczynka. – Mamusia powiedziała, że jak będę grzeczna, przywiezie mi prezent.

– No oczywiście, kochanie.

Evie usadowiła się na sofie i włączyła program dla dzieci.

– Słyszałaś, że biedny Angus ma ospę? – spytała Maggie, nastawiając wodę na kawę. – Jest wysypany na całym ciele.

– Ale mnie zapewniał, że już przechodził ospę – wybuchnęła Sara. – Naprawdę, tak mówił!

– No to się pomylił. – Maggie posmarowała masłem świeżo upieczony rogalik.

– Więc zaraził się od Evie. – Sarę ogarnęły wyrzuty sumienia.

– Wezwał lekarza. Przez kilka ostatnich dni bardzo cierpiał. – Maggie nalała kawy do filiżanek. – Jest na zwolnieniu, bo dorośli gorzej znoszą tę chorobę, zwłaszcza mężczyźni! Fatalni z nich pacjenci.

– Fakt – zgodziła się Sara; pamiętała, jak zachowywał się ojciec, kiedy miał katar albo kaszel. Cały dom natychmiast o tym wiedział, wszystkie krzątały się przy nim i spełniały każdy jego kaprys.

– Powinnaś do niego wpaść – zasugerowała matka. – Zaniosłam mu zapiekankę z makaronu i sera, ale boję się go często odwiedzać, żeby nie złapać wirusa. Pamiętasz, jak biedna Ita Brennan miała półpasiec.

– Mamo, wszystko ci się pomieszało, nie możesz zarazić się półpaścem od Angusa.

– W każdym razie nie chcę ryzykować. Lepiej ty się nim zajmij. On opiekował się twoim chorym dzieckiem.

No nie, czy mama znowu zaczyna to swoje swatanie? Ale z drugiej strony biedny ten Angus! Była na niego zła, że ani słowem nie wspomniał o swoich kłopotach ze zdrowiem.

– Wpadnę do niego później – powiedziała.

Angus Hamilton leżał w sypialni na piętrze, kiedy przyszła Sara z gazetami, filmem Hitchcocka na DVD, świeżo upieczonymi babeczkami z pastelowym lukrem i butelką caladrylu.

– Wyglądasz okropnie. – Popatrzyła na niego z litością. Na twarzy, szyi i dłoniach miał wysypkę. Kurczowo ściskał kołdrę naciągniętą pod brodę.

– Idź sobie – odparł szorstko. – Daj mi umrzeć w spokoju.

– Na pewno nie umrzesz, a jeśli usiądziesz, zaparzę ci kawy.

Pobiegła do kuchni, gdzie opróżniła cuchnący kosz na śmieci i wrzuciła pranie do pralki. Kiedy wróciła na górę z dwoma kubkami kawy, zauważyła, że Angus się uczesał i wygładził pościel. Siedział, zajadając różową babeczkę.

– Pyszne, nie? – Uśmiechnęła się. – Wiedziałam, że będą ci lepiej smakować niż rosół z kurczaka i inne ohydne potrawy dla obłożnie chorych.

– Ale ja nie jestem obłożnie chory – zaprotestował.

Sara podała mu kubek.

– Przepraszam, Angus, ale mówiłeś, że już chorowałeś na ospę.

– Jednak nie. Mama twierdzi, że w dzieciństwie złapałem wszystkie choroby pod słońcem oprócz tej jednej.

– Biedaczek. – Sara przysiadła na brzegu łóżka. Ciekawe, dlaczego mężczyźni w większości wyglądają fatalnie w piżamach, i nawet bez ospy wietrznej!

– Czuję się strasznie – przyznał Angus.

– Będzie lepiej za kilka dni, jak pęcherze popękają – pocieszyła. – Evie już biega po domu jak szalona.

– Jutro miałem jechać do Edynburga, ale nie dam rady. – Angus oparł się wygodnie o poduszki. – Megan będzie zła, bo dostaliśmy bilety na bal charytatywny w zamku. To jedna z największych imprez roku.

– Przykro mi – wymamrotała, rozglądając się po sypialni. Zobaczyła dwie fotografie pięknej narzeczonej. Na jednej Megan stała z Angusem, oboje elegancko ubrani, on w smokingu, ona w obcisłej sukni z czarnego jedwabiu; na drugiej siedziała na molo, za plecami miała morze i wyspę. Klasyczna piękność z rewelacyjną figurą i wyczuciem stylu. Nic dziwnego, że Angus za nią szalał.

– Jest piękna – powiedziała, gdy spostrzegła, że przyłapał ją na oglądaniu zdjęć.

Nie odpowiedział. Oboje poczuli się zakłopotani.

– Megan przyjedzie, żeby kurować twoje biedne ciało z krostami?

– Wątpię. – Angus westchnął. – Nie przepada za Dublinem, a kiedy powiedziałem, że mam wysypkę, zareagowała tak, jakby to był trąd. Na pewno znajdzie sobie partnera na bal.

Sara przypomniała sobie stare powiedzenie, które powtarzała matka: obserwuj kochanków, gdy któreś choruje. Może piękna Megan nie jest takim ideałem, na jaki wygląda.

– Przyniosłam ci trochę lasagne w pojemniku. Wstawiłam do zamrażarki. Wystarczy odgrzać.

– Dzięki – mruknął słabo, drapiąc się po ramieniu.

– Powinieneś posmarować się tym różowym płynem – poradziła. – Evie bardzo pomógł, złagodził swędzenie.

– Może ty mnie posmarujesz? – zażartował.

Sara roześmiała się zadowolona, że Angusowi wróciło poczucie humoru.

– Dzisiaj robię klopsiki w sosie pomidorowym i ryż. Przyniosę ci trochę, chcesz?

– Dziękuję. – Ujął ją za rękę. – Jesteś aniołem.

Wyglądał na strasznie zagubionego, samotnego i nieszczęśliwego. Sara poczuła pokusę, by dotrzymać mu towarzystwa. Na miejscu Megan nie zostawiłaby go w chorobie na łasce sąsiadów i przyjaciół. Natychmiast by przyjechała. Ale Angus nie jest jej chłopakiem, tylko przyjacielem, którego bardzo polubiła.

– Muszę się zbierać – powiedziała, podając mu gazetę. – Mam do załatwienia kilka spraw, zanim odbiorę Evie z przedszkola. W przyszłym tygodniu jadę do Londynu na spotkanie z wydawcą. Podobała im się moja książka.

– Co? – Omal nie wyskoczył z łóżka. – To wspaniała nowina. Super.

– Staram się nie wiązać z tym zbyt wielkich nadziei, ale to takie podniecające!

– Zwalisz ich z nóg, książka jest wspaniała – odparł krótko.

Stojąc przed domkiem, Sara usiłowała pozbierać myśli. No tak, była młoda i samotna, ale miała dziecko i naprawdę nie potrzebowała więcej komplikacji w swoim życiu. Nie może zakochać się w Angusie. Fajny z niego chłopak, ale przykra prawda jest taka, że już ma dziewczynę.

Rozdział 41

Sara Ryan szła przez zatłoczony Terminal 1 na Heathrow z drogocennym oryginałem książki, upchniętym razem z ubraniami w przepastnej czarnej torbie pożyczonej od Grace, i nie mogła powstrzymać się od uśmiechu. W Londynie będzie rozmawiała z prawdziwym wydawcą o historii, którą sama stworzyła – to po prostu niewiarygodne. Obok ludzie pochłonięci własnymi sprawami mijali ją i potrącali. Tylko spokojnie, napominała się w duchu. Czuła, że ogarnia ją panika. W myślach powtarzała sobie trasę: najpierw pociągiem do centrum Londynu, a potem taksówką do siedziby Little Bear Books. Była zdenerwowana perspektywą omawiania swojej pracy z profesjonalistami, ale też podniecona.

To, co miało być krótką wizytą w Londynie, zmieniło się w weekendowy pobyt. Kiedy Ronan dowiedział się o jej spotkaniu z Jilly, zaproponował, żeby zatrzymała się u niego w piątek i sobotę.

– Jestem pewien, że będziemy świętować – nalegał. – Wybierzemy się na kolację.

Rodzina też okazała wsparcie. Mama zajmie się Evie dzisiaj, jutro zmieni ją Grace, bo mama z ciocią Kitty wybiera się na pielgrzymkę do Knock.

– Będziemy rozpieszczać Evie na całego – zapewniały chórem. – Przecież to tylko kilka dni.

Lot kosztował tyle co nic; Sara z trudem kryła łzy, kiedy mama i siostry przekonywały ją, żeby wzięła od nich pieniądze na zakupy. Karen powiedziała, że jest z niej dumna, a Angus uścisnął ją na pożegnanie i życzył szczęścia.

Wcześniej Sara tylko dwa razy była w Londynie. Za pierwszym razem na szkolnej wycieczce – z osiemdziesięcioma koleżankami czas spędzały głównie na oglądaniu się za chłopcami w swoim wieku i popijaniu po kryjomu w akademiku, gdzie mieszkały. Po raz drugi przyjechała z okazji dwudziestych pierwszych urodzin, kiedy

Evie miała niewiele ponad rok. W wyprawie towarzyszyły jej Grace i Anna. Wieczorem poszły na *Nędzników*, ale Sara myślała tylko o Evie, która miała zapalenie ucha, i pragnęła jak najszybciej wrócić do domu.

Tym razem było inaczej. W pełni ufała, że rodzina dobrze zaopiekuje się jej córeczką, a do Londynu przyjechała w interesach.

Wzięła głęboki wdech i przekroczyła próg wydawnictwa Little Bear Books. Wszędzie wisiały plakaty reklamujące ostatnie pozycje. Sara rozpoznawała niektóre tytuły.

Ochroniarz wskazał jej drogę do windy na piąte piętro, gdzie pani redaktor miała gabinet. Jilly była wysoka, ciemnowłosa i bardzo szczupła. Wielkie oczy i piękny układ kości policzkowych podkreślały niezwykłe srebrne kolczyki w kształcie pajęczyny. Sara nie mogła oderwać od nich oczu.

– Są świetne, prawda? – Jilly wskazała jej fotel naprzeciwko biurka. – Zrobiła je dla mnie moja przyjaciółka Jess. To dodatek do książki, którą niedawno wydałam. O pająku potrafiącym przepowiedzieć przyszłość. Kto wie, może następnym razem dostanę kotki!

Sara się zarumieniła.

Jilly zwierzyła się ze swojej sympatii do Ronana, potem poprosiła Sarę, by rozłożyła na biurku wszystkie kartki książki.

– Twoja historia jest bardzo prosta, ale założę się, że polubią ją wszyscy między trzecim a dziewięćdziesiątym trzecim rokiem życia – oznajmiła Jilly, nie odrywając od Sary uważnego spojrzenia. – Doskonale skonstruowałaś postaci bohaterów. Chcemy opublikować tę książkę i podpisać umowę na drugą, dlatego poprosiłam, żebyś przyjechała.

Sara wpatrywała się w biurko zasłane kartkami z jej opowieścią i nie do końca wierzyła własnym uszom. Opublikowanie własnej książki to marzenie każdego studenta akademii sztuk pięknych, nadzieja każdego pisarza. Nie odważyła się wykrztusić słowa w obawie, że jak idiotka załamie się i zacznie płakać.

– Zamierzamy ją wypuścić na następne Boże Narodzenie, bo na to oczywiście już nie zdążymy. Kupujemy prawa na Wielką Brytanię, Irlandię, Australię, Kanadę i Nową Zelandię. Twój agent sprzeda na resztę świata.

– Nie mam agenta.

– Nie przejmuj się, będziesz miała. A jeśli nie, my się tym zajmiemy.

Sara miała ochotę przeskoczyć biurko i uściskać Jilly.

– Za dwie książki dostaniesz dwadzieścia tysięcy funtów w trzech ratach: przy podpisaniu umowy, oddaniu oryginału i wydaniu.

Sara utkwiła wzrok w rysunek przedstawiający pannę Bee, która usiłuje namówić kotka, by zszedł z jabłoni. Nie, to zbyt piękne, żeby było prawdziwe. Pieniądze na koncie w banku, pieniądze na lekcje baletu, nowe buty, pasemka we włosach zrobione przez fryzjera, a nie w domu.

– Pasuje? – zapytała Jilly z uśmiechem.

Sara potaknęła.

– Nie mogę w to uwierzyć.

– Lepiej uwierz. – Jilly spoważniała. – Bo naprawdę podobają nam się twoje historyjki. Chciałabym, żebyś napisała dalszy ciąg o Psotku i pannie Bee. Uważam też, że psi detektyw, pan Kostka, ma wielki potencjał.

Sara siedziała oszołomiona, rozmyślając o swoim szczęściu. Gdyby nie poszła na kolację do Karen i Micka, gdzie poznała Ronana, nigdy by się to nie wydarzyło.

– Napijesz się kawy albo herbaty? – zapytała Jilly. – Zaraz przyjdzie Jeremy, nasz grafik. Musicie się poznać, bo to on będzie współpracował z tobą nad stroną plastyczną.

– Poproszę kawę. – Sara próbowała się odprężyć i cieszyć chwilą.

Jeremy Howard nosił ciemne okulary w czarnych oprawkach, czarną marynarkę i jaskrawoczerwoną koszulę. Był tego samego wzrostu co Sara i wyglądał na czterdziestkę. Przedstawił się i opowiedział o kilku książkach, nad którymi ostatnio pracował. Sara ucieszyła się, kiedy wymienił też tytuły ulubionych lektur Evie. Słuchała z uwagą jego wywodów o proponowanej oprawie graficznej książki.

– Musimy wybrać format, krój czcionki, ilustrację na okładkę.

Sarze aż ścisnął się żołądek z podniecenia. Historia Psotka, pręgowanego kociaka, znajdzie się w prawdziwej książce; przestanie być tylko opowieścią na dobranoc dla Evie czy rozrywką dla Sary.

Po kawie i ciasteczkach czekoladowych Jilly wręczyła umowę, którą Sara miała zabrać ze sobą do Dublina, żeby dokładnie przeczytać i podpisać.

– Dokąd idziesz na lunch? – zapytała na koniec.

– Nie wiem. Umówiłam się z Ronanem i dopóki nie skończy pracy, pokręcę się po sklepach.

– W takim razie zapraszam – zaproponowała Jilly. – Niedaleko jest miła włoska knajpka z rewelacyjnymi grzybowymi tagliatelle i cannelloni z owocami morza.

Na odchodnym Sara rozejrzała się po gabinecie Jilly, pełnym okładek książek, plakatów, materiałów reklamowych, różowych i fioletowych świnek, tańczących kaczek, łabędzi w baletowych spódniczkach i królików magików. Psotek i jego twórczyni już zaczynali czuć się tutaj jak w domu!

Rozdział 42

Grace zaproponowała, że zaopiekuje się Evie w weekend.

– Dasz radę opiekować się sześciolatką przez cały czas? – zapytała Sara, jakby wątpiła w umiejętności siostry.

– Na pewno. W piątek wieczór odbiorę ją od mamy i będę pilnować jak oka w głowie. Ty jedź do Londynu i skup się na książce. Zostawiasz Evie w dobrych rękach.

Wdzięczność Sary była tak wielka, że Grace ogarnęły wyrzuty sumienia – do tej pory zaniedbywała siostrę i siostrzenicę. Żeby to wynagrodzić, pożyczyła Sarze drogą torbę podróżną i nowy miodowy żakiet, który dopiero dwa razy miała na sobie.

W gruncie rzeczy się cieszyła, że Evie dotrzyma jej towarzystwa. Od czasu zerwania z Shane'em weekendy były strasznie ponure. Grace zabijała czas, oglądając filmy, chodząc na zakupy, śpiąc długo i odzyskując siły po wieczorach spędzanych z przyjaciółmi w klubach. Mark McGuinness, tak jak podejrzewała, nie zadzwonił; połowa samotnych kobiet w Dublinie zagięła na niego parol, więc Grace ledwo mieściła się w jego polu widzenia. Matka wypytywała o ich następne spotkanie, ale Grace ucięła temat – jest zbyt zajęta pracą, żeby teraz myśleć o związku z kimkolwiek. Przynajmniej ten weekend będzie inny: świeże powietrze, spacery, wyprawa na plac zabaw, porządny posiłek i wieczór w domu. Jeśli Sara tak potrafi, to ona też!

Evie aż podskakiwała z radości, kiedy Grace po pracy po nią przyszła. Maggie i Kitty planowały wstać o świcie, żeby z grupą parafian pojechać na doroczną pielgrzymkę do Knock.

– Pomodlę się za was wszystkie – przyrzekła Maggie. – Może Przenajświętsza Panienka okaże łaskę i spełni wasze prośby.

Odkąd u Kitty zdiagnozowano raka piersi, obie z Maggie co roku jeździły do sanktuarium w Mayo, żeby prosić Boga o błogosławieństwo. Torebka Maggie już była wypchana listami od sąsiadów i przyjaciół.

– Grace, musi być coś, w czym przydałaby ci się Boska interwencja – namawiała matka. – Anna i Sara dały mi listy.

Grace wydarła kartkę z notatnika i coś szybko nagryzmoliła, potem wygrzebała z szuflady kopertę i zakleiła.

– Proszę.

Maggie odetchnęła z ulgą. Uwielbiała mieć powody do modlitw: egzaminy, zdrowie, ważne decyzje, praca. Była prawdziwą irlandzką katolicką mamuśką, która chodziła na msze i rozmawiała ze świętymi. Od śmierci męża wielką pociechę czerpała z modlitwy i pomagania w parafii. Grace mogła się założyć, że w tym roku mama bierze udział w pielgrzymce z nadzieją, że dobry Bóg znajdzie mężów dla jej córek. Maggie Ryan spodziewała się cudu, jeśli sądziła, że nagle w zasięgu pojawią się przyzwoici mężczyźni.

– Ciociu Grace, dzisiaj będę spała u ciebie! – piszczała Evie; plecak w kształcie biedronki już miała przygotowany.

Grace uśmiechnęła się, wspominając własny entuzjazm, gdy w dzieciństwie miała nocować u cioci Kitty albo babci. Tęsknota za mamą mieszała się z wyczekiwaniem na coś odmiennego, na nowe łóżko, inne jedzenie.

– Pamiętaj, w razie czego, dzwoń! – przypomniała matka, odprowadzając je do samochodu. – I żadnych gazowanych napojów przed snem, bo przez pół nocy nie zaśnie.

– Wszystko będzie dobrze, mamo. Zamierzamy się z Evie wspaniale bawić.

– Pomodlę się za was. – Maggie z uśmiechem pomachała na pożegnanie.

Evie jak szczeniak obiegła mieszkanie, wszystko dokładnie oglądając. Grace zajęła się kolacją: pokrojone w paski filety z kurczaka w panierce z mąki i ziół, do tego ziemniaki. Siostrzenica odwiedzała ją już wcześniej, ale teraz, bez Sary, to było dla niej nowe terytorium. Z ciekawością otwierała szuflady, szafki i lodówkę, później zajrzała do gościnnego pokoju, gdzie miała spać. Grace kupiła trzy różowe poduszki i abażur w baletnice do lampy na nocnym stoliku. Miała ochotę zmienić cały pokój, by mała czuła się w nim dobrze, ale w końcu ograniczyła się tylko do tych kilku elementów.

Evie ostrożnie odpięła plecak i przy pomocy Grace przełożyła ubrania do szuflady. Fotografię, która przedstawiała ją i Sarę w zoo, postawiła koło łóżka. Później pobiegła do sypialni Grace, a stamtąd na balkon. Zafascynowały ją łodzie i woda.

– Jesteśmy tak wysoko. – Roześmiała się, rzucając liść geranium.

Istotnie wyżej niż strych, do którego Evie była przyzwyczajona.

– Po kolacji przebierzesz się w piżamkę i obejrzymy film, dobrze?

– Ciociu Grace, ty też się przebierzesz?

– Oczywiście. – Grace z zadowoleniem patrzyła, jak Evie je z apetytem i nie grymasi.

Minęła ósma w piątkowy wieczór, a Grace wkładała piżamę.

– Wszyscy przebierają się w piżamki! – cieszyła się Evie, idąc za nią do sypialni. Potem podskakiwała na wielkim podwójnym łóżku.

Grace zaopatrzyła się w galaretki, popcorn o smaku toffi, sok jabłkowy i mleko czekoladowe. Udało jej się kupić DVD z Mary Poppins i o psie czarodzieju imieniem Merlin. Evie miała bzika na punkcie psów.

Usadowiły się wygodnie na kremowej sofie i otuliły narzutą. Evie jak zauroczona oglądała film. Oczy o mało nie wyskoczyły jej z orbit, kiedy Mary Poppins odprawiała czary. Zaplotła paluszki na dłoni Grace, która przez połowę filmu zamiast na ekran, patrzyła na Evie. Sara jest szczęściarą. Ma taką uroczą córeczkę!

Evie wstała i zaczęła tańczyć do piosenek. Nalegała, by Grace zrobiła to samo. Śmiała się jak szalona, kiedy Merlin zamienił swojego właściciela w królika, a potem rzucił się za nim w pogoń.

W końcu małe oczka zaczęły się kleić i Grace oznajmiła, że czas iść spać. Evie bez protestu umyła buzię, ręce i zęby, po czym wsunęła się pod szeleszczącą białą kołdrę.

– Poczytam ci *Kopciuszka* – zaproponowała Grace.

Powieki Evie z wolna się zamknęły. Grace siedziała jeszcze przez pół godziny i jak zauroczona słuchała regularnego oddechu.

Później poszła na balkon. Miasto otulała ciemność, jak zwykle w piątek wieczorem ludzie z pracy szli do barów i restauracji. W dole wolno płynęła rzeka. Życie mijało ją jak wody Liffey. Dokąd zmierza czas? Grace miała najlepszą na świecie rodzinę, idealne dzieciństwo, wymarzoną pracę, a mimo to nie czuła się szczęśliwa. Pragnęła więcej. Dotychczasowe życie wydawało jej się puste i płytkie. Miała trzydzieści lat, była samotna i wszystko wskazywało na to, że nic się nie zmieni; może nigdy nie zostanie matką. Nie wiedziała, czy to zniesie. Wszystkie myślały, że Sara zwariowała, kiedy w wieku dziewiętnastu lat poszła za głosem serca, nie zastanawiając się nad konsekwencjami. Ale teraz ma cudowną córkę! A Anna... zakochała się w chłopaku z Connemary. Grace spłynęła łza. Gdzieś czytała, że z przeprowadzonych w Stanach badań wynika, iż połowa Amerykanek jest i pozostanie samotna. Jeśli tak dalej pójdzie, Grace też znajdzie się w tym gronie, więc lepiej od razu się do tego przyzwyczajać. Wszyscy fajni faceci, których znała, byli żonaci albo mieli partnerki, a inni chcieli umawiać się z dwudziestolatkami w krótkich spódniczkach i z przedłużanymi włosami. Patrzyła na księżyc nad miastem i słuchała muzyki dobiegającej z jednej z zacumowanych łodzi. Oparła się pokusie wypicia kieliszka wina, zamiast tego nalała sobie w kuchni kubek czekoladowego mleka. W końcu uznała, że pora spać.

Już zasypiała, kiedy do sypialni weszła drobna postać w różowo-białej piżamce i wgramoliła się do łóżka.

– Gdzie mamusia? – szepnęła smutno Evie. – Nigdzie nie mogę jej znaleźć.

– Wyjechała do Londynu, skarbie – przypomniała Grace. – Dzisiaj ja się tobą opiekuję.

– Chcę do mamusi, tęsknię za nią. – Evie zaczęła płakać.

– Wiem, że nie jestem twoją mamusią – powiedziała łagodnie Grace – ale cię kocham i przy mnie nic ci nie grozi. Z samego rana zadzwonimy do niej i opowiemy, jak sobie poradziłyśmy, dobrze?

Evie bez słowa potaknęła i zwinęła się w kłębek. Grace objęła ją i głaszcząc po włosach, cicho śpiewała, aż wreszcie dziewczynka uspokoiła się i obie zasnęły.

Rozdział 43

Grace zrezygnowała ze zwykłych płatków z jogurtem i na śniadanie zrobiła naleśniki z syropem klonowym. Evie pomagała jej mieszać ciasto. W efekcie kuchnia wyglądała jak po wybuchu bomby, wszystkie blaty pokrywała warstwa lepkiej mazi. Na pocieszenie Evie oznajmiła, że naleśniki smakują prawie tak dobrze jak u babci.

Zadzwoniły do Sary, która podzieliła się wspaniałą nowiną o książce o kotku Psotku, a Evie w rewanżu szczegółowo opowiedziała jej o noclegu u cioci.

Grace dokładnie zaplanowała dzień i dziękowała opatrzności, że pogoda dopisała.

– Najpierw pójdziemy na zakupy, a potem do parku. Urządzimy sobie piknik i pooglądamy małe kaczki i łabędzie.

– Uwielbiam pikniki – zawołała Evie.

Grace przygotowała trasę, która prowadziła przez kilka sklepów z zabawkami i miejsc mogących przypaść do gustu dziecku. Evie, pokrzykując z podniecenia, bawiła się drewnianymi lalkami i meblami z wielkiego domku wystawionego w sklepie koło Westbury. Grace kupiła siostrzenicy łóżeczko, komodę i lalkę w stroju księżniczki. W sklepie Avoca znalazły śliczne czerwone pantofelki i książkę z bajkami, do której dołączono wycinaną wróżkę. Potem Grace zrobiła zakupy na piknik, dorzuciła też dwie butelki świeżo wyciśniętego soku pomarańczowego.

Po St. Stephen's Green, parku w centrum miasta, spacerowało mnóstwo rodzin. Evie pisnęła z zachwytu na widok łabędzi z pisklętami i stadka kaczątek płynących za matką. Na ławce koło fontanny zjadły posiłek, a kiedy zrobiło się upalnie, postanowiły, że Evie zjedzie kilka razy ze zjeżdżalni i wrócą do domu.

Podczas zabawy w chowanego Evie odkryła czerwony latawiec, który podarowała cioci na urodziny. Wciąż leżał w opakowaniu.

– Ciociu, dlaczego nie puszczasz latawca? Nie podoba ci się prezent?

– Bardzo mi się podoba, ale ostatnio byłam zajęta i nie miałam czasu.

– To popuszczamy dzisiaj. Proszę cię!

– Nie wiem, czy to odpowiedni dzień… – Grace usiłowała zmienić temat, ale Evie, jak większość sześciolatek, nie rezygnowała.

Pół godziny później były na Sandymount Strand.

Wciąż świeciło słońce, ale wiał silny wiatr od morza. Dziewczynka pomogła odwinąć długi ogon i sznurek latawca.

– Evie, pobiegniesz z latawcem. Ja pobiegnę za tobą, a kiedy ci powiem, puścisz go, dobrze?

Mała przytaknęła, jakby wszystko rozumiała, ale po dwudziestu minutach prób latawiec wciąż nie chciał się wznieść. To było trudniejsze, niż się wydawało. Spacerowicze w większości nie zwracali na nie uwagi, nawet Evie zaczynała tracić zainteresowanie. Zajęła się rozmową ze starszą panią z dwoma złotymi labradorami.

– No, Evie, jeszcze trochę i nam się uda! – zachęcała Grace. – Leć, leć! – krzyczała, ale dziewczynka biegła za wolno i czerwony latawiec znów spadł na ziemię.

– Hej, pomóc wam? – zawołał biegacz, który im się przyglądał.

Grace z wdzięcznością uniosła ku niemu wzrok… Mark McGuinness! Miał na sobie dresowe spodnie i T-shirt, a mimo to wyglądał stylowo. Grace zdawała sobie sprawę ze swojej rozwichrzonej fryzury i stroju w nieładzie, ale zachowałaby się grubiańsko, gdyby odrzuciła propozycję pomocy. Poza tym Evie już machała do niego jak szalona.

– Cześć, Grace. Przykro mi, że się nie odezwałem, ale wyjeżdżałem i miałem sporo spraw na głowie. Naprawdę chciałem zadzwonić.

Nie odpowiedziała. Nie wierzyła mu, ale uśmiechnęła się, jakby nigdy nic, bo między nimi stała Evie z latawcem w dłoniach.

– Zrobimy tak: Evie i ja będziemy trzymać sznurek, a ty pobiegniesz z latawcem – zaproponował Mark.

– Dobra! – zawołała.

Trzymając latawiec wysoko, ile sił w nogach biegła po piasku. Nagle latawiec złapał wiatr. Uniósł się, zakręcił i ruszył w górę. Mark szybko rozwinął sznurek. Latawiec poszybował wysoko, długi wielobarwny ogon tańczył na niebie. Wyglądał cudownie i Evie z dumą nim manewrowała. Spacerowicze podziwiali go, równie zauroczeni jak sześciolatka. Rzeczywiście jest piękny, pomyślała Grace, taki prosty, a jednocześnie oszałamiający. Przypomniało jej się, jak w dzieciństwie tata zabierał ją i siostry do Deerpark – najlepszego w Dublinie parku do puszczania latawców. Rozciągał się stamtąd wspaniały widok na zatokę, a silne powietrzne prądy od morza mieszały się z wiatrami od lądu. Może kiedyś weźmie tam Evie.

– Trzymaj sznurek mocno i puszczaj bardzo powoli. Ale najpierw musisz się upewnić, że latawiec złapał wiatr – mówił Mark, pochylając się do Evie.

Wydawało się, że czerwony latawiec szybuje wiele kilometrów nad nimi; niezwykłe, że mogła nim sterować taka mała dziewczynka. Evie pewnie trzymała sznurek.

– Doskonale sobie radzi – chwalił Mark.

Oczy małej błyszczały, buzia wyrażała wielkie skupienie.

– Bardzo dziękuję za pomoc. – Grace wiedziała, że Mark mógł po prostu przebiec obok i nie zareagować na ich nieskuteczne próby. – Same nigdy byśmy sobie nie poradziły.

– Zwykle trzeba dwóch, trzech osób, żeby puścić latawiec – odparł Mark. – Skąd Evie go ma?

– Jest mój – oznajmiła z dumą Grace. – To prezent od Evie na urodziny. Dzisiaj go znalazła i uparła się, żebyśmy go puściły.

– Więc po prostu jesteś dużym dzieckiem! – zażartował.

– Prawdę mówiąc, zapomniałam, jakie to wspaniałe! Dzięki Evie znów się bawię jak za dawnych lat.

Obserwowali latawiec w przyjaznym milczeniu, po kolei zmieniając się przy sznurku. Evie biegała między nimi i instruowała, jak mają to robić. Grace kątem oka zerkała na przystojną twarz Marka.

– No dobrze – powiedział po jakimś czasie. – Biegnę dalej.

Grace raz jeszcze mu podziękowała i odprowadziła go wzrokiem.

Evie była w swoim żywiole, krążąc wolno po plaży. Grace wpatrywała się w latawiec – łapał prądy powietrzne, wznosił się i opadał, tańczył na niebie. Żałowała, że jej serce nie może cieszyć się taką swobodą!

Nagle zauważyła dwóch nastolatków jadących na rowerach po plaży. Pedałowali jak szaleni, jeden drugiego próbował przegonić. Krzyknęła, żeby ich ostrzec. Evie, z wysoko zadartą głowa, nie widziała chłopców. Weszła im w drogę. Pędzące rowery zwaliły ją na ziemię. Leżała bezwładnie, płacząc i krzycząc przeraźliwie.

Grace drżącymi rękami wyplątała dziewczynkę z rowerów.

Obaj chłopcy bardzo się przejęli.

– Nie widzieliśmy jej!

– Przepraszam! Nie dałem rady zahamować.

– Jechaliście za szybko i nie patrzyliście! – wrzasnęła Grace, pochylając się nad siostrzenicą.

Zdarte i zakrwawione kolana dziewczynki oblepiał piasek. Evie w szoku wypuściła sznurek i latawiec zaczął się oddalać. Jeden z chłopców złapał go w ostatniej chwili.

Wróciła pani z labradorami, które węszyły koło rowerów. Tym razem Evie nawet ich nie zauważyła.

– Możesz wstać? – Grace usiłowała ją podnieść.

Evie jęknęła, gdy ciotka dotknęła jej ręki.

– Boli!

– Może złamana – powiedziała starsza pani. – Trzeba iść do lekarza. Pewnie dostanie też zastrzyk przeciwtężcowy.

Evie zaszlochała jeszcze głośniej. Grace stała jak sparaliżowana. Musi zawieźć małą do szpitala, ale najpierw trzeba ją przeprowadzić z plaży do samochodu. Co za koszmar. Jak da sobie radę?

– Zawiozłabym was – ciągnęła starsza pani – ale samochód mam jakieś trzy kilometry stąd.

– W porządku, mój stoi na parkingu – podziękowała Grace, usiłując podnieść Evie tak, by nie urazić jej ręki. Nie udało się, dziewczynka zawyła z bólu.

– Pozwól, ja to zrobię.

Odwróciła się i zobaczyła Marka. Wziął Evie na ręce bez najmniejszego wysiłku.

Chłopcy stali z nieszczęśliwymi minami. Czuli, że wpadli w poważne kłopoty.

– Wyciągnijcie z tego nauczkę! – zwrócił się do nich Mark. – Na drugi raz patrzcie, gdzie jedziecie. Nie możecie tak szaleć tam, gdzie się bawią małe dzieci.

Grace odebrała latawiec i zwinęła sznurek. Winowajcy odeszli wolno, prowadząc rowery.

– Mój samochód stoi niedaleko, widać go stąd. Zawiozę was – oznajmił stanowczo Mark. Najbliższy szpital dziecięcy jest chyba na Temple Street.

– Nie chcę iść do szpitala – zaprotestowała Evie.

– Tam idą wszystkie grzeczne dzieci, kiedy coś się stanie – wyjaśnił cierpliwie. – Lekarze i pielęgniarki im pomagają.

Jego obecność sprawiła Grace wielką ulgę. Zaskakujące, jak dobrze Mark radzi sobie z Evie, pomyślała. Uspokajał sześciolatkę, a jednocześnie szczerze o wszystkim mówił. Co bym bez niego zrobiła?

Otworzyła jego czarnego range rovera i usiadła z tyłu. Mark podał jej Evie, która wyciągnęła się jak długa, bo kolana miała zbyt obolałe, żeby je zgiąć.

– Spokojnie, skarbie, wszystko będzie dobrze – zapewniała Grace, usiłując stłumić własny strach. Przez całą drogę modliła się, żeby obrażenia okazały się powierzchowne.

W izbie przyjęć panował tłok. Mark usiadł w kolejce z Evie na kolanach. Grace poszła do rejestracji. Zamurowało ją, kiedy kobieta zapytała o szczepienia siostrzenicy.

– Moja siostra wyjechała do Londynu – wymamrotała w końcu.

– Ja tylko opiekuję się dziewczynką przez weekend.

Co za katastrofa! Niezła ze mnie opiekunka. Jak powie to Sarze? Zadzwoni do niej, gdy tylko uzyska dokładniejsze informacje. Wróciła do poczekalni. Evie drzemała w ramionach Marka z buzią przyciśniętą do jego koszuli.

– Daj mi ją, Mark, i idź już, jeśli chcesz – zaproponowała, zajmując miejsce obok niego. – Poradzimy sobie, naprawdę.

– Niech śpi. Jest w szoku – szepnął.

Wszędzie siedzieli rodzice z chorymi lub potłuczonymi dziećmi. Był deskorolkarz ze złamanym palcem, przerażony chłopczyk ze spuchniętą dłonią po pięciu użądleniach os, dziewczynka, która bez przerwy wymiotowała do wielkiej plastikowej misy, rozpalone maluchy z wysoką temperaturą, dwoje niemowląt w objęciach spanikowanych matek, dziesięciolatek ze złamaną nogą, któremu towarzyszył ojciec, obaj w koszulkach Manchester United.

Prawdziwe piekło, pomyślała Grace. Robiło jej się niedobrze za każdym razem, gdy siedząca naprzeciwko dziewczynka wymiotowała.

– Wyjdź na świeże powietrze – poradził Mark.

Na ulicy głęboko odetchnęła. Na litość boską, jak ludzie sobie radzą z rodzicielstwem? Jej w tym szpitalu wycięto migdałki, kiedy miała osiem lat, ale pamiętała tylko, że dostała wtedy nową lalkę Colleen, a po operacji zjadła potężną porcję lodów truskawkowych. Rodzice pewnie umierali ze zmartwienia. Wybrała numer Sary, ale komórka siostry była wyłączona.

Starając się zapanować nad sobą, wróciła do poczekalni. Mark spokojnie rozmawiał z ojcem w koszulce Manchestru.

– Evie Ryan! – zawołała pielęgniarka i rozejrzała się po zatłoczonym pomieszczeniu.

Oboje z Markiem poszli do sali zabiegowej. Uśmiechnięta Filipinka zaprowadziła ich do otwartego boksu. Evie skrzywiła się i krzyknęła z bólu, kiedy Mark ostrożnie położył ją na wąskim łóżku. Pielęgniarka imieniem April delikatnie zbadała kolana i rękę. Chwilę później przyszedł lekarz. Wyglądał bardzo młodo, miał nastroszone jasnobrązowe włosy. W klapach białego fartucha, pod którym nosił T-shirt z Rolling Stonesami, tkwiły znaczki z *Gwiezdnych Wojen*.

– Cześć, Evie! – zawołał, usiłując skłonić ją do uśmiechu. – Jestem doktor Delaney.

Dziewczynka spojrzała na niego, ale uparcie zaciskała usta.

– Co się stało?

Grace zaczęła opowiadać o plaży i rowerach...

– Jeśli pani pozwoli... – przerwał jej lekarz. – Wolałbym usłyszeć to od Evie.

Czy on uważa, że ja jestem odpowiedzialna za wypadek Evie? – pomyślała nagle Grace.

– Puszczałam wielkiego czerwonego latawca – zaczęła wolno Evie. – Poleciał wysoko, ciocia Grace i Mark mi pomagali, i były też dwa psy, Honey i Bailey, a potem przyjechali chłopcy na wielkich rowerach i wpadli na mnie.

– Wpadli na ciebie?

– Rowerami – powtórzyła drżącym głosem.

– I boli cię?

Potaknęła.

– Ręka i nogi.

Lekarz zbadał klatkę piersiową, żebra i brzuch dziewczynki, potem próbował poruszyć jej ręką. Jęknęła z bólu.

– Możesz ścisnąć moją dłoń? – zapytał.

Nie mogła. Po zastrzyku przeciwtężcowym siostra April zabrała ją na prześwietlenie.

– Mamo i tato, poczekajcie tutaj, to nie potrwa długo – powiedział Delaney i zajął się kolejnym pacjentem.

Grace wprawiło to w zakłopotanie, że uważa ich za rodziców Evie. Widziała wyraźnie, że Mark też usłyszał słowa lekarza.

– To proste złamanie – wyjaśnił doktor Delaney, gdy Evie wróciła z prześwietlenia. – Trzeba założyć gips, ale za kilka tygodni wszystko będzie w porządku. Z nóg ma mocno zdartą skórę, musimy oczyścić rany i zdezynfekować, zanim was stąd wypuścimy. Dam jej znieczulenie miejscowe.

Grace ucieszyła się, że Evie noc spędzi w domu.

– Jesteś bardzo odważna. – Pocałowała ją w czubek głowy.

Evie siedziała spokojna, kiedy siostra April czyściła rany na obu kolanach wodą ze strzykawki, nakładała antyseptyczną maść i opatrunki.

– Wiem, że dzisiaj cię boli, ale jutro poczujesz się o wiele lepiej – zapewniła ją pielęgniarka. – Może chodzić, ale przez kilka dni niech się oszczędza, nie przesadza z zabawą i skakaniem. Jeśli pojawią się oznaki zakażenia, proszę przywieźć ją do nas albo do lekarza rodzinnego. A teraz założymy gips.

Evie patrzyła podejrzliwie, kiedy pielęgniarka owinęła jej rękę bandażem, a na to założyła gips; Evie wybrała jaskraworóżowy. W kilka minut było po wszystkim. Na koniec siostra April przyniosła temblak.

– Bardzo dziękuję – wymamrotała Grace na pożegnanie.

Mała wyglądała tak, jakby brała udział w bitwie. Grace kilka razy usiłowała dodzwonić się do Sary, ale telefon wciąż był wyłączony; postanowiła spróbować później. Mark podziwiał gips i opowiadał, jak złamał nogę, kiedy miał dziesięć lat.

– Wdrapywałem się na jabłoń. Udało mi się wspiąć na czubek, ale z zejściem miałem poważny problem.

Evie śmiała się, gdy wziął ją na ręce i niósł do samochodu.

Zapadł już zmierzch, ulice opustoszały, tylko od czasu do czasu karetka na sygnale podjeżdżała pod szpital.

– Mark, tak mi przykro – powiedziała Grace. Tyle godzin musiał spędzić w szpitalu. – Zepsułyśmy ci sobotni wieczór.

– Daj spokój. Odwiozę was do domu. – Uruchomił silnik. – Macie ochotę coś przegryźć? Frytki albo pizzę?

Grace umierała z głodu. Nie jadła nic od śniadania. Zatrzymali się u Burdocka, w smażalni w centrum miasta. Grace namówiła Evie, żeby zjadła kilka frytek i napiła się soku. Dziewczynka wyglądała na wyczerpaną, buzię miała bladą i ściągniętą. Zrobiło się chłodno i Mark oddał jej swoją bluzę z kapturem.

Kiedy dojechali do domu, Evie smacznie spała. Grace pobiegła pierwsza, żeby otwierać przed Markiem kolejne drzwi. W mieszkaniu poprowadziła go prosto do swojej sypialni.

– Połóż ją na moim łóżku – szepnęła.

Dziewczynka nie obudziła się, kiedy ciotka zdejmowała jej sandałki i skarpetki, a potem okrywała ją kołdrą. Przez kilka minut Grace stała przy łóżku i patrzyła na śpiącą siostrzenicę. Czuła, że panika powoli mija.

– Nic jej nie będzie – zapewnił Mark, gdy weszła do salonu. – Słyszałaś, co mówił lekarz. – Krążył po pokoju, przyglądając się widokowi z okna, półkom z książkami, zbiorom płyt i filmów, grafikom i obrazkom na ścianach. – Bardzo ładne mieszkanie.

Grace z jakiegoś dziwnego powodu ucieszyła się, że Mark pochwala jej gust.

– Napijesz się czegoś? – zapytała, przypominając sobie wreszcie o dobrych manierach.

– Tak, z przyjemnością, kawy. – Uśmiechnął się, idąc za nią do kuchni. T-shirt miał poplamiony krwią i ziemią, czego Grace wcześniej nawet nie zauważyła. Oparty o blat, obserwował ją, gdy nastawiała wodę, wyjmowała mleko z lodówki i stawiała na stole czekoladowe ciastka.

– Nie potrafię wyrazić, jak bardzo ci jestem wdzięczna – zaczęła. – Nie wiem, jak bez ciebie bym sobie poradziła. Poświęciłeś mnóstwo czasu, żeby nam pomóc. To bardzo miło z twojej strony, Mark...

– Już dobrze. – Ujął ją za rękę. – Mówiłem, nie ma sprawy.

– Wręcz przeciwnie. – Delikatnie pogładziła go po policzku; przez całe popołudnie miała ochotę to zrobić.

Z uśmiechem przyciągnął ją ku sobie.

– Więc to była wielka sprawa. – Patrząc Grace prosto w oczy, odsunął z jej twarzy kosmyk włosów i pocałował ją w policzek. Czule i łagodnie.

213

Grace spojrzała na niego i ku swemu zaskoczeniu zobaczyła w jego oczach takie emocje, jakie sama czuła.

– Interesujące – mruknął, unosząc głowę.

Grace zarumieniła się; sytuacja bez wątpienia była interesująca. Mark McGuinness okazał się całkiem inny, niż się spodziewała. Wcześniej źle go oceniała. W rzeczywistości to przyzwoity staroświecki mężczyzna, taki, o jakich mama ciągle opowiada.

– Bardzo interesujące – powiedział żartobliwie i znowu ją pocałował.

Grace, szczęśliwa w ramionach Marka, przyciągnęła go bliżej i przesunęła wargami po jego szyi. O mało nie zemdlała z pożądania, kiedy w rewanżu zaczął całować ją w kark.

Złapali kubki i przenieśli się do salonu. Mark posadził Grace na sofie. Poczuła jego dłonie pod swoim T-shirtem i mocno się do niego przytuliła. Temperatura uczuć rosła. Oboje aż kipieli z pożądania, a mimo to Grace nie wiedziała, co powinna zrobić. Mark był cudowny, z jednej strony pragnęła uprawiać z nim dziki seks, z drugiej zwinąć się przy nim i tylko patrzeć na jego pierś unoszoną oddechem. Bała się; cokolwiek się zrodziło między nimi, nie chciała tego zepsuć pośpiesznym seksem. Uświadomiła sobie, że pragnie więcej, gdy Mark uniósł jej dłoń i pocałował po kolei każdy palec. Nie chciała przygody na jedną noc, ale trwałego związku.

Jęknęła, gdy ustami zsunął jej koszulkę z ramion, odsłaniając piersi.

– Mark! – Próbowała zapanować nad sytuacją. W chwili, gdy już miała odrzucić wszelkie skrupuły, zadzwoniła jej komórka. Kto może tak późno dzwonić? Na wyświetlaczu zobaczyła numer siostry.

– Muszę odebrać – wyszeptała. – To Sara.

Mark oparł się o sofę i wodził wzrokiem po zaczerwienionej twarzy i zmierzwionych włosach Grace, wytrącając ją z równowagi.

Sara wróciła z kolacji i koncertu w klubie; w zespole grali przyjaciele Ronana. Była podekscytowana i trochę wstawiona.

– Wszystko w porządku? – zapytała. – Zostawiłaś mi kilka wiadomości na poczcie głosowej.

Grace wzięła głęboki wdech. Niestety musiała zepsuć siostrze humor.

– Evie miała wypadek. Czuje się dobrze, ale złamała rękę i zdarła kolana.

– Złamała rękę? Jak? – Sara momentalnie wytrzeźwiała.

Grace opowiedziała o zdarzeniu.

– Natychmiast wracam do domu! – krzyknęła przerażona Sara.

– Teraz nie masz samolotu – odparła Grace. Regularnie jeździła do Londynu w interesach i dobrze znała rozkład lotów z Heathrow i Stansted. – Rano też mogą być problemy. W weekendy wszystkie bilety zwykle są sprzedane.

– Nie powinnam jej zostawiać – wybuchnęła Sara.

– Wszystko będzie dobrze – zapewniła Grace. – Teraz Evie śpi i nie chcę jej budzić, ale jutro od razu do ciebie zadzwoni, obiecuję.

– Grace, bardzo ci dziękuję, że się nią zajęłaś.

Grace wezbrały łzy w oczach. Mark ujął ją za rękę i mocno przytulił.

– Jesteś zmęczona – powiedział łagodnie. – Ty też powinnaś iść spać.

Przytaknęła.

– Sama – dodał. – Zależy mi ma tobie. Niczego nie chcę żałować. Dzisiaj jesteś potrzebna Evie. – Znowu ją pocałował. Grace była już przekonana, że Mark odwzajemnia jej uczucia.

– Ciociu Grace – dobiegł z sypialni zaspany głosik Evie.

– Pójdę już. – Mark po raz ostatni pocałował ją w czoło.

Grace pobiegła do Evie. Przyniosła jej coś do picia i dała łyżeczkę syropu przeciwbólowego. Obserwując potem, jak dziewczynka znowu zapada w sen, zastanawiała się, czy przypadkiem nie wyobraziła sobie ostatniej godziny, pocałunków, tej niezwykłej chemii i pożądania. Wyczerpana zrzuciła ubranie i wsunęła się pod kołdrę, nie mogła jednak przestać myśleć o Marku McGuinnessie.

Rozdział 44

Grace prawie przez całą noc czuwała na wypadek, gdyby Evie się obudziła. O czwartej nad ranem w końcu zasnęła. Pod powiekami wirowały jej latawce, rowery i psy, a cały ten zamęt jakimś cudem porządkował Mark.

Na szczęście Evie smacznie spała i obie obudziły się późno. Dziewczynka od razu powiedziała, że jest strasznie głodna, a ręka boli ją o wiele mniej. Grace posadziła siostrzenicę przy telefonie, a sama zajęła się przygotowaniem śniadania.

Po południu odwiezie Evie na plac Przyjemny, gdzie Maggie na pewno zajmie się wnuczką jak księżniczką. Kiedy w końcu tam dotarły, Grace była bliska łez z powodu bałaganu, którego narobiła, opiekując się Evie.

— Dzieciom ciągle zdarzają się jakieś wypadki — pocieszała ją matka, przypominając całą litanię urazów i wizyt w izbie przyjęć z trzema córkami.

Sarze zaszkliły się oczy, gdy zobaczyła córkę z ręką na temblaku.

— Mamusia wróciła z Londynu! — podśpiewywała Evie, podskakując z podniecenia.

— Hej, spokojnie, malutka. Mam dla ciebie prezenty. — Sara wyjęła z torby trzy paczki.

Evie pisnęła z zachwytu.

— Mogę otworzyć? — zapytała błagalnie.

— Oczywiście. To w nagrodę, że byłaś grzeczna.

W pięć minut różowa baletowa spódniczka, lalka i muzyczna magiczna różdżka, kupione u Harrodsa, ujrzały światło dzienne. Evie, nie zważając na protesty dorosłych, uparła się, żeby przymierzyć nowy strój, a potem tańczyła po pokoju, dotykając różnych przedmiotów magiczną różdżką. Grace tymczasem szczegółowo relacjonowała wypadek i wizytę w szpitalu.

– W przyszłym tygodniu Evie musi pójść na wizytę kontrolną – zakończyła. Bardzo się cieszyła, że Sara już wróciła i przejęła nad wszystkim kontrolę.

– Nawet sobie nie wyobrażasz, jak ci jestem wdzięczna za opiekę nad Evie. – Sara mocno objęła zakłopotaną Grace. – Szczęście, że Mark przypadkiem tam był. Jemu też podziękuję. Wiedziałam, że to przyzwoity facet!

Grace błyszczały oczy, kiedy mówiła o Marku McGuinnessie, i nie potrafiła ukryć, że jej uczucia do niego się zmieniły.

– Evie jest wspaniała – powiedziała z zazdrością. – I pomimo tej złamanej ręki świetnie się bawiłyśmy. Ale opowiadaj o Londynie. Nie mogę uwierzyć, że mam siostrę pisarkę. Gratuluję, Saro.

– Książka mojej córki na półkach. Jestem taka dumna – dodała matka, wsuwając do piekarnika zapiekankę z ryby i otwierając butelkę wina.

Przyszła Anna; powtórzyły jej historię, wypadku i usiadły do stołu. Sara opowiadała o spotkaniu z Jilly Greene, lunchu, niezwykłym mieszkaniu Ronana w Notting Hill i japońskiej restauracji, do której ją zabrał. Plan pobytu miała wypełniony do ostatniej minuty: była w National Gallery, przejechała się na Londyńskim Oku, zrobiła zakupy i zjadła kolację z Ronanem i jego przyjaciółmi. W niedzielę poszli na późne śniadanie do pubu, pospacerowali po parku, a potem pędzili, żeby zdążyć na pociąg na Heathrow.

– Po prostu bajka – zwierzyła się Sara. – Wy obie często podróżujecie, ale dla mnie taki wyjazd to niesamowita odmiana. Mam wrażenie, że nie było mnie w domu tydzień.

Evie ziewała, więc zaraz po posiłku Sara położyła ją do łóżka. Sama też wsunęła się pod kołdrę i poczekała kilka minut, aż dziewczynka mocno zasnęła.

– Śpi jak suseł – oznajmiła, wracając do kuchni.

– Evie to żywe srebro – stwierdziła Grace. – Wciąż mi się wierzyć nie chce, że namówiła mnie do puszczania latawca na Sandymount Strand.

217

Popijając wino, Sara z radością mówiła o planach związanych z jej pierwszą opowieścią o kotku Psotku.

– Niesamowite – oznajmiła Anna. – Ja od lat usiłuję napisać książkę, a ty od niechcenia układasz dla Evie historyjkę i lądujesz z nią u wielkiego wydawcy w Londynie.

– Ale twoja książka jest naukowa, a moja to tylko opowiastka dla dzieci o starszej pani i jej śmiesznym kociaku! – odparła poważnie Sara. Nie chciała, żeby siostra jej zazdrościła.

– Tysiące dzieci na całym świecie przeczytają tę książkę o kotku, a ja będę miała szczęście, jeśli do mojej zajrzy kilku zakurzonych profesorów – oznajmiła szczerze Anna.

Sara pokiwała głową. Miała nadzieję, że Anna się nie myli. Może nie uczyła się najlepiej, w przeciwieństwie do sióstr egzaminy zdawała z trudnością, ale w końcu było coś, w czym okazała się dobra!

– Od wczesnego dzieciństwa rysowałaś i pisałaś – wtrąciła się Maggie. – To wspaniale, że ktoś docenił twój talent. Ojciec byłby z ciebie bardzo dumny.

Rodzice zawsze zachęcali córki, żeby malowały, rysowały i pisały. Co roku na Boże Narodzenie i urodziny dawali im kredki, farby, bloki, płótna. Dzieła Sary były rozwieszone w całym domu. Maggie i Leo dbali o rozwój talentów swoich dzieci, a ona próbowała tak samo postępować z Evie.

– Saro, bardzo się cieszę z twojego sukcesu – powiedziała Grace. – Jak powtarza mama: miłe rzeczy przydarzają się miłym ludziom. A ty zasługujesz, żeby coś naprawdę dobrego przydarzyło się tobie i Evie. W czasie tego weekendu przekonałam się, jak ciężko pracujesz, wychowując córkę, i jaką dobrą jesteś matką. Jeśli kiedyś choćby w połowie ci dorównam, będę miała szczęście!

Sara ledwo wierzyła własnym uszom, rodzina chwaliła ją i popierała.

– Dobrze, a teraz opowiedz nam o tym facecie z Roundstone – zmieniła temat, biorąc na celownik Annę.

– Z Roundstone?

– Tak, o tym miłym chłopaku, którego tam poznałaś – ponagliły chórem mama i siostry. – I nie zaprzeczaj, to bez sensu!

Anna szeroko otworzyła oczy. Istotnie, nie mogła zaprzeczyć: Rob O'Neill to sympatyczny mężczyzna, wprost wymarzony dla niej. Zaczęła opowiadać.

Maggie Ryan popijała herbatę i myślała, jak bardzo Rob już teraz odmienił życie Anny. No i był Mark McGuinness, który pomógł Grace, kiedy Evie miała wypadek. Zawsze uważała go za niezłą partię, ale okazał się kimś więcej – dobrym człowiekiem. Podejrzewała, że bardzo polubił Grace, i odmówiła w duchu modlitwę, by jej nie zawiódł.

Rozdział 45

Irena Romanowska nie wierzyła własnemu szczęściu, zwiedzając nowy dom. Jej marzenia się spełniły: miała samodzielne mieszkanie przy placu Przyjemnym. Wielki pokój, którego okna wychodziły na zachód, zapewniając popołudniami słońce oraz widok na wykładany kafelkami taras w ogrodzie na tyłach. Do tego mała kuchnia z kremowymi szafkami, spora sypialnia, magazynek z dentystycznymi sprzętami pana Lyncha, łazienka z wanną i prysznicem i klatka schodowa prowadząca do głównej części domu. Dom był piękny, zbudowany wiele lat temu, pełen miłości i historii. Poza tym nie musiała dużo płacić za czynsz. Wygrała los na loterii.

Na początku ze zdenerwowaniem przyjęła propozycję zamieszkania tuż koło miejsca pracy, ale kiedy poznała Oscara Lyncha, nabrała otuchy. Ten dumny, starszy irlandzki dżentelmen dochodzi do zdrowia po operacji i z całą pewnością potrzebował opieki. Przypominał Irenie jej dziadka Tomasza, który umarł, kiedy miała szesnaście lat.

– Jestem pani taka wdzięczna, pani Ryan.

- A ja dziękuję tobie, Ireno, że zgodziłaś się pomagać mojemu staremu przyjacielowi.

- Zrobię, co w mojej mocy – przyrzekła dziewczyna.

Zrezygnowała z pracy w saloniku prasowym; właściciel dał jej na pożegnanie wielką bombonierkę i butelkę wina. Teraz Irena wstawała dopiero o ósmej, zaglądała do Oscara i przygotowywała śniadanie.

Zwykle jadał owsiankę i jajecznicę albo jajko na miękko z grzanką. Do tego wypijał kubek kawy. Po śniadaniu czytał gazetę i rozwiązywał krzyżówkę, później brał prysznic i ubierał się. Kiedy mógł już zostać sam, Irena wychodziła sprzątać w innych domach. Czasami wracała, by zrobić mu na lunch zupę albo grzankę, kiedy indziej radził sobie sam, ale zawsze wieczorami na stole pojawiała się porządna kolacja. Matka nauczyła Irenę przyrządzać posiłki z sezonowych warzyw; nie trzeba było pytać Oscara, czy mu smakuje, bo na talerzu nic nie zostawało.

- Szczęściarz z mężczyzny, który zostanie twoim mężem – chwalił ją. – Będziesz cudowną żoną.

Irena uśmiechała się smutno; Jacek tak nie myślał, kiedy rzucał ją dla aroganckiej brunetki na wysokich obcasach. Irena wątpiła, by tamta dziewczyna wiedziała, jak ugotować jajko.

Zapisała się na kurs angielskiego i dwa razy w tygodniu wieczorami chodziła na Harcourt Street, gdzie w sali pełnej ludzi najróżniejszych narodowości zmagała się z tajnikami nowego języka. Kiedy go dobrze opanuje, może znajdzie porządną pracę.

Przyjaciele nie kryli zazdrości, słysząc o jej nowej posadzie. Marta z otwartą buzią oglądała wielką niebieską sofę i fotel w saloniku, a także wygodną białą sypialnię ze starymi medycznymi szafkami przerobionymi w szafę.

- Ślicznie tu – powiedziała, ściskając przyjaciółkę. – Tak się cieszę.

- Możesz czasami u mnie spać – zaproponowała wielkodusznie Irena.

Porozkładała kilka swoich rzeczy, żeby w mieszkaniu zrobiło się przytulniej: fotografie rodziny postawiła na stole, łóżko przykryła śliczną różową narzutą, którą kupiła na targu w Łodzi, srebrny posążek łabędzia umieściła na okrągłym stoliku pod oknem razem z kryształem dawno temu znalezionym nad rzeką. Dzięki dobrym zarobkom będzie mogła zaoszczędzić i kupić sobie co nieco: kubki, filiżanki, talerze i ekspres. Nie znosiła kawy rozpuszczalnej, którą pijali Irlandczycy, tęskniła za zapachem parzącej się kawy, wspaniale działającym na zmysły.

Telefonem komórkowym obfotografowała dom i przesłała zdjęcia do Polski. Wiedziała, że mama się ucieszy. Hanna Romanowska będzie chwaliła się przed sąsiadami i znajomymi, jak dobrze powodzi się córce za granicą.

Irena westchnęła; teraz jej praca wyglądała inaczej, a Oscar był niezwykle miłym człowiekiem. Dokuczała mu samotność i ciągle mówił o ukochanej żonie. W wielkim salonie i jadalni miał mnóstwo jej zdjęć. Szafę w sypialni na piętrze wciąż zapełniały ubrania, buty i torebki Elizabeth, a na toaletce stały perfumy, puder i szminka. To smutne, że śmierć ich rozdzieliła, myślała Irena, czyszcząc srebrne ramki i pastując pszczelim woskiem stare mahoniowe meble. Ciekawe, czy jakiś mężczyzna kiedykolwiek tak bardzo ją pokocha. A może mama ma rację, że Jacek był jedyną szansą na miłość i małżeństwo? Odepchnęła te myśli. Wyglądało na to, że przyjeżdżając do Irlandii i trafiając na plac Przyjemny, dostała drugą szansę, a ponieważ była optymistką, szczerze wierzyła, że w końcu wszystko się ułoży.

Rozdział 46

Anna wreszcie znalazła czas i zaprosiła siostry na obiad. Przyjmowanie gości nigdy nie było wysoko na liście jej priorytetów, ale zwykła uczciwość wymagała, by teraz ona przygotowała wspólny posiłek, rzecz niezwykle rzadka w ich wzajemnych kontaktach. Tym razem musiałaby jeszcze ustalić, co kupić mamie na urodziny. Maggie Ryan sugerowała, że też przyjdzie, ale opiekowała się Evie, więc miały okazję spotkać się tylko we trzy.

— Mama tak się cieszy, że Oscar i Irena się dogadali – powiedziała Grace, siadając wygodnie w salonie Anny. – Uwielbia wtrącać się w życie innych.

— Wczoraj Irena namówiła Oscara na spacer po parku – odparła Sara. – Spotkałyśmy ich z Evie. Szedł o kulach, ale był szczęśliwy, że wrócił do domu.

— Mama ma dobre intencje. – Grace się roześmiała. – Choć w zeszłym tygodniu powiedziała mi, że nie powinnam używać samoopalacza, bo mężczyźni wolą kobiety z naturalną cerą.

— Oj!

— A moja naturalna cera jest upiornie blada. Bez samoopalacza wyglądam jak trup.

— Mnie powiedziała, że zupełnie się zapuściłam – dodała Anna. – I podsunęła mi artykuł o makijażu, który wycięła z gazety.

— A mnie zasugerowała, żebym poszła do fryzjera, bo inaczej ludzie pomyślą, że mama Evie to hipiska.

— Nie!

— Naprawdę! I wcisnęła mi pieniądze na wizytę u Josepha. Odkładałam to w nieskończoność, chciałam kupić Evie nowe buty i spódniczkę, ale mama oznajmiła, że mój wygląd jest też ważny.

— To fakt – zgodziły się siostry. Jak to jest, że mama zawsze wie najlepiej?

Rozglądając się po małym salonie, Anna cieszyła się, że zaprosiła siostry. Wysprzątała, przenosząc stosy papierów i książek na łóżko w sypialni. Świece paliły się na stole, kominku i regale. Bukiet wysokich ostróżek prezentował się doskonale w ślicznym szklanym wazonie od Grace. Wreszcie Anna zdobyła się na wysiłek i powiesiła pastelowy obraz przedstawiający wiązankę niesamowitych stokrotek pędzla jej przyjaciółki Tanyi i czarno-białą grafikę z chłopcem na rowerze, którą kupiła na wernisażu Larsa Linneya, szwedzkiego artysty mieszkającego w Irlandii. Powietrze napełnił zapach kurczaka w cytrynach i ryżu na ostro. Anna nalała wino do kieliszków i nakryła do małego okrągłego stołu. Zwykle służył jej jako biurko.

– Wszystko wygląda i pachnie pięknie – pochwaliła Grace.

Anna uśmiechnęła się z wdzięcznością zadowolona, że jej skromne mieszkanie i talenty pani domu odpowiadają wysokim wymaganiom siostry.

– Wiecie, że mama postanowiła znaleźć nam odpowiednich facetów. – Grace napiła się wina. – Wierzy, że gdzieś tam na każdą z nas czeka idealny kandydat.

– Zachowuje się zupełnie jak pani Bennet, intrygując i szukając mężów dla biednych córek, którym staropanieństwo zagląda w oczy.

– Pani Bennet? – zapytała Sara.

– *Duma i uprzedzenie* – przypomniała jej Anna.

– Och, uwielbiałam tę powieść. Omawiałyśmy ją w szkole. Cała klasa marzyła o panu Darcym, z siostrą Weroniką włącznie.

– Boże, dałyście tej biednej zakonnicy nieźle popalić – zażartowała Anna.

– Była strasznie romantyczna. Zaczytywała się w harlequinach!

– Cóż, w tym zakątku świata nie ma żadnych panów Darcych, a jeśli matka jest gotowa popchnąć cię w ramiona pierwszego lepszego nieznajomego...

– To żenujące.

– Aż skóra cierpnie.

– W najlepszym razie – zgodziła się Grace. – Mama nie rozumie, że to nie jest tak, że wychodzisz, poznajesz kogoś i od razu się w nim zakochujesz.

– No właśnie.

– Ale tak poznała tatę – przypomniała Sara.

– Wtedy było inaczej!

– Faceci byli inni.

– Czasy się zmieniły! – zachichotała Grace.

- Szkoda. – Sara z rozczuleniem przypomniała sobie, jak ojciec wchodził do kuchni, stawał za mamą, kiedy gotowała, obejmował ją i całował w kark, nie zważając na jej protesty.

– Dzisiaj jest inaczej, ludzie są bardziej zajęci, muszą godzić życie zawodowe z towarzyskim. Jesteśmy zbyt zalatani, żeby zawracać sobie głowę przypadkowymi znajomościami – stwierdziła Grace, zanurzając chipsa w śmietankowo-czosnkowym sosie. Starała się, by w jej głosie nie brzmiała gorycz. Czuła się dotknięta, bo Mark milczał; nie przysłał nawet esemesa. Jakby ten sobotni wieczór w jej mieszkaniu nigdy się nie zdarzył.

– Gdzieś czytałam, że mężczyźni chcą się najpierw dorobić i wyszaleć, dopiero potem ustatkować. Kariera, podróże, finanse, a na końcu kobieta – prychnęła Anna.

– Ehm – mruknęły siostry. – Mama po prostu nie ma o tym pojęcia!

– Chociaż chciałabym kogoś poznać – powiedziała tęsknie Sara. – Nie tylko ze względu na dobro Evie, ale i moje. Człowiek zaczyna mieć po dziurki w nosie samotności.

– Nie jesteś sama – zaprotestowały Anna i Grace. – Masz nas.

– Wiem. – Sara się uśmiechnęła; nie powie przecież na głos, że siostry to jednak nie to samo co kochający mężczyzna.

Kurczak okazał się wyśmienity. Anna podała go z zieloną sałatą i ryżem. Wszystkie trzy z apetytem zabrały się do jedzenia.

– Super – pochwaliła Sara, biorąc dokładkę. – Aż rozpływa się w ustach.

– Dzięki. – Anna była zadowolona, że ten jeden raz dokładnie zastosowała się do przepisu, zamiast na chybił trafił mieszać składniki, co zwykle prowadziło do katastrofy. Przy następnym spotkaniu przygotuje to danie dla Roba na dowód, że w kuchni nie jest zupełnie do niczego. – No to co zrobimy z urodzinami mamy? Jaki prezent kupimy? – zapytała, otwierając drugą butelkę wina.

Padło kilka propozycji, w końcu ustaliły, że najlepsze byłyby zabiegi kosmetyczne.

— Mama uwielbia zabiegi na twarz, masaże i tak dalej – powiedziała Sara.

— No to zafundujmy jej weekend w nowym eleganckim ośrodku? – zaproponowała Grace. – Anua, ośrodek w Wicklow, wygląda rewelacyjnie!

— A mama się zgodzi?

— Jasne. Możemy wykupić pobyt dla dwóch osób, to zabierze Kitty albo którąś z przyjaciółek.

— Będzie zachwycona – stwierdziła stanowczo Anna. – Anua leży nad jeziorem, są tam wspaniałe baseny i tereny rekreacyjne. W zeszłym miesiącu pokazywali to w telewizji.

— W takim razie załatwione. Jutro tam zadzwonię i wszystko ustalę – powiedziała Grace. – Może zarezerwujemy stolik u Roly'ego na przyjęcie urodzinowe? Mama bardzo lubi tę restaurację i Evie będzie mogła z nami pójść.

— Dobra, a teraz czas na deser. – Anna uśmiechała się nerwowo, zbierając puste talerze. Poszła do kuchni po pudding o smaku toffee. Nigdy wcześniej go nie przyrządzała i nie wiedziała, czy się uda, ale wyglądał nieźle. Z ulgą wyjęła z lodówki lody waniliowe.

Dziewczyny natychmiast rzuciły się na pudding. Anna z satysfakcją patrzyła, jak Grace i Sara w milczeniu wylizują miski.

One z kolei dziwiły się tej przemianie, bo Anna do tej pory nie lubiła gotować.

— Świetna robota! – pogratulowały, teraz już przekonane, że Rob O'Neill ma niezwykły wpływ na siostrę.

Rozdział 47

Od przyjazdu z Londynu Sara była szczęśliwa. Od bardzo, bardzo dawna nie czuła się tak wspaniale; uświadomiła sobie, że zamiast rozczulać się nad sobą, lepiej zabrać się do pracy. Pisanie i ilustrowanie książek dla dzieci może stać się dla niej sposobem na życie, bo jest w tym dobra, i jeśli się postara, niewykluczone że odniesie sukces.

Zajrzała do domku, by przekazać Angusowi nowinę o umowie i opowiedzieć o wypadku Evie, ale ku swojemu rozczarowaniu go nie zastała. Zostawiła mu wiadomość w poczcie głosowej i przesłała e-mail. W odpowiedzi jednak dostała tylko jedno słowo: „Gratulacje". Wyjechał na parę tygodni do Szkocji i nie wiedział, kiedy wróci. To ją dotknęło. Lubiła Angusa i myślała, że on też ją lubi. Cóż, jeśli po tamtym wieczorze, kiedy opiekował się Evie, zamierza zachowywać się tak, jakby nic się nie stało, dobra! Niech żyje sobie z Megan w Edynburgu, niech cieszy się idealnym związkiem. Sara przywykła do facetów, którzy samotną kobietę uważają za łatwą zdobycz; przyzwyczaiła się do braku partnera przy swoim boku! Nie potrzebuje mężczyzny, żeby mieć dobry nastrój. Jest przecież Evie i w końcu pojawiły się nowe możliwości.

W szkole wszyscy, łącznie z dyrektorką panią Boland, cieszyli się z jej sukcesu. Sara wyczuwała, że teraz bardziej ją szanują.

Niedługo zaczynały się wakacje i już nie mogła się doczekać wyjazdu do chaty w Connemarze z mamą i Evie. Uwielbiała lato i miała nadzieję, że do tego czasu dostanie część honorarium. Wtedy zabierze córeczkę do Eurodisneylandu na weekend. Ale będzie frajda.

Do późna w noc oglądała łzawy melodramat w telewizji i właśnie się zastanawiała, dlaczego z własnej woli naraziła się na taki emocjonalny stres, skoro we własnym życiu miała go aż nadto, kiedy usłyszała hałasy na podwórku. Kot albo lis – a może włamywacz! Niespokojnie podeszła do drzwi, by się upewnić, że są zamknięte na klucz.

Zapaliła światło na zewnątrz i wyjrzała przez okno przekonana, że przyłapie złoczyńcę, ale zobaczyła... Angusa Hamiltona. Był w strasznym stanie. Potknął się o różowe wrotki, które Evie zostawiła na ścieżce, i runął pod sznurem na pranie, upuszczając laptop i torbę.

– Och, Angus, tak mi przykro! – Otworzyła drzwi i pobiegła do niego. – Mówiłam Evie, żeby odkładała wrotki na miejsce. Jesteś cały?

– Tak sądzę. – Poklepał się po udach i boku. – Raczej nic sobie nie złamałem. – Z wysiłkiem zaczął się podnosić.

Wyczuła zapach piwa, kiedy złapała chłopaka za rękę. Pewnie wrócił ze Szkocji i gdzieś wpadł na drinka. Długimi palcami niepewnie odgarnął z twarzy czarne jak sadza włosy.

– Wszystko w porządku?

– Miewałem lepsze okresy. – Skrzywił się. – Dwa tygodnie w centrali to niezły wycisk. Poza tym musieliśmy wyjaśnić sobie pewną ważną sprawę z Megan.

– Chodź, odprowadzę cię. – Sara podniosła jego rzeczy i ruszyła do domku.

– Boże, jestem wykończony. – Osunął się na skórzany fotel.

– Powinieneś się położyć.

Zignorował ją, biorąc do ręki pilota. Bezmyślnie zaczął skakać po kanałach.

Sara poszła do kuchenki nastawić wodę. Zrobi mu kawę i wróci do Evie. Otworzyła lodówkę, ale znalazła tylko pół litra skwaśniałego mleka. Wyrzuciła karton do śmieci; trudno, kawa będzie czarna. Wsypała do kubka dwie łyżki cukru.

– Wypij to – poleciła.

Angus bez słowa posłuchał.

– A teraz do łóżka – rozkazała jak małemu chłopcu.

– Tu mi dobrze – zaprotestował. Przeciągnął się i ziewając, zrzucił buty.

– Wcale nie. Idziesz się położyć.

Burcząc coś pod nosem, ruszył za nią po wąskich schodach na górę. W sypialni panował porządek, łóżko było starannie zasłane i przykryte kraciastą narzutą, na półkach równymi rzędami stały płyty kompaktowe.

– Najpierw do łazienki.

– Tak jest, mamusiu.

Usiadła na brzegu łóżka i czekała. Angus wrócił, rzucił na krzesło czarną skórzaną kurtkę i wsunął się pod kołdrę w koszuli i spodniach.

– Rozbierz się! – poleciła.

Bez przekonania próbował wykonać rozkaz, ale mu się nie udało, więc Sara mu pomogła. Spodnie miał poplamione trawą, na żebrach zaczynał pojawiać się siniak.

– Kładź się koło mnie – wybełkotał. – No, proszę!

– Nie dzisiaj. – Sara się roześmiała. Okryła Angusa kołdrą, powiesiła porządnie spodnie i kurtkę. Niemal natychmiast w pokoju rozległo się głośne chrapanie.

Sen dobrze mu zrobi. Sara zostawiła zapalone lampy na schodach i na parterze, po czym wróciła do domu. Jutro Angus będzie miał cholernego kaca, to pewne.

Zadzwonił do niej, ale była w pracy, więc zostawił wiadomość. Kilka godzin później zapukał do drzwi, kiedy usypiała Evie.

– Jak twoja głowa?

Skrzywił się.

– Fatalnie.

– Potknąłeś się o wrotki Evie, pamiętasz?

– Nic mi nie będzie. Wpadłem ci podziękować.

– Zwykła sąsiedzka przysługa – odparła cicho.

Przyglądając się jego ponurej, bladej twarzy, już chciała go zaprosić, ale ostatecznie uznała, że lepiej tego nie robić.

– Kładę Evie spać – wyjaśniła.

– W takim razie nie będę przeszkadzał. Chciałem tylko zapytać, czy w weekend zjadłabyś ze mną kolację.

– Kolację? – powtórzyła zaskoczona.

– No wiesz, dwoje ludzi siedzi przy stole, jedzą, piją wino, gra muzyka, może pali się świeca? – powiedział kusząco. – To odpowiedni hołd dla pisarki i ilustratorki, która właśnie podpisała umowę z wydawnictwem.

– Brzmi zachęcająco. – Uśmiechnęła się.

– Możemy pójść do mnie albo do restauracji, jak wolisz. W piątek?

Kolacja we dwoje w domku to chyba nie jest najlepszy pomysł. Bezpieczniej w restauracji.

– Miło będzie gdzieś wyjść – odparła.

Sara postarała się, żeby dobrze wyglądać. Wybrała powiewną spódnicę Avoki w różowo-turkusowy wzór, zeszłoroczny prezent urodzinowy od sióstr, białą bluzeczkę na ramiączkach, nowy różowy sweterek i cudowne różowe szpilki, które zafundowała sobie w Londynie. Evie już smacznie spała, Maggie siedziała wygodnie z pilotem w dłoni. Z radością zgodziła się zaopiekować wnuczką.

– Cieszę się, że Angus wreszcie poszedł po rozum do głowy i zaprosił cię na świętowanie umowy – oznajmiła z błyskiem w oku.

– Na litość boską, mamo, przestaniesz swatać? Jesteśmy przyjaciółmi. Angus czuje się samotnie w Dublinie, skoro jego dziewczyna mieszka w Szkocji. Czasami po prostu dotrzymujemy sobie towarzystwa.

– Tak to teraz nazywają?

– Mamo, słowo daję, twoje pokolenie ma obsesję na punkcie romansów. W dzisiejszych czasach mężczyźni i kobiety mogą po prostu się przyjaźnić.

Maggie Ryan ugryzła się w język. Tym razem nie wygłosi oczywistej prawdy.

Angus zaprosił Sarę do Chapter One, obsypanej wieloma nagrodami restauracji obok Writers Museum przy Parnell Street.

– Pomyślałem, że to dobre miejsce na uczczenie literackiego sukcesu – zażartował, gdy kelner prowadził ich do stolika.

Menu było fantastyczne i Sara nie mogła się zdecydować, co wziąć. W końcu wybrała naleśnik z owocami morza i żabnicę w sosie z szampana. Angus zamówił butelkę pouilly fume.

– Za Psotka, cudownego kotka! – wzniósł toast. – Przyrzekam, że pierwszy ustawię się w kolejce po książkę.

– Nie bądź niemądry, przecież nie masz dzieci.

– Mam chrześniaka Jacka – zaprotestował. – Skończył trzy lata. Poza tym siostrzenicę i siostrzeńca. A książkę zamierzam zostawić dla własnych dzieci.

– Na pewno dorobisz się całej gromadki. To znaczy ty i Megan.

Nie odpowiedział. Pewnie chciał dać do zrozumienia, żeby pilnowała własnego nosa. Szybko zmieniła temat.

Opowiadała mu o spotkaniu z wydawcą, propozycji Jilly i wypadku Evie, aż wreszcie dotarło do niej, że Angus milczy jak zaklęty.

– Jedzenie ci nie smakuje? – zapytała.

– Chodzi o Megan. – Odłożył sztućce i spojrzał jej prosto w oczy.

– Angus, przepraszam. Posunęłam się za daleko. Wasze plany to nie moja sprawa… Megan jest uroczą dziewczyną… – paplała zakłopotana.

Złapał ją za przegub. Zamilkła.

– Zerwaliśmy z Megan – powiedział poważnie. – To już przeszłość.

– Co?! Nie wierzę.

– Megan nie zrobiła nic złego. Ale przekonałem się, że moje życie zaczęło zmierzać w zupełnie innym kierunku, a ona nie jest kobietą, z którą chcę je dzielić.

– Tak mi przykro – wymamrotała oszołomiona. – Bardzo ją kochałeś. Byliście dla siebie stworzeni.

– Rzecz w tym, że nie jestem tego taki pewien. Musiałem jechać do Szkocji, bo z Jamesem kończymy duży projekt. Mieliśmy z Megan okazję porozmawiać, spędzić razem trochę czasu.

Sarę nagle ogarnęło współczucie dla Szkotki, Angus pewnie złamał jej serce.

– Kiedy wracam do domu na weekendy, zwykle jest tak samo: wychodzimy na przyjęcia, proszone kolacje, do klubów, do przyjaciół. Rzadko możemy pobyć we dwoje, pogadać. Megan też zdawała

230

sobie z tego sprawę. Oboje zaplątaliśmy się w jakieś głupie zobowiązania rodzinno-towarzyskie.

Sara westchnęła. Gdyby kogoś kochała, chciałaby spędzać z nim czas, rozmawiać, chodzić na spacery, trzymać się za ręce, leżeć na sofie i wspólnie oglądać telewizję, opowiadać sobie dowcipy.

– Zabawne, że Megan czuła dokładnie to samo – ciągnął Angus wpatrzony w Sarę. – Dlatego nie chciała przeprowadzić się ze mną do Dublina. To niesamowite, znamy się od trzynastego roku życia, a tak naprawdę chyba wcale się nie znaliśmy. Zaczęliśmy chodzić ze sobą, kiedy skończyłem siedemnaście lat, nasze rodziny od dawna się przyjaźnią, ojcowie grają w golfa. Razem zaczęliśmy studia na Uniwersytecie Edynburskim. Zostaliśmy parą, nawet się nad tym nie zastanawiając. Wszyscy zakładali, że się pobierzemy i będziemy żyć długo i szczęśliwie.

Sara nie wiedziała, co powiedzieć.

– Między innymi dlatego przyjechałem do Dublina. Chciałem zmian. Fizyczna odległość pozwoliła nam uświadomić sobie, że nasz związek nie jest tak silny, jak sądziliśmy. Przestało mi jej brakować. Nie czułem potrzeby jeżdżenia do Edynburga, żeby co tydzień się z nią widywać. Ona te trzy razy wpadła do mnie i ciągle byliśmy w tłumie: a to mecz rugby, a to zwiedzanie. Tylko w Galway pobyliśmy sami. A potem zacząłem się interesować inną dziewczyną... Pragnąłem być z nią, a nie z Megan.

Sara zamarła.

– Nie mogłem przestać o tobie myśleć. Nie chciałem wyjeżdżać z Dublina, rozstawać się z tobą.

Co ten zwariowany Szkot wygaduje? Że mu na niej zależy, że jej pragnie? Nie wierzyła własnym uszom.

– Miałem ochotę zabić tego Ronana, kiedy zaprosił cię na kolację! Nie jestem zazdrośnikiem... no, w każdym razie tak mi się wydawało. Czułem się jak ostatni idiota po tamtym wieczorze, kiedy opiekowałem się Evie. Chciałem więcej. Nie zamierzałem dłużej udawać, musiałem powiedzieć Megan.

Sara wpatrywała się w jego oczy – mówił prawdę. Widziała to równie wyraźnie jak kieliszek wina w swojej dłoni.

– Megan powiedziała, że się tego domyślała – ciągnął Angus. – W sumie rozmowa była nieprzyjemna, ale oboje wiedzieliśmy, że w końcu musi do niej dojść. Megan wpadł w oko kolega z pracy. Ciągle gdzieś ją zaprasza, ale ze względu na mnie nie chciała posuwać się dalej.

Przy stoliku zapadła cisza, tym wyraźniejsza, że otaczał ich gwar i szum restauracji.

– Jesteś pewien tej decyzji? – zapytała Sara. Nie miała najmniejszego zamiaru wchodzić między nich.

– Zerwaliśmy na dobre, wierz mi, inaczej wcale bym o tym nie wspominał. Jesteśmy z Megan starymi przyjaciółmi, zawsze będzie dla mnie ważna, ale nic więcej.

Sara wpatrywała się we wzór na talerzu, w warzywa i młode ziemniaczki przyprawione ziołami. Angus nie ma dziewczyny, powtarzała w myślach. Teraz jest sam.

– Jeśli chcesz, żebyśmy pozostali przyjaciółmi, zrozumiem – powiedział, nerwowo rozglądając się po lokalu. – Tylko że oszalałem na twoim punkcie. Zakochałem się już pierwszego dnia, kiedy oprowadzałaś mnie po domku. Rano patrzę, jak wieszasz pranie w ogrodzie.

– Angus, wtedy jestem w piżamie! – zaprotestowała Sara.

– Wyglądasz ślicznie – oznajmił stanowczo. – Dla mnie zawsze wyglądasz ślicznie.

Szeroki uśmiech rozjaśnił jej twarz. Angus Hamilton naprawdę się w niej zakochał. Nie na żarty. Czytała to w jego spojrzeniu i uścisku dłoni.

– Chcę czegoś więcej, Saro – wyznał.

Sarze zaszkliły się oczy. Angus jest miły, dobry i zabawny, a w dodatku polubili się z Evie. Nie przypominał żadnego mężczyzny, z którym się spotykała. Sympatyczny, atrakcyjny, a co najcudowniejsze, wolny.

– Ja też – odparła, spoglądając mu w oczy.

Rozdział 48

Od śmierci męża Maggie dręczyły nieustanne naprawy, których wymagał stary dom. Malowanie ogrodzenia, lakierowanie metalowych balustrad, przystrzyganie żywopłotów i drzew, oliwienie zamków. Leo zajmował się milionami takich rzeczy bez słowa skargi, a teraz wszystko spadło na nią. W łazience od tygodni ciekł kran, a przez ostatnie dni odgłos kapania nie pozwalał Maggie spać. Jakby tego było mało, prysznic wymagał wymiany, a w pomieszczeniu gospodarczym zatkał się zlew. Zadzwoniła do hydraulika, ale miał zajęte terminy na kilka miesięcy naprzód. Popytała sąsiadów, niestety znalezienie hydraulika do kilku drobnych napraw graniczyło z cudem.

Z okna salonu Maggie codziennie widziała ekipę remontującą stary dom O'Connorów. Mark McGuinness od kilku tygodni był nieobecny, kiedy więc zobaczyła jego wielki czarny range rover zaparkowany na zwykłym miejscu, postanowiła ruszyć do akcji.

Wyglądał na zaskoczonego, kiedy zapukała do jego drzwi z pytaniem o hydraulika i zaproszeniem na lunch.

– Zobaczę, co da się zrobić – odparł. – A przerwę zwykle mam o wpół do pierwszej, jeśli taka pora na lunch pani odpowiada.

– Idealnie.

Zgodnie z obietnicą przyszedł dwie godziny później. Zanim usiedli do stołu, Maggie oprowadziła go po pomieszczeniach, skarżąc się na problemy z kanalizacją. Mark podziwiał pracę wykonaną przez Leona: fasety w holu, odnowiona klatka schodowa, równiutkie sufity, kuchnia doskonale pasująca do starego domu.

Maggie przygotowała prosty posiłek: sałata, wędzony łosoś i własnoręcznie pieczony chleb. Wspomniała mu o rozmowie telefonicznej z Dettą i Tomem.

– Detta wstąpiła do kościelnego chóru. Wygląda na to, że wszystko u nich w porządku. Dzięki Bogu to było dobre posunięcie.

– Dla mnie też – skwitował Mark z uśmiechem. – Lubię tę okolicę. Przyjemne miejsce do życia.

– Więc zamieszka pan tutaj? – zapytała ciekawie.

Roześmiał się.

– Oczywiście, od początku miałem taki zamiar.

– Chciałam też podziękować panu za pomoc, kiedy wnuczka złamała rękę. Wszystkie jesteśmy panu bardzo wdzięczne – powiedziała, podając mu majonez.

– Tyle przynajmniej mogłem zrobić – odparł uprzejmie.

– Grace mówi, że bez pana by sobie nie poradziła.

Zarumienił się lekko, zauważyła Maggie. Ciekawe, co między nimi jest?

– Widział ją pan ostatnio? – zapytała. Postanowiła odrzucić skrupuły i nie przejmować się, że może ją uznać za wścibską.

– Nie, byłem w Ameryce z powodu problemów rodzinnych. Wie pani, jak to jest.

– Niezupełnie. Grace jest moją pierworodną. Może sprawiać wrażenie chłodnej i wyrafinowanej kobiety sukcesu, ale jest wrażliwa i ma wielkie serce.

Mark pokiwał głową.

– Nie chciałabym, żeby ktoś ją zranił – dodała stanowczo.

– Rozumiem. – Nadział ostatni kawałek ryby na widelec. – Zapewniam panią, że nie zamierzam jej skrzywdzić.

– Miło mi to słyszeć. – Maggie wierzyła, że Mark mówi szczerze.

Potem rozmawiali o sąsiadach. Maggie wprowadziła go w panujące na placu stosunki. Ku swemu zaskoczeniu przekonała się, że sympatyczny z niego mężczyzna.

– Mam bardzo dobrego hydraulika. Nazywa się Adam Czibi i dużo dla mnie robi. Przyślę go jutro z samego rana – obiecał Mark na odchodnym.

Dżentelmen w każdym calu, uznała Maggie. Leo by go zaaprobował.

Następnego dnia rano wysprzątała łazienkę. Wyszorowała brodzik, wytarła wielkie lustro. Hydraulik przyszedł o umówionej porze. Na Maggie dobre wrażenie zrobił wysoki i poważny młody Polak, który bez zbędnego zamętu zajął się pracą. Poczęstowała go herbatą i czekoladowymi ciasteczkami. Jadł z apetytem, siedząc naprzeciwko niej przy kuchennym stole.

Powiedział, że trzy lata temu przyjechał do Irlandii i z bratem Józefem założyli własną firmę.

— Przez pierwsze półtora roku pracowaliśmy przy budowie apartamentowców w dokach. Potem przeszliśmy na swoje. Teraz mamy mnóstwo zleceń, dużych i małych.

— Rodzina musi być z pana dumna.

— Są w Polsce, ale żona mojego brata, Sylwia, przyjechała do Dublina w styczniu. Mieszkamy w jednym domu.

— A pan też ma żonę? — spytała zaciekawiona Maggie.

— Nie mam nawet dziewczyny. Za ciężko pracuję. Ale pewnego dnia poznam jakąś fajną Irlandkę albo Polkę. Moja mama modli się o to.

Maggie się uśmiechnęła. Adam miał poczucie humoru. Sama znała tylko jedną Polkę, bardzo miłą, jego matce na pewno by się spodobała...

— Wybaczy pan na moment.

Jeśli masz coś zrobić, zrób to teraz. Szybko wybrała numer Oscara. Właśnie wychodził na brydża z przyjaciółmi.

— Oscarze, wciąż masz problemy z bojlerem? Bo wiesz, właśnie przyszedł do mnie hydraulik…

— Och, jest coraz gorzej. Myślisz, że mógłby do mnie wpaść i sprawdzić? — zapytał błagalnym tonem. — To cholerne urządzenie doprowadza mnie do szału. Woda albo jest wrząca albo zimna jak lód. Boję się brać prysznic, a biedna Irena o mało nie poparzyła sobie rąk przy zmywaniu.

— Zapytam go, ale czy ktoś będzie w domu?

— Tak, Irena. Wyjaśni mu, w czym rzecz, a ja oczywiście pokryję wszelkie koszty.

– Doskonale. – Maggie uśmiechnęła się w duchu. Czysty zbieg okoliczności. Adam przychodzi wykonać naprawę, a to, że jest wysoki, jasnowłosy, bardzo przystojny i mówi po polsku... Reszta zależy od dziewczyny. Tu już Maggie nic nie mogła zrobić. Musiała zadziałać chemia. Ale przeznaczeniu czasami trzeba pomagać.

Irena odkurzyła dom od piwnicy po strych i zmieniła pościel w łóżku Oscara. Potem zajęła się pracą domową z angielskiego: listem do pracodawcy i do przyjaciółki z przeprosinami, że zapomniała o jej urodzinach. Gryzła długopis, szukając odpowiednich słów. Przed wyjściem Oscar mruknął coś o hydrauliku od Maggie, który ma naprawić bojler. Irena wzruszyła ramionami – najwyższy czas naprawić to idiotyczne urządzenie.

Godzinę później rozległ się dzwonek do drzwi. Irena zaprowadziła hydraulika na piętro. Po kilku minutach dowiedziała się, że Adam Czibi pochodzi z Polski, z Tuszyna, a jego kuzynka nauczycielka mieszka w Łodzi kilka ulic dalej od rodziców Ireny.

– Tu wszędzie spotyka się Polaków – powiedział Adam, spoglądając na nią swoimi niezwykle błękitnymi oczami.

Poczęstowała go kawą, zaparzoną jak należy, kanapką z ćwikłą i pieczoną szynką.

– Mieszkasz w tym wielkim domu? – zapytał.

Irena wyjaśniła, na czym polega jej praca u miłego starszego pana. Opowiedziała też o kursie angielskiego i swoich planach na przyszłość.

Kiedy Adam pakował torbę z narzędziami, wstrzymała oddech.

– Znasz polski zespół Zido?

Przytaknęła. Codziennie słuchała polskiego radia.

– W sobotę wieczorem grają w Dublinie. Jeśli chcesz, kupię bilety i pójdziemy razem.

– Tak, tak, tak – odpowiedziała po polsku.

Rozdział 49

Anna Ryan spojrzała na pełne entuzjazmu twarze w audytorium. Amerykanie, Kanadyjczycy, Australijczycy, Niemcy, Japończycy, Włosi i Francuzi, prawdziwa kulturowa mieszanka wielbicieli literatury, którzy pragnęli pogłębić wiedzę o jednym ze swoich literackich idoli. Dzisiejszym tematem był Yeats i jego twórczość. Anna nie rozumiała, dlaczego zgodziła się prowadzić zajęcia w dwutygodniowej letniej szkole!

Utwory, które omawiała, odbiła na ksero i umieściła w Internecie. W sali panowała duchota. Trudno, uczestnicy muszą jakoś to znieść. Zaczęła od popularnego wiersza *Poeta pragnie szaty niebios*. Drobny Japończyk, który siedział w pierwszym rzędzie ze śliczną, o wiele młodszą żoną, zadawał pytanie za pytaniem. Anna podejrzewała, że on też jest naukowcem i połowę tego, co mówiła, wykorzysta we własnych wykładach w Tokio, Osace albo Kioto. Ale co tam, najważniejsze, że będzie głosił słowo o twórczości poety, którego poezja przekroczyła granice Irlandii i od kilku pokoleń znajdywała wielbicieli na całym świecie.

Czytając o obsesji i miłości, Anna myślała o Robie. Oczyma duszy widziała, jak O'Neill spaceruje po plaży z psem, fale toczą się po piasku i rozbijają o skały. Na chwilę zamilkła. Tęskniła za Robem. Co ona tu robi w pogodny słoneczny dzień, opowiadając nieznajomym o miłości i nadziei na połączenie z ukochaną osobą, skoro ten, którego kocha, jest tak daleko!

Na kilka następnych dni zaplanowano wyprawę do Biblioteki Narodowej, wizytę w Trinity College i wykład o historii Abbey Theatre. Na drugi tydzień przewidziano zwiedzanie Lissadell House i ogrodów w Sligo; niewykluczone że potem Anna będzie mogła podziękować i uciec do Connemary. Brendan zaproponował, żeby poprowadziła kilka grup w połowie sierpnia, ona jednak kategorycznie odmówiła. Na resztę lata jechała do Mewiej Chatki. Sara, Evie i Maggie wybierały się tam na początku tygodnia, a Grace przypuszczalnie dołączy do nich kilka dni później.

W Mewiej Chatce Anna zamierzała pracować i jak najwięcej czasu spędzać z Robem. Nie chciała nawet myśleć o następnym długim rozstaniu.

Zbierała papiery i wyłączała sprzęt, kiedy do sali wszedł Brendan. Uczestników już nie było, pobiegli cieszyć się rozkoszami lunchu w stołówce.

– Masz w grupie kilku jajogłowych. – Rzucił okiem na listę obecności.

– Zauważyłam – odparła, pakując laptop i notatki.

– Anno, jesteś rewelacyjna – pochwalił ją dziekan. – Uwielbiają cię i pracownicy, i studenci, zawsze dostajesz od nich najwyższe oceny.

– Dziękuję. – Uśmiechnęła się lekko. – Ale z radością resztę lata poświęcę na pisanie pracy i odpoczynek.

– Więc nie dasz się przekonać?

– Już ci mówiłam, Brandan, wyjeżdżam do Connemary. – Wesoło odgarnęła włosy na ramiona, myśląc o Mewiej Chatce i Robie. – Udanych wakacji!

Rozdział 50

Grace nie potrafiła wyrzucić Marka McGuinnessa z myśli, ciągle przypominał jej się dotyk jego ust. W końcu się poddała i przestała walczyć ze wspomnieniami. I znowu czekała na jego telefon. Była żałosna! Miłość do mężczyzny takiego jak Mark to prawdziwa katastrofa. Od tamtego wieczoru, kiedy przywiózł ją i Evie ze szpitala, miała nadzieję, że znowu się pojawi. Przysłał jej esemes. Napisał, że o niej myśli, ale potem już się nie kontaktował. Sara przypuszczała, że wyjechał, za to mamie się wymknęło, że widziała jego samochód.

Zdegustowana pogrążyła się w pracy. Z własnej woli podjęła się sprawdzenia kosztorysów nowego ośrodka zdrowia w Cork, nad którym pracował John O'Leary. Jego żona urodziła dziecko i chciał wziąć kilka dni wolnego.

– W porządku, John. Jeśli pojawi się jakiś problem, zadzwonię. W czwartek rano jadę do Cork na spotkanie z inwestorami i wszystko z nimi omówię.

– Dzięki, Grace. – Jaśniejąc z radości, John uprzątnął z biurka laptop i oprawioną w srebrną ramkę fotografię Lizzie z niemowlęciem na ręku. – Jestem ci winien przysługę.

– Daj spokój, Lizzie i Killian są o wiele ważniejsi.

Siedząc przy biurku, uświadomiła sobie nagle, że jej priorytety się zmieniają. Kreski i rysunki na papierze, szkło, kamień i beton w żadnym razie nie mogą konkurować z maleńkim dzieckiem w objęciach matki.

To odkrycie bardzo nią wstrząsnęło.

Na sobotni wieczór zaprosiła do siebie Niamh i dziewczyny. Lisa zaskoczyła je wieścią, że przeprowadza się do Londynu, gdzie zaproponowano jej pracę w banku AIB. Grace będzie tęskniła za przyjaciółką, ale Lisa przyrzekła, że jeśli któraś zechce ją odwiedzić, zawsze może liczyć na nocleg.

– Tylko co zrobisz z Tomem Callaghanem? – Roisin zadała pytanie, które wszystkim krążyło po głowie, bo przecież Tom rzucił Lisę, kiedy wyjechał do Londynu.

– To wielkie miasto, ale zamierzam często go widywać. Tak długo będę go dręczyć, aż ten osioł zrozumie, że też mnie kocha – odparła stanowczo Lisa.

Grace przyrządziła paellę z owocami morza, kurczaka i sałatkę z czerwonej papryki. Roisin, która z nich wszystkich najlepiej piekła ciasta, przeszła samą siebie. Przyniosła wielki czekoladowy tort na deser. Do tego miały dwa dzbanki sangrii i doskonałą rioję.

Gadały wiele godzin. Grace dziękowała niebiosom za przyjaciółki. Niamh z uśmiechem od ucha do ucha zwierzyła się, że chodzi z Kevinem; Grace już wcześniej wyczuwała, że to poważna sprawa. Tłumiąc ukłucie zazdrości, uściskała przyjaciółkę. Wcześniej Niamh przeżyła trudny okres, gdy zerwała z poprzednim chłopakiem Dave'em, z którym mieszkała dwa lata.

Przed trzecią nad ranem dziewczyny się pożegnały i wsiadły do taksówek.

W niedzielę rodzina wybrała się do restauracji Roly na obiad z okazji urodzin Maggie. To był jeden z jej ulubionych lokali, wiązało się z nim wiele wspomnień. Tu obchodzono urodziny, świętowano z okazji pomyślnie zdanych egzaminów i innych rodzinnych wydarzeń. Kelner z honorami poprowadził je do na piętro do stolika przy oknie. Mama ucieszyła się z prezentu i już nie mogła się doczekać atrakcji w nowym spa w Wicklow.

– Zabiorę Kitty, przyda jej się trochę spokoju przed ślubem. Harry doprowadza ją do szału, podliczając koszty każdego drobiazgu, a suknia ślubna jest za duża i wymaga przeróbek, bo Orla przez dwa tygodnie była na diecie Atkinsa.

– Mamo, ty też zasługujesz na odrobinę luksusu – przypomniały jej córki.

Kiedy w poniedziałek Grace wróciła ze spotkania z Derekiem, Kate powiedziała jej, że dzwonił Mark McGuinness. Zostawił swój numer na poczcie głosowej. Odtwarzając nagranie, Grace postanowiła, że nie oddzwoni. Nie miała najmniejszego zamiaru za nim się uganiać.

– Więc szanowana pani nie oddzwania – zażartował Mark godzinę później.

Dotykając zaczerwienionych policzków, Grace cieszyła się, że nie prowadzą rozmowy przez wideotelefon.

– Co u ciebie? – zapytał.

– Wszystko w porządku. – Usiłowała nadać głosowi swobodny ton.

– Spotkamy się dzisiaj na lunchu? Lecę do Londynu, a jutro do Nowego Jorku, ale bardzo chciałbym się z tobą zobaczyć.

– Świetnie.

– Umówili się o pierwszej w restauracji Dobbins tuż przy Baggot Street.

Patrząc na swoje odbicie w lustrze damskiej toalety u Thorntona, Grace pożałowała, że nie włożyła nowego kremowego kostiumu z Paryża, zamiast jak zwykle jasnobeżowego, i że rano porządnie się nie uczesała. Dzięki Bogu, w szufladzie trzymała butelkę lakieru do włosów, bo często z placu budowy wracała z rozwichrzoną fryzurą.

Serce biło jej mocno, gdy szła na spotkanie z Markiem. Od razu dostrzegła go przy stoliku w głębi. Miał na sobie drogi grafitowy garnitur. Kiedy pocałował ją na powitanie, oboje przeszył prąd. Grace musiała przytrzymać się blatu, zanim usiadła.

Zamówili proste dania: rybę i stek. Kelner przyniósł im pół butelki bordeaux.

Grace się nie odzywała. Ciekawe, czy Mark wyjaśni, dlaczego nie zadał sobie trudu, by wcześniej zadzwonić.

– Przepraszam, że się nie odzywałem – zaczął. – Przez ostatnie tygodnie byłem w Stanach, rozwiązywałem nagłą sytuację kryzysową. Jutro znów tam lecę i być może wrócę dopiero za miesiąc.

Grace utkwiła wzrok w wykrochmalonym obrusie.

– Tęskniłem za tobą. – Mark ujął ją za rękę, splatając palce z jej palcami.

– Nie wiedziałam, co myśleć. – Grace chwilę się zawahała. – Sądziłam, że w tamten wieczór u mnie zdarzyło się między nami coś wyjątkowego, a potem… Zupełna cisza.

– Grace, jeszcze tylko kilka tygodni i będziemy mieli czas dla siebie. Przyrzekam.

Potaknęła. Rozumiała, że zajmuje jedno z ostatnich miejsc na liście Marka, podczas gdy on na jej liście znajdował się na szczycie. To oznaczało, że kroczą w przeciwnych kierunkach, a nie była pewna, czy wzajemny pociąg zdoła to zmienić.

– Masz jakiś problem z budową albo nieruchomością? – zapytała.

– Nic z tych rzeczy. Zaufaj mi, Grace. To sprawa osobista.

Nabrała powietrza w płuca. Żona, dziewczyna, rozwód: w gruncie rzeczy nie chciała wplątywać się w kłopoty Marka, a on nie zamierzał się jej zwierzać.

Rozmowa zmieniła się w wymianę grzeczności. Mark zapytał o rękę Evie i opowiadał o postępach w remontowaniu domu.

– Mark, muszę wracać do pracy, za pół godziny mam spotkanie z klientem.

Na zewnątrz świeciło słońce. Ulicami Dublina spacerowały pary ubrane w krótkie spodnie lub spódnice i T-shirty. Mark wziął ją za rękę.

Przystanęli przed schodami do Thorntona i popatrzyli na siebie zakłopotani. Grace bardzo kusiło, by dać sobie spokój z pracą i resztę dnia spędzić z Markiem.

– Zobaczymy się po moim powrocie – przerwał milczenie. Pocałował ją, a ona, niemal wbrew sobie, pogładziła go po policzku. Żałowała, że muszą się rozstać.

Usiadła za biurkiem i wpatrując się w nowy wygaszacz ekranu, wielki czerwony latawiec na tle błękitnego nieba, ze wszystkich sił próbowała się nie rozpłakać.

Rozdział 51

Maggie leżała na kocu rozłożonym na piasku i co chwila odrywała się od lektury, by popatrzeć na Sarę, Evie i Annę, które stały na brzegu. Na ich widok nagle poczuła się stara i zmęczona. Dziesięć lat temu szalałaby z nimi, teraz jak kotu wystarczyła jej kąpiel w promieniach sierpniowego słońca, dotyk ciepła na skórze. Miło było widzieć córki bawiące się jak dzieci; opalona, szczęśliwa Sara i Anna z włosami skręconymi od słonej wody śmiały się jak dwunastolatki, usiłując złapać Evie. Tak, coroczne przyjazdy do Mewiej Chatki wszystkim im dobrze robiły.

Przyjaciele mieli letnie domy i apartamenty w Marbelli, Alcudii i Algrave, Maggie jednak uważała, że chata Annabel, gdzie Leo spędził dzieciństwo, to dar niebios. Miejsce nieskażone, pozwalające na prawdziwy odpoczynek nad morzem. Leo je uwielbiał, co roku w czasie wakacji pakowali się i uciekali na zachód. Czasami Annabel im towarzyszyła, niekiedy zostawiała dom do ich wyłącznej dyspozycji, a sama wyjeżdżała w odwiedziny do krewnych i przyjaciół w Anglii albo dalej. Dziewczynki wychowały się w Mewiej Chatce, uczyły się pływać, grać w tenisa i surfować. Wiele rzeczy tutaj miało swój początek. Wspomnienia minionych wakacji napłynęły szerokim strumieniem: Sara uczy się chodzić na plaży, Anna skacze ze skał i łamie nogę, Grace spędza wiele godzin na budowaniu skomplikowanych zamków z piasku. Lody, butelki ciepłej lemoniady, chipsy, wiaderka i łopatki, sandałki i ręczniki, mokre włosy i stroje kąpielowe, długie spacery w kurtkach i czapkach przy sztormowej pogodzie, podziwianie zmiennych kolorów morza, wieczny szum fal. Zawsze planowali, że kiedy Leo przejdzie na emeryturę, będą tu spędzać więcej czasu. Miejscowi byli bardzo sympatyczni, a Annabel Ryan cieszyła się powszechną sympatią, dzieląc czas między życiem wioski a własnymi zainteresowaniami: czytaniem, malowaniem i uprawianiem ogrodu. Zrobiła im wspaniały prezent, zostawiając w spadku dom; jej drugi syn David, który mieszkał w Szkocji, cieszył się, że chata pozostała w rodzinie, i zdania nie zmienił nawet po śmierci Leona.

— Idziesz popływać, babciu? — Evie stanęła nad Maggie. Pluskała się od wielu godzin, a jednak, jak to dziecko, nie odczuwała zimna.

— Dobrze mi tu z moją książką.

— Ale ty wcale nie czytasz, widziałam! No chodź, proszę. Pokażę ci, jak pływam na plecach.

Maggie się uśmiechnęła. Evie w wodzie czuła się jak ryba, a ponieważ zdjęto jej gips z ręki, ciągle tylko pływała.

– No dobrze! – ustąpiła. Zdjęła sandały i okulary przeciwsłoneczne, zakładką zaznaczyła stronicę w książce i wzięła wnuczkę za rękę.

Evie to takie dobre dziecko, wniosła w jej życie mnóstwo radości. Dzięki jej słodkiemu usposobieniu bycie babcią okazało się proste.

Woda była lodowata, Maggie aż się skuliła.

– No chodź! – ponagliła Evie, wbiegając do morza.

– Poczekaj, babcia musi się zahartować – upomniała córkę Sara.

– Lepiej zanurzyć się szybko i mieć to z głowy – poradziła matce.

Maggie zrobiła kilka kroków. Fale biły ją coraz wyżej, w kolana, uda, biodra, ścinając krew w żyłach. Wzięła głęboki wdech, zanurzyła się i zaczęła płynąć.

Evie wyskoczyła koło niej jak morświn.

– Patrz, babciu, patrz!

Dziewczynka odwróciła się i sprawnie popłynęła na plecach. Maggie, Anna i Sara nagrodziły ją brawami. Evie pęczniała z dumy.

– Bardzo ładnie – pochwaliła Sara, przytulając mocno córkę.

Anna zapędziła się głębiej w morze, potem skręciła i popłynęła równolegle do brzegu. Maggie towarzyszyła jej przez kilka minut, ale było jej coraz zimniej, więc zawróciła.

– Wychodzę, zanim całkiem skostnieję! – zawołała do córek. Owinęła się ręcznikiem i mocno wytarła, później energicznie ruszyła na piętnastominutowy spacer, żeby się rozgrzać.

Kiedy wróciła, dziewczyny siedziały na kocu i zajadały czekoladę. Maggie poczęstowała się kawałkiem. Evie, usadowiona na kolanach Sary, zabawiała towarzystwo głupimi żartami, które słyszała w przedszkolu.

– Dzisiaj na kolację przychodzi Rob. Chyba nie macie nic przeciwko temu – oznajmiła Anna. – Ja gotuję.

Maggie uśmiechnęła się, dostrzegając znaczący błysk w oczach Sary.

– To wspaniale, skarbie. Rob jest miłym chłopakiem. Twoja babcia zawsze na nim polegała i razem spędzali dużo czasu.

W Mewiej Chatce Anna najwyraźniej czuła się swobodnie. Prostota krajobrazu rzuciła na nią urok, a młody Rob O'Neill z całą pewnością odegrał w tym ważną rolę. Dla wszystkich było jasne, że Anna i Rob wiele dla siebie znaczą. Maggie nie chciała się wtrącać, jeśli jednak Anna traktuje Roba serio, będzie musiała wprowadzić sporo zmian w swoim życiu.

– Grace przyjeżdża tu w piątek, prosto z pracy – oznajmiła Anna. – Rob w sobotę urządzi grilla u siebie, jeśli termin wszystkim odpowiada.

– Byłoby miło – odparła Maggie. Jak dobrze układają się sprawy dla Anny i Sary. Teraz musi się martwić tylko o Grace. Prawdziwą tajemnicą było to, co działo się między Markiem a jej najstarszą córką.

– Angus ma wpaść w sobotę. Jak sądzisz, może pójść z nami na grilla?

– Im więcej, tym weselej – odparła Anna, smarując się kremem z filtrem. Miała najjaśniejszą skórę w rodzinie i nie chciała wyglądać jak gotowany homar.

– Angus nigdy nie był na zachodzie Irlandii. Myśli, że tu jest jak w szkockich górach! Chce, żebyśmy przed końcem wakacji pojechały z Evie do Szkocji.

– Więc poznasz klan Hamiltonów! – zawołała Anna.

– Tak. To trochę przerażająca perspektywa.

– I zobaczymy potwora z Loch Ness – dodała Evie, grzebiąc w piasku patykiem.

– Jedziemy tylko na trzy dni – powiedziała Sara – więc nie wiem, czy w ogóle dotrzemy nad jezioro.

– Jeśli jego bliscy są choć w połowie tak sympatyczni jak on, nie masz się czego obawiać – pocieszyła ją Maggie. Widziała wyraźnie, że Sara denerwuje się na myśl, iż Angus przedstawi rodzicom dziewczynę z dzieckiem. Ale ilekroć o nich mówił, wydawali się miłymi, serdecznymi ludźmi.

– Wygląda na to, że sprawa jest poważna! – zażartowała Anna.

Sara rzuciła w nią japonką.

– I kto to mówi!

Maggie wzięła książkę. Nie zamierzała się odzywać, dostatecznie już się wtrącała w sprawy córek. Teraz wszystko zależy od nich.

Rozdział 52

*A*nna kroiła pomidory, paprykę i ogórki na surówkę, Rob sprawdzał kurczaka w marynacie i wcierał zgnieciony czosnek w steki. Pół godziny wcześniej przyjechała jego rodzina: rodzice Pat i Sheila oraz siostra Dee z mężem i synami. Ubrana w dżinsową spódnicę i lnianą bluzkę Sheila chodziła po ogrodzie i oglądała rośliny. Przywiozła Robowi doniczkę z rozmarynem, którą ustawiła na schodach do kuchni.

– Doskonale się nadaje do pieczonego kurczaka albo jagnięciny – powiedziała.

– W Thurles jest dzisiaj dobry mecz – oznajmił Pat, nalewając sobie czerwonego wina. – Galway powinno dostać się do ćwierćfinałów.

– Tony Fahey był rewelacyjny – zgodził się Rob. Obaj wdali się w szczegółowe omawianie meczu.

Anna zauważyła, że ojca z synem łączą przyjacielskie stosunki i podobne poglądy na życie. Dee, która pracowała na pół etatu jako pielęgniarka, była drobna i pulchna, z kpiącymi ciemnymi oczyma i wielkim poczuciem humoru. Jej mąż Luke siedział z ich dwoma synkami w ogrodzie. Anna wyniosła na zewnątrz trzy wielkie misy surówki. Wzięła kieliszek wina i dołączyła do towarzystwa. Dee piła wodę mineralną, bo w grudniu spodziewała się dziecka.

– Chłopców trudno ujarzmić, nie wiem, jak sobie poradzę, gdy urodzi się następny – zażartowała. Siedmioletni Tim i jego młodszy brat Ferdia siłowali się na trawie.

– Hej, wy tam, zachowujcie się! – upomniała ich babcia, sadowiąc się na leżaku.

Z drogi dobiegł odgłos hamującego samochodu. Anna pobiegła na powitanie mamy, sióstr i Angusa. Zaprowadziła całą grupę do ogrodu i przedstawiła gościom.

– Ojej! – mruknęła z podziwem Grace na widok domu z wysokimi oknami i wspaniałym widokiem na morze.

Kiedy wszyscy mieli drinki, Rob z dumą oprowadził nowo przybyłych po swojej siedzibie. Anna zrobiła sos do surówek i zajrzała do piecyka, gdzie piekły się ziemniaki w oliwie i ziołach.

Angus był pod wielkim wrażeniem i Rob musiał mu dokładnie opowiedzieć, jak wiejską szkołę zmienił w taki piękny dom.

– Rewelacyjna robota! – chwaliła Grace. – Dom jest widowiskowy, a od Anny słyszałam, że adaptujesz też starą latarnię morską Corry'ego.

– To zupełnie inny projekt, ale wolę odnawiać, niż burzyć, to niesamowita przyjemność.

Sheila i Maggie, dwie matki, polubiły się od pierwszego wejrzenia; z przejęciem plotkowały o sąsiadach i biednej Angeli Reynolds, która mieszkała sama z małym terrierem yorkshire, a choć chorowała, nie chciała się przenieść do domu opieki.

Na początku Evie trzymała się dorosłych, ale gdy tylko zaczęła rozmawiać z chłopcami, zapomniała o nieśmiałości i nie minęło wiele czasu, a biegała jak szalona za piłką, którą Ferdia znalazł pod krzakiem. Pies z ujadaniem gonił między nimi.

– Evie świetnie się bawi! – ucieszyła się Sara.

Rob rozpalił grill i powietrze wypełnił aromat pieczonej wołowiny, piersi kurczaka i kiełbaski. Kiedy mięsa były gotowe, Rob nałożył je na talerze. Anna przyniosła miskę z parującymi ziemniakami.

– Gratulacje dla szefa kuchni! – powiedział wesoło Luke, z apetytem zabierając się do jedzenia.

Anna usiadła obok Grace; widziała, że siostrze nie dopisywał humor jak pozostałym.

– Dom jest wspaniały. On też. – Grace dyskretnie wskazała Roba.

Anna przewróciła oczami.

– Mówię poważnie. – Spojrzała siostrze prosto w oczy. – Rob jest dla ciebie idealny!

– Wiem – przyznała Anna. Popatrzyła na drugi koniec stołu, gdzie Rob siedział między Angusem a swoją matką i bawił ich zwariowanymi wędkarskimi opowieściami. – Czasami po prostu nie mogę w to uwierzyć, tak bardzo się różnimy, ale jakimś cudem pasujemy do siebie.

– Szczęściara. – Grace uśmiechnęła się zazdrośnie.

– A ty? – zapytała Anna. – Mark się odzywał?

– Jeszcze nie wrócił, ale w zeszłym tygodniu przysłał esemes, że o mnie myśli. Żadnych telefonów, e-maili, tylko głupi trzywyrazowy esemes!

– Ale przynajmniej pozostaje w kontakcie – pocieszyła ją Anna i napiła się wina. Powiodła wzrokiem wokół siebie: goście dobrze się bawili. Obawiała się zaproszenia obu rodzin jednocześnie i gdyby Rob nie nalegał, nigdy by się nie zgodziła. Teraz cieszyła się, że go posłuchała. Siedząc w pogodny letni dzień przy stole z ludźmi, których oboje z Robem kochali, i patrząc na Atlantyk, czuła się spełniona.

Po wyjściu gości Anna i Rob pozmywali naczynia. Później, gdy zaspokoili namiętność, leżeli przytuleni i patrzeli na poświatę księżycową, która migotała na wodzie.

– Chcę, żebyś została – powiedział.

– Przecież zostałam. – Ze śmiechem szturchnęła go kolanem w biodro.

– Nie, chodzi mi o to, żebyś została na zawsze, a nie bywała tylko w weekendy i wakacje. Żebyś wprowadziła się tutaj, zamieszkała ze mną i... psem. – Usiadł, obserwując jej reakcję.

Widziała jego gęste ciemne rzęsy, przy których oczy wydawały się większe, blizny po trądziku z czasów młodości, drobne piegi na karku.

W gruncie rzeczy absolutnie nic ich nie łączyło. Rob był budowlańcem, szkołę rzucił w wieku szesnastu lat, ona pracowała na uniwersytecie i była szanowaną znawczynią literatury angloirlandzkiej; on nie znosił poezji i ckliwych książek, ona żyła językiem, on pochodził ze wsi, ona z miasta. A mimo to wiedziała, że nie potrafi żyć bez niego, że każda rozłąka ją zabija. Wcześniej nienawidziła prawdziwego świata, pragnęła jedynie takiej miłości, o jakiej opowiada literatura. Teraz zależało jej wyłącznie na tym serdecznym, kochającym, zwyczajnym mężczyźnie. Zanim spotkała Roba, chciała odgrodzić się od rzeczywistości, cieszyć się ciszą i samotnością, ale on jak rycerz w lśniącej zbroi uratował ją z wysokiej wieży, którą sama zbudowała. I każdy dzień zaczynał się od kawy, śmiechu, rozmów o przyszłości bliższej i dalszej...

– Dobrze – odparła łagodnie. Pragnęła tego tak bardzo jak on. Zmarnowała dość czasu. Nie miała jednak pojęcia, jak wszystko poukładają. Co z karierą, pracą, kwestiami finansowymi, domem w Dublinie? Wszystko to było na razie szalenie mgliste, ale w zasadzie nie miało większego znaczenia. Najważniejsze, że zamierzała zamieszkać z Robem i spędzić z nim życie. Pocałowała go i objęła mocno za szyję. Oboje bez pośpiechu udowadniali sobie, jak bardzo się kochają.

Rozdział 53

Maggie wstrzymała oddech, gdy wjechała na podjazd i zobaczyła Anuę, niski budynek z drewna, szkła i kamienia, usadowiony nad spokojnymi wodami jeziora Kilcara. Czapla leniwie rozpostarła skrzydła i wzbiła się w powietrze.

Pięknie położony luksusowy ośrodek spa w Wicklow zasługuje na wszystkie pochwały, którymi go obdarzano, pomyślała, jadąc zadrzewioną aleją na dyskretnie osłonięty parking.

Przeklinała los za to, że Kitty zachorowała na anginę i nie mogła z nią tu przyjechać. Gdy w ciągu dnia rozmawiały, siostra ledwo wydobywała z siebie głos. Później Harry, zaniepokojony wysoką temperaturą, wezwał lekarza. Kitty dostała końską dawkę antybiotyku i musiała leżeć w łóżku. Biedactwo! Na pewno stres i wysiłek związany ze ślubem Orli zbierają swoje żniwo.

Maggie nie wiedziała, co zrobić z rezerwacją. Początkowo chciała odwołać pobyt, ale okazało się, że rezygnacja tuż przed przyjazdem oznacza stratę prawie całej wpłaconej sumy. Telefony do córek i przyjaciółek nic nie dały. Grace służbowo wyjeżdżała do Amsterdamu, Anna była w Connemarze. Sara z radością towarzyszyłaby matce, ale gdzie w tak krótkim czasie znajdzie opiekunkę dla Evie? Fran i Lousie były zajęte, Rhonę czekała tygodniowa wizyta jędzowatej teściowej Lily.

— Przydałby mi się weekend w spa, ale Lily wyjechała już z Cork — jęknęła do słuchawki.

Tak więc Maggie pozostała alternatywa: albo odwoła wyjazd i przeboleje pieniądze, albo pojedzie sama. Zebrała się na odwagę i wybrała drugą opcję.

— Pani Ryan, skoro pani gość nie mógł przyjechać, proponujemy pani dodatkową dobę — powiedziała śliczna recepcjonistka.

— Och, cudownie. — Maggie uśmiechem próbowała pokryć obawy; poza pobytami w szpitalu, kiedy rodziła dzieci i usuwano jej wyrostek, nigdy w życiu nie spędziła sama nocy poza domem. To będzie nowe doświadczenie, miała nadzieję, że przyjemne, bo przeżyte w tym pięknym miejscu.

Przyjechała objuczona książkami i magazynami. Musiała zadbać nie tylko o ciało, ale także o duszę. Przyda jej się ten samotny weekend na wsi. Trzeba naładować akumulatory i na nowo uporządkować swoje życie. Była sama, córki miały własne sprawy, najwyższy czas znaleźć własną drogę.

Idąc przez oszklony hol do pokoju, minęła dwie pary w puszystych szlafrokach, które najwyraźniej wracały z basenu na otwartym powietrzu z widokiem na jezioro. Nie mogła się doczekać, kiedy tam pójdzie. Cały ośrodek zaprojektowano pięknie: jedna ściana cała ze szkła, podłogi z polerowanego dębu, sztuka abstrakcyjna na białych tynkach. Akcentami ocieplającymi prosty wystrój były wielobarwne dywany przedstawiające cztery żywioły.

Pokój okazał się wspaniały. Okna od podłogi do sufitu wychodziły na rabatę z lawendą i drewniany pomost do jeziora. Na wielkim łóżku z białą pościelą pyszniły się różowe i fioletowe poduchy. W wykuszu mieściła się idealnie okrągła sofa z podnóżkiem i prostym dębowym stolikiem. Łazienka wyglądała jak na fotografii w eleganckim czasopiśmie: dwie owalne czarne umywalki, podłoga i ściany z kamienia. W małej lodówce Maggie stały soki, wody mineralne oraz małe buteleczki wina. Leo pokochałby to miejsce, pomyślała, przeglądając plan zabiegów na następne dni. Pływanie, hydroterapia, joga, pilates, taniec, masaż ciała, okłady, piling, depilacja, drenaż limfatyczny, irygacje, piling twarzy, kąpiele w błocie i algach oraz cały wachlarz egzotycznie brzmiących zabiegów, które Maggie miała ochotę wypróbować. Bez Kitty dysponowała podwójną liczbą kuponów i zamierzała je wykorzystać, by zrobić sobie przyjemność. Rozsunęła ciężkie drzwi i wyszła na prywatny taras, gdzie stały dwa leżaki z poduszkami koloru piasku i dwie donice z aromatyczną lawendą. W dłoni trzymała plan dodatkowych atrakcji: spacery po lesie, jazda na kucykach, łucznictwo, żeglarstwo, kajaki, rowery, malowanie i lepienie z gliny. Z całą pewnością weźmie udział w jednym z tych zajęć. Szkoda że nie ma Kitty, wtedy we dwie zrobiłyby z siebie idiotki.

Rozpakowała torbę i znów przestudiowała ofertę. Zdecydowała się popływać i poleżeć w gorącym basenie, a potem pójść na spacer, żeby poznać okolicę. Na jutro przewidziała masaż głowy, piling twarzy i hennę.

Wyciągnęła strój kąpielowy. Żałowała, że dietę Atkinsa stosowała tylko przez tydzień, a nie przez miesiąc, bo straciła marne trzy kilogramy. Wciągając brzuch, otuliła się hotelowym szlafrokiem, wsunęła stopy w kapcie i ruszyła na basen. Zastała tam czworo innych gości. Powitała ich skinieniem głowy, weszła do wody i zaczęła pływać. Basen był niezwykły. Cały oszklony dawał wrażenie przebywania na otwartym powietrzu. Z boku znajdowały się drzwi do niezadaszonej części z gorącą wodą i pomostem do opalania. Maggie przepłynęła kilka długości i przeniosła się tam. Para po trzydziestce i kobieta po siedemdziesiątce siedzieli wygodnie i rozmawiali o wspaniałościach spa i jadłospisie na wieczór.

– Jedzenie tutaj jest cudowne – oznajmiła starsza pani, jak się okazało, stały gość ośrodka. – Lepsze niż w większości najmodniejszych restauracji, a w dodatku zdrowe i naturalne.

– Słyszałam, że sami uprawiają warzywa – wtrąciła Maggie.

– Jeśli wybierze się pani na spacer ścieżką koło krzewów róż, dojdzie pani do ogrodu warzywnego z cieplarniami. Widziałam tam pomidory i truskawki. Człowiek naprawdę inaczej się czuje, kiedy wie, że mają własne produkty.

Renata i Karl, małżeństwo z Niemiec, polecali kąpiele błotne.

– Zobaczy pani, jak skóra będzie potem jaśniała – zachęcała kobieta.

– Spróbuję – powiedziała Maggie. Odprowadzała ich wzrokiem, gdy odchodzili, trzymając się za ręce. Tak, Leo pokochałby to miejsce. No dobrze, musiałaby go przywlec wrzeszczącego i kopiącego, ale na miejscu zrelaksowałby się i wykorzystał wszelkie dobrodziejstwa. Miała szczerą nadzieję, że nie będzie natykać się wyłącznie na pary, bo czułaby się jeszcze bardziej samotna.

Spacerując, zauważyła trzy dziewczyny w wieku Grace; chyba przyjechały tu na przedślubne zabiegi kosmetyczne, bo podsłuchała, jak mówią o liście gości i dekoracji stołów. W barku zamówiła herbatę ziołową i rogalik, potem się przebrała i ruszyła na kąpiel błotną. Węgierski terapeuta cierpliwie wyjaśniał korzyści płynące z zabiegów wzbogaconych minerałami. Maggie starała się nie wybuchnąć śmiechem, gdy w lustrze uchwyciła swoje odbicie. Wyglądała jak wielkie tłuste niemowlę unurzane w błocie. Dzięki Bogu, jest sama i nikt jej tak nie zobaczy. Sąsiednie boksy były zajęte, z jednego dobiegł męski śmiech.

– Jeszcze niczego nie widziałeś – powiedział głos zza ścianki.

Maggie roześmiała się serdecznie. Długo nie mogła się opanować i już myślała, że przez to popęka na niej warstwa wysychającego błota. Po godzinie terapeuta obmył ją silnym strumieniem źródlanej wody i zrobił masaż przy użyciu migdałowego olejku. Skóra stała się w dotyku jak jedwab. Nagle Maggie stwierdziła, że wprost umiera z głodu.

Po powrocie do pokoju stłumiła pokusę, by wczołgać się do łóżka i zamówić coś na górę. Włożyła turkusową lnianą sukienkę, którą Leo zawsze lubił, srebrne kolczyki, prezent od Grace na Boże Narodzenie dwa lata temu, i sandałki. Do torebki wrzuciła powieść Anity Shreve i poszła do fantastycznej jadalni z widokiem na jezioro. Kelner zaprowadził ją do stolika pod ścianą, skąd w świetle świec mogła dobrze przyjrzeć się innym gościom. Zobaczyła pary, grupę dziewcząt na wyjeździe służbowym, przyszłą pannę młodą i jej dwie przyjaciółki, kilkoro dojrzałych osób, które w kącie dyskutowały o winach. Postanowiła szybko zjeść i wrócić do pokoju. Na razie cieszyła się widokiem słońca wolno zachodzącego za taflę wody i nieba znaczonego smugami czerwieni.

Kelnerka Leila była rozmowna i bardzo sympatyczna, chętnie opowiedziała o różnych potrawach. Maggie nie zamierzała stosować surowej diety, wybrała więc łososia z letnią sałatką, pieczoną jagnięcinę, słodkie ziemniaki i warzywa. Ponieważ sama nie wypiłaby butelki wina, na początek zamówiła kieliszek chablis. Nie znosiła zamawiać win, w tej kwestii zawsze polegała na wiedzy męża, dlatego teraz ucieszyła się, że dokonała trafnego wyboru. Dwie przyjaciółki w zaawansowanej ciąży, które zajmowały pobliski stolik, wzięły owocowy mus do dwóch ogromnych steków i gigantycznej miski sałatki.

Maggie odprężyła się, popijając wino. Nie chciała podsłuchiwać cudzych rozmów ani sprawiać wrażenia całkiem opuszczonej, więc otworzyła książkę.

– Proszę wybaczyć – odezwał się męski głos. Maggie podniosła głowę. – Siedzę po drugiej stronie sali i zauważyłem, że jest pani sama. Zechciałaby pani dotrzymać mi towarzystwa podczas kolacji?

Krótko ostrzyżone srebrne włosy, szeroka twarz... w sumie przystojny starzejący się rugbista. Na palcu ślubna obrączka.

– Oczywiście jeśli to pani nie przeszkadza – dodał, a już zbierał się do odejścia.

– Będzie mi bardzo miło – odparła Maggie, chowając książkę do torebki. – Proszę siadać.

– Na pewno?

– Ależ naturalnie – zapewniła.

Kelnerka postawiła na stole kieliszek i butelkę czerwonego wina.

– Jestem Myles Sweeney.

– A ja Maggie Ryan.

– Już nieraz się przekonałem, że nie ma nic trudniejszego niż siedzenie w pojedynkę przy restauracyjnym stoliku.

Maggie przyznała mu rację. Nie znosiła takich sytuacji i w miarę możliwości ich unikała. Często wolała być głodna niż zażenowana z powodu samotnego siedzenia w restauracji. Towarzystwo przez godzinę z pewnością jej nie zaszkodzi, a może okazać się całkiem przyjemne.

Przy kolacji dowiedziała się, że Myles owdowiał dwa lata temu, jego żona Patricia umarła na raka piersi. Miał dwóch dorosłych synów i pięcioro wnucząt.

– Patricia była z nami na weselach i na trzech chrztach. Żyła kilka lat dłużej, niż przewidywali lekarze – wyznał Myles. – Wspaniała kobieta.

Maggie opowiedziała mu o Leonie i swojej stracie. W jego oczach widziała zrozumienie i współczucie. Oboje roześmiali się głośno, kiedy odkryli, że do spa wysłały ich rodziny.

– Dziewczyny postanowiły, że muszę zejść im z drogi. Najmłodsza jutro wieczorem urządza przyjęcie i nie chce, żeby staruszka psuła jej atmosferę.

– Trudno cię nazwać staruszką – zaprotestował Myles. – A poza tym nie wyobrażam sobie, żebyś zepsuła komukolwiek atmosferę.

– Mam nadzieję, że nie.

– Chłopcy ciągle suszą mi głowę, żebym schudł – zwierzył się, nalewając jej wina. – A to niełatwe. Od śmierci Patricii często kupuję jedzenie na wynos albo biorę udział w wielkich biznesowych lunchach. Synowie martwią się o mnie; uznali, że powinienem o siebie trochę zadbać. Świeże powietrze i zdrowy tryb życia! Wcześniej wziąłem kąpiel błotną. Czułem się jak kurczak przygotowany do pieczenia, powinnaś była mnie widzieć!

Maggie wybuchnęła śmiechem.

– Słyszałam cię.

Myles był miłym i zabawnym człowiekiem; ze zdziwieniem stwierdziła, że męskie towarzystwo sprawia jej przyjemność. Poczęstował ją winem. Maggie rozejrzała się po sali – niczym nie różnili się od innych gości. Na deser zamówili świeże maliny ze śmietaną. Przy kawie Myles opowiedział o swojej firmie. Maggie zauważyła, że goście przenoszą się do baru, z miękkimi sofami. Była zaskoczona, kiedy Myles pożegnał się i podziękował za towarzystwo.

– Dobranoc – powiedziała. Później patrzyła, jak jego wysoka postać omija kelnerkę, która zaczęła sprzątać ze stolików.

Ziewnęła. Czas do łóżka, z kołdrą z gęsim puchem i wykrochmalonym prześcieradłem. Przed zaśnięciem trochę jeszcze poczyta.

W świetle księżyca stała na drewnianym pomoście i myślała o Leonie, który przebywał daleko, w innym świecie, innym wymiarze.

– Dobranoc, mój kochany – szepnęła. Zamknęła drzwi i zaciągnęła zasłony.

Rozdział 54

Sarze ścisnęło się serce, kiedy usłyszała o chorobie cioci Kitty, bo wszystko wskazywało na to, że podróż do spa zostanie odwołana. Mama namówiła ją, by zaprosiła przyjaciół na sobotni wieczór, i Sara już powiadomiła pięćdziesiąt osób o „małej imprezce" w domu. Teraz oczyma wyobraźni widziała, jak do wszystkich dzwoni i odwołuje zaproszenie. Prawdziwy koszmar!

– I co zrobisz? – Grace zadzwoniła z Amsterdamu, gdzie wyceniała nieruchomość dla klienta.

– Trzymam kciuki, że mama jednak pojedzie. Już nie można wycofać pieniędzy. Próbowała mnie namówić, ale co zrobię z Evie? Poza tym zależy mi na tej imprezie.

– Przekonam mamę, żeby pojechała sama – obiecała Grace. – Do zobaczenia jutro wieczorem. Wracam ostatnim samolotem z Schipol do Dublina, więc pewnie od razu przyjadę do ciebie, dobrze?

Mimo wątpliwości Maggie postanowiła pojechać. Zostawiła Sarze dwanaście butelek białego wina i poradziła, żeby w domu i ogrodzie rozstawić świece.

– Światło świec zawsze tworzy miły nastrój. – Objęła córkę na pożegnanie. – Baw się dobrze, skarbie, i pozdrów ode mnie wszystkich.

Sara całą sobotę sprzątała i ustawiała stoły w ogrodzie. Przygotowała wielkie ilości pikantnego kurczaka i mielonej wołowiny w sosie z odrobiną chili, które zamierzała podać z tacos, fajitas, dodatkami i dwoma misami sałatek. Każdy będzie sam się częstował – Sara lubiła prostotę. Rozstawi jedzenie na stole w kuchni, a jeśli pogoda dopisze, goście wyjdą do ogrodu. W łazience wyłożyła świeże ręczniki i mydło, a stosy matczynych czasopism i listów rozrzuconych w kuchni i salonie zaniosła do gabinetu ojca. Szybki rajd z odkurzaczem, kilka bukietów w szklanych wazonach i dom wyglądał wspaniale.

Angus zaskoczył ją, przynosząc skrzynkę piwa. Włożył je do lodówki i starej wanienki Evie na podwórku. Kupił też kilka torebek chipsów.

– Pomogę ci – zaproponował i zajął się ustawianiem głośnika w ogrodzie.

Przez kilka ostatnich dni Sara przeglądała swoje płyty, potem przegrała wybrane utwory na iPoda.

Evie wprost pękała z podniecenia, wszędzie było jej pełno, podjadała chipsy i pytała, kto przyjdzie.

– Angus i wszyscy moi przyjaciele – odparła Sara. – Ciocia Grace, Orla, Liam, Karen, Mick i wiele innych osób.

– Mogę zostać na przyjęciu? – zapytała błagalnie Evie.

– Możesz, ale musisz przysiąc, że położysz się spać, kiedy ci powiem.

Evie wydęła dolną wargę na znak uporu.

– Bo inaczej pójdziesz do łóżka, zanim zacznie się przyjęcie – zagroziła Sara.

Dziewczynka się zgodziła. Obie przekąsiły coś szybko i przebrały się. Sara włożyła jasnozieloną sukienkę ze skrzyżowanymi ramiączkami, którą kupiła na wybrzeżu, i złote sandały. Evie jak zwykle wybrała strój księżniczki.

Dom i ogród wyglądały pięknie, w dodatku pogoda dopisała. Zaczęli się schodzić goście. Sara przedstawiła Angusa. Ucieszyła się, że Karen i Mick oprócz wina przynieśli też żelkowe dinozaury i kolorowankę o Barbie dla Evie.

– Bardzo dziękuję. – Uściskała najlepszą przyjaciółkę.

Kiedy przez kuchnię weszli do ogrodu, Karen rzuciła torebkę i szal na krzesło.

– Zajmuję sobie miejsce, bo nie wystoję całą noc – oznajmiła. – Do dnia inwazji zostało tylko pięć tygodni, dzięki Bogu!

Potem przyszła Orla z narzeczonym. Evie podskakiwała z radości, słuchając o bliskim ślubie i przymiarce sukienki.

– Jak się miewa moja ulubiona dziewczynka od kwiatów?

Mała okręciła się na pięcie i zademonstrowała, jak poważnie będzie kroczyła nawą.

– Cudownie – pochwaliła Orla, dając Evie buziaka.

W ogrodzie robiło się coraz tłoczniej.

– Ronan! – krzyknęła Sara. Wyglądał szalenie przystojnie w kremowej lnianej marynarce i piaskowych spodniach. Zaprosiła go, ale w gruncie rzeczy nie spodziewała się, że przyleci z Londynu.

– Kolejny weekend w Dublinie. Dzięku Bogu za Ryanair.

Złapała go za ramię i przedstawiła znajomym. Dziwiła się, że przyszło ich aż tak wielu. Poczeka chwilę i zacznie podawać jedzenie. Angus pomagał z zapałem, otwierał butelki wina. Od pierwszej chwili polubił Ronana i zabawiał go opowieściami o wyprawie do Edynburga sprzed czterech lat.

Irena przyprowadziła wysokiego przystojnego chłopaka. On też był Polakiem. Obejmował ją cały wieczór. Najwyraźniej bardzo mu na Irenie zależało.

Ku zaskoczeniu Sary przyszedł też Mark McGuinness. Przyniósł wielki bukiet kwiatów i dwie butelki czerwonego wina. Zaprosiła go, żeby podziękować za pomoc, kiedy Evie złamała rękę.

– To nie są moje urodziny! – Zaśmiała się, mocno go ściskając.

– Dama zawsze powinna dostawać kwiaty – zażartował.

Przedstawiła nowego sąsiada swoim koleżankom ze szkoły, Karen i Mickowi. Okazało się, że Mick zna Marka, spotkali się w jakichś służbowych sprawach.

– Nieważne, gdzie jesteśmy, on zawsze kogoś zna – zauważyła Karen, z dumą spoglądając na męża.

Sara tak świetnie się bawiła, że omal zapomniała o jedzeniu; musiała w pośpiechu wszystko podgrzać. Irena pomogła jej wynieść naczynia na wielki stół, skąpany światłem świec.

Goście wzięli talerze i ustawili się w kolejce. Grace, która w końcu przyjechała, od razu włożyła fartuch w niebiesko-białe paski i ruszyła z pomocą.

– Dzięki – szepnęła Sara z ulgą.

– Ojej, zebrałaś sporo ludzi. – Grace z podziwem rozejrzała się po pokoju.

– Sami przyjaciele.

I to bardzo dobrzy. Stali przy niej w trudnych czasach, kiedy była samotna i marnie się jej wiodło, więc teraz chciała z nimi świętować odmianę losu.

– Nie powiedziałaś mi, że on też przyjdzie! – szepnęła Grace, odgarniając z twarzy jasne włosy.

– Ronan? Nie sądziłam, że będzie. – Sara spojrzała na ogród, gdzie Dempsey siedział przy stole i napychał się faitą z serem, mielonym mięsem i papryką.

– Miałam na myśli Marka.

– Na litość boską, Grace, oczywiście, że go zaprosiłam. To nasz sąsiad i przyjaciel.

Widząc, jak twarz siostry zalewa się płomiennym rumieńcem, Sara postanowiła nie mówić nic więcej. Tymczasem Clodagh Flannery, która mieszkała na drugim końcu placu, z ożywieniem rozmawiała z Markiem. Miała kruczoczarne włosy i idealną figurę modelki, więc mężczyźni padali jej do stóp. Dwa miesiące temu zerwała z rugbystą z reprezentacji Irlandii. Z kuchennego okna Sara zobaczyła, że Evie zaczyna się słaniać, przeprosiła więc i poszła do córki.

– Hej, księżniczko, czas do łóżka!

– Mamusiu, jeszcze nie – zaprotestowała mała, choć powieki się jej kleiły. Ale gdy Sara przypomniała jej o obietnicy, z ociąganiem powiedziała gościom dobranoc.

Grace zaproponowała, że położy ją do łóżka.

259

– To twoje przyjęcie, Saro. Poza tym tak rzadko mam okazję pobyć z moją chrześnicą księżniczką.

Grace to wspaniała ciocia i idealna matka chrzestna, pomyślała Sara. Pocałowała Evie i poszła sprawdzić, czy wszyscy mają coś do picia. Po jedzeniu nie zostało ani śladu, więc wystawiła jeszcze przekąski. Atmosfera była swobodna, kilka osób tańczyło na tarasie.

Sara z kieliszkiem wina wyszła do ogrodu, gdzie stali Ronan, Karen, Mick, Mark, Clodagh i znajomi z akademii sztuk pięknych, których nie widziała od lat. Ronan dyskutował z nimi o bardzo ożywionym rynku sztuki i najlepszych galeriach.

– Hej, urocza gospodyni, mogę prosić? – odezwał się za plecami Sary Angus. Wziął ją za rękę i zaprowadził na prowizoryczny parkiet.

Okazał się doskonałym tancerzem, świetnie wyczuwał muzykę. Roześmianej Sarze pozostało tylko pozwalać, by prowadził.

– Rewelacyjna impreza – oznajmił z entuzjazmem. – Masz wspaniałych przyjaciół. Bardzo ich polubiłem.

– Chciałam, żeby dzisiaj wszyscy cię poznali. Znajomi ze szkoły i studiów, kuzynki, sąsiedzi...

Uwielbiała mieć go przy sobie, był taki serdeczny i troskliwy.

– Wyglądasz olśniewająco – szepnął i przycisnął usta do jej gołej skóry. – Cały wieczór marzyłem, żeby to zrobić.

– Angusie! – upomniała go żartobliwie.

Ale on z poważną miną przyciągnął ją bliżej do siebie. W odpowiedzi zarzuciła mu ręce na szyję i odwzajemniła pocałunek.

Przyjęcie trwało wiele godzin, w kuchni przybywało pustych butelek po winie, na kamiennych schodach, murze okalającym taras i w wanience stały puszki po piwie. Wróciła Grace. Mark ruszył do niej z butelką wina i dwoma kieliszkami. Wziął ją za rękę i poprowadził do rozchwianej ławki na końcu ogrodu. Grace miała na sobie strój do pracy, beżową spódnicę i białą bluzkę z krótkimi rękawami, ale i tak wyglądała ślicznie.

Było już bardzo późno, goście powoli zaczęli się rozchodzić. Sara cieszyła się, że zdołała zrewanżować się za wszystkie zaproszenia na kolacje i przyjęcia, a przy tym urządzić doskonałą imprezę. Evie smacznie spała przytulona do misia Gideona i wcale nie przeszkadzały jej hałas i muzyka.

Sara zrzuciła buty i zabrała się do sprzątania, wkładając do zmywarki talerze i szkło.

– Zostaw to – powiedział Angus i wyciągnął ją do ogrodu. Na tarasie Karen boso tańczyła z Mickiem. Brzuch miała ogromny, skórę opaloną i promienną. Za kilka tygodni też zostanie matką i przekona się, jak bardzo zmieni się jej życie. Ronan wciąż dyskutował z przyjaciółką Sary z akademii. Najbardziej jednak zadziwił Sarę widok Grace i Marka. Tańczyli w milczeniu, zapatrzeni w siebie.

Otwarto ostatnią butelkę wina, ktoś włączył płytę z piosenkami Burta Bacharacha. Sara oparła głowę na ramieniu Angusa i razem z innymi parami kołysali się wolno w rytm muzyki.

– Ten facet jest zakochany... – szepnął Angus.

Rozdział 55

Maggie przeciągnęła się i ziewnęła; od dawna tak dobrze nie spała.

Czuła się wypoczęta i odprężona, a to wielkie łóżko pewnie było jednym z najwygodniejszych, w jakich kiedykolwiek leżała.

Przez zasłony do pokoju wpadał migotliwy promień słońca – wstawał pogodny dzień. Myśl o spacerze po ośrodku i otaczających go lasach była bardzo pociągająca. Maggie odciągnęła zasłony. Dech jej zaparło, gdy powiodła wzrokiem po krajobrazie i czystym błękitnym niebie. Prawdziwa rozkosz. Otworzyła drzwi na taras i nabrała głęboko w płuca powietrza, patrząc na jezioro, po którym zygzakiem płynęła rodzina kaczek. Spojrzała na zegarek. Musi się pośpieszyć, jeśli chce zjeść śniadanie.

W błyszczącej łazience wzięła szybki prysznic i włożyła spodnie z miękkiej szarej bawełny, biały T-shirt i sportowe buty. Przed lustrem pomalowała rzęsy, przeciągnęła błyszczykiem po ustach i wyszczotkowała włosy. Wzięła klucz i ruszyła do restauracji.

Tylko nieliczne śpiochy siedziały jeszcze przy śniadaniu, reszta gości pewnie już ćwiczyła albo brała rozmaite zabiegi. Maggie rozejrzała się, ale Mylesa nigdzie nie było. Szwedzki stół zadziwił obfitością i zróżnicowaniem dań. Napełniła talerz świeżymi owocami i wyśmienitym jogurtem. Wybrała czereśnie, jabłko, truskawki i brzoskwinię, posypała je mielonymi orzechami, a do picia wzięła szklankę świeżo wyciśniętego soku z pomarańczy. Potem ze smakiem zjadła kilka kromek ciepłego pełnoziarnistego chleba z figowym dżemem i popiła herbatą. Idealny początek dnia. Najpierw spacer, potem pilates i wodny aerobik, na który od dawna miała ochotę. Przygotowała już listę zabiegów na popołudnie: hinduski masaż głowy, piling twarzy, henna i francuski manikiur. Córki miały rację, nic nie może się równać z odrobiną luksusu.

Włożyła lekką kurtkę i zeszła nad jezioro. Woda była czysta i, sądząc po liczbie wędkarzy, pełna ryb. Maggie postanowiła pójść wzdłuż brzegu, potem skręci do lasu.

Słyszała tylko własny oddech i śpiew ptaków, a od czasu do czasu szelest biegnącej wiewiórki albo gruchanie leśnych gołębi. Drzewa były bardzo stare, Maggie musiała uważać, żeby nie potknąć się o korzenie wystające na ścieżce porośniętej mchem. Idąc pod górę, podziwiała piękno lasu. Po drodze spotkała innych gości spa, matkę i córkę, które śpieszyły się na umówioną wizytę u fryzjerki; powiedziały, że dalej ze wzgórza rozciąga się piękny widok. Cień rzucany przez gęste korony drzew ustępował miejsca ciepłym promieniom słonecznym. W końcu Maggie wyszła na polanę i zobaczyła panoramę okolicy. Oszołomiła ją uroda lasów i jeziora Kilcara. Spędziła tam dwadzieścia minut, zupełnie sama, ale zjednoczona z cudownym krajobrazem.

W drodze powrotnej ostrożnie stawiała kroki na stromej ścieżce. Przyrzekła sobie, że jutro znowu tu przyjdzie.

W ośrodku przyłączyła się do dziesięcioosobowej grupy ćwiczącej pilates w jasnej sali. Leanne, śliczna młoda instruktorka, zademonstrowała sposoby rozciągania mięśni. Maggie dotąd takie akrobacje uznałaby za niemożliwe. Po gimnastyce miała chęć popływać w chłodnej wodzie.

Na basenie panował spory tłok; zarumieniła się lekko, gdy na drugim końcu zauważyła Mylesa. Pomachał do niej; nie chciała zachować się niegrzecznie, więc popłynęła w jego stronę.

– Przyjemny poranek? – zapytał.

– Idealny. – Opowiedziała mu o spacerze.

– Panie i panowie – zawołał Rudy, instruktor wodnego aerobiku. – Proszę ustawić się przy tym brzegu. Rozpoczynamy zajęcia.

– Idę stąd – oznajmił Myles. – Mam teraz sesję w saunie.

Maggie uśmiechnęła się z ulgą: więc nie będzie jej oglądał podczas męczących ćwiczeń.

– Do zobaczenia! – zawołał, wychodząc z basenu.

Odprowadziła wzrokiem jego opaloną postać i ustawiła się obok przyszłej panny młodej i licznej grupy dziewcząt, koleżanek z pracy, które doskonale się bawiły.

– Dwadzieścia razy machamy prawą nogą – polecił Rudy. – A teraz lewą.

Ćwiczenia w basenie z całą pewnością rozluźniły mięśnie, ale tempo okazało się dla Maggie za szybkie. Młode dziewczęta śmiały się i rozmawiały, bez kłopotów wykonując polecenia instruktora. Bywały momenty, że Maggie ledwo sobie radziła, ale dzięki zachętom Rudy'ego i Nikki, przyszłej panny młodej, wodny aerobik sprawił jej wiele przyjemności. Później spokojnie kilka razy przepłynęła basen.

Przebrała się i zeszła na lunch. Wybrała prosty posiłek: zupę marchwiowo-imbirową i zieloną sałatę z chrupiącymi paskami bekonu. Nikki i jej dwie przyjaciółki zaprosiły ją do swojego stolika. Jedząc, Maggie słuchała o planach na ślub w przyszłą sobotę.

– Módlcie się o dobrą pogodę – powiedziała błagalnie Nikki.
– Nie wiem, co zrobimy, jeśli zacznie padać.

– Trzymam kciuki. – Maggie roześmiała się, wspominając ulewę w dzień swojego ślubu.

Przez całe popołudnie pławiła się w olejkach i balsamach, masowano ją, poddawano zabiegom oczyszczania i odnowy skóry. Czuła się cudownie, jak rozpieszczone dziecko. Od wielu lat jej ciału nie poświęcano nawet połowy tej uwagi co teraz i na koniec była tak zmęczona, że o piątej padła na łóżko i zasnęła.

Obudził ją telefon; przez sekundę przerażona myślała, że przespała całą noc.

– Halo – odezwała się sennie. Ku swemu zaskoczeniu w słuchawce usłyszała Mylesa. Pytał, czy dzisiaj także zje z nim kolację.

Zawahała się. Ledwo go znała, ale zmieniła ją perspektywa siedzenia w pojedynkę przy stole. Poza tym Myles był sympatyczny, a Maggie nie chciała psuć przedślubnych pogaduszek Nikki i jej przyjaciółkom.

– Byłoby miło – odparła. Zgodziła się też wypić z nim drinka przed kolacją.

Przejrzała swoją skromną garderobę i wybrała kremową suknię z dekoltem w łódkę i beżowy szal. Skóra pięknie jaśniała i Maggie nie potrzebowała makijażu, musnęła tylko szminką usta. Ufarbowane rzęsy powiększyły oczy. Wyglądała jak uosobienie zdrowia, a z jej twarzy zniknął zwykły wyraz zatroskania. Dobre środki i zabiegi czynią cuda, przyznała w duchu. Po raz ostatni obejrzała się w lustrze.

Myles siedział na wielkim drewnianym pomoście z kieliszkiem schłodzonego białego wina w dłoni. Narzekał, że nie mają tu żadnego piwa.

– Przecież to nie jest bar – odparła wesoło Maggie. – Pamiętaj, że jesteśmy w spa.

Dla siebie też zamówiła wino i usiadła obok Mylesa. Oboje patrzyli na zachodzące słońce, które barwiło na czerwono wody jeziora.

– Ten ośrodek jest rewelacyjny – oznajmił Myles z entuzjazmem. – Drugiego takiego nie ma. Wyłączyłem komórkę.

– Ja też. – Od śniadania nie poświęciła rodzinie nawet jednej myśli.

– Nie wiem, jak sobie dam radę po powrocie do domu – westchnął Myles ze smutkiem. – Ale pobyt tutaj wart jest każdego euro.

– Wyjeżdżasz jutro?

– Przesunąłem termin. Zostaję jeszcze jeden dzień.

Maggie czuła, że się rumieni. Większość gości w południe wracała do codziennego życia. A jeśli w ośrodku zostaną tylko ona i Myles? Strasznie krępująca sytuacja!

– Jutro po południu przyjeżdża grupa Amerykanów, ale udało mi się zatrzymać pokój.

– Świetnie. – Uśmiechnęła się. – Więc będziemy tu oboje.

– Nie przeszkadza ci to, prawda, Maggie? – zapytał poważnie.

Zastanowiła się przez chwilę. Myles też miał prawo do dodatkowego dnia odpoczynku. Był miłym człowiekiem, trochę samotnym jak ona, a kilka dni z dala od pracy i domu dobrze mu zrobi.

– Ależ skąd. – Znowu się uśmiechnęła. – Bardzo się cieszę.

W sobotę wieczór w restauracji panował tłok, najwyraźniej miejscowi też tu przychodzili. Maggie i Mylesa poprowadzono do małego stolika na końcu sali. Po całym dniu fizycznego wysiłku Maggie umierała z głodu.

– Wezmę krewetki na przystawkę, a potem pieczonego łososia z warzywami – zdecydowała, studiując bogate menu.

– Krab w cieście i stek – poprosił Myles, kiedy kelnerka otworzyła butelkę wina.

Maggie stłumiła uśmiech. Jak to jest, że wszyscy mężczyźni zamawiają to samo? Bez względu na to, jakie egzotyczne dania Leo miał do wyboru, niemal zawsze wybierał stek. Całe życie przyrządzała steki.

Tym razem przy kolacji rozmawiali o swoim dzieciństwie. Maggie zdziwiła się, jak wiele ich łączy. Myles chodził do tej samej szkoły podstawowej co mąż Fran i w młodości był zapalonym piłkarzem.

– Grałem w piłkę nożną i hokej na trawie – chwalił się. – Przez dwa lata byłem członkiem drużyny piłkarskiej Limerick. Teraz zadowalam się miejscem na stadionie Croke Park.

Maggie się uśmiechnęła.

– Twój mąż grał w rugby – dodał wesoło. – Pewnie chodziłaś na wszystkie mecze.

– Nie byłam zagorzałym kibicem. Nigdy nie wiedziałam, kiedy krzyczeć.

Myles się roześmiał. Opowiedział jej o swojej małej kancelarii adwokackiej przy Lower Mount Street.

– Głównie zajmujemy się prawem własności, doradzaniem przy sporządzaniu umów i prawem rodzinnym. Mamy sporą grupę stałych klientów. Alex, mój najmłodszy syn, zaczął pracę u nas po studiach i praktyce u Goodbody'ego. Zdobył tam doświadczenie, więc dobrze mieć go u siebie. Mój drugi syn jest pediatrą w szpitalu dziecięcym w Crumlin.

Maggie opowiedziała mu o swoich trzech córkach i wnuczce. Dowiedziała się, że jego matka Dorothy żyje i mieszka sama w Ranelagh, rzut kamieniem od przedszkola Evie.

– Mama jest bardzo niezależna. Skończyła osiemdziesiąt osiem lat, ale wszystkich nas by przegoniła.

Lubili podobne restauracje, mieli paru wspólnych znajomych, oboje regularnie bywali w hotelu Kelly w Rosslare, tylko w różnych miesiącach.

Maggie złapała się na myśli, że Leo by go polubił. Chętnie wypiłby z Mylesem piwo, obejrzał mecz, poszedł do restauracji. Wstrząśnięta pobiegła do toalety.

Nikki i jej przyjaciółka Suzie stały przed lustrem i rozmawiały o następnej sobocie.

– Będę mężatką! – Nikki uśmiechnęła się z zachwytem.

– Życzę ci wszystkiego najlepszego, bo nie wiem, czy zobaczymy się jutro przed twoim wyjazdem – powiedziała Maggie.

– Dzięki. Twój mąż wydaje się bardzo sympatyczny. Może Joe i ja też za kilka lat przyjedziemy tu razem odpocząć.

Maggie już miała wyjaśnić, że Myles nie jest jej mężem, że dopiero go poznała, ale dziewczyny straciły zainteresowanie rozmową i chciały wrócić do stolika.

– Wszystko w porządku? – zapytał Myles z troską, wstając na jej widok.

– Tak, tak – uspokoiła go.

Kelnerka przyniosła deser. Maggie zamówiła doskonały creme brulee, Myles wziął olbrzymią porcję lodów z polewą karmelową.

– Spróbuj, jeśli chcesz – namawiał.

Maggie podniosła łyżeczkę do ust, świadoma intymności, jaka się między nimi wytworzyła.

– Wiedziałem, że ci zasmakują.

Przy kawie rozmawiali o polityce i zmieniającym się Dublinie. Oboje się zirytowali, ale zaraz rozśmieszyła ich własna reakcja na wzmiankę o rządzie.

– Nie ma nic lepszego od dobrej kłótni, tak powtarzała moja żona. Śmieszne, jak człowiek za nimi tęskni.

– To prawda – przyznała cicho Maggie. Doskonale go rozumiała.

Rozejrzała się. Sala opustoszała, a personel rzucał w ich stronę zniecierpliwione spojrzenia.

Ze śmiechem wzięli kieliszki i poszli do baru. Godzinę później uznali, że czas spać. Maggie czuła się jak nastolatka, która nie chce się rozstawać z chłopakiem.

– Do zobaczenia jutro. – Myles objął ją niezgrabnie.

W pokoju Maggie wpatrywała się w lustrze w kobietę z jaśniejącym wzrokiem i mówiła sobie, że powinna zmądrzeć i nie zachowywać się tak głupio z powodu pierwszego przyzwoitego mężczyzny, jakiego poznała od śmierci Leo.

Rozdział 56

Słońce stało wysoko na niebie, kiedy Maggie schodziła na śniadanie. Zrobiła już kilka okrążeń na basenie. Sprawiło jej to tak wielką przyjemność, że postanowiła po powrocie regularnie odwiedzać pływalnię. W restauracji prawie nikogo nie było; idąc do stolika z owocami i jogurtem, wzięła „Sunday Timesa”. Zrezygnowała z jajek na bekonie, ograniczyła się tylko do grzanki i herbaty.

O jedenastej przewidziano zajęcia kick boxingu na powietrzu. Uznała, że sprawdzi, jak sobie poradzi, a potem znów pójdzie na długi spacer. Po lunchu pracowało tylko kilku terapeutów; Maggie miała szczęście, że udało jej się wpisać na okłady z wodorostów i masaż całego ciała.

Na trawniku zebrała się spora grupa. Trudno było powstrzymać śmiech na widok ludzi kopiących i bijących niewidzialnych przeciwników. Myles dawał z siebie wszystko.

— To było świetne — powiedział, kiedy po ćwiczeniach pokrzepiali się wodą mineralną.

— Wybieram się na spacer — oznajmiła Maggie. Włożyła buty i kurtkę, zabrała też butelkę z wodą.

— Mogę pójść z tobą?

Zawahała się. Wczoraj przyjemność sprawiły jej cisza i spokój. Może towarzystwo Mylesa zepsuje nastrój?

— Mam ochotę na długi spacer, a chętnie zobaczyłbym tę przełęcz, o której opowiadałaś. Jeśli się nie zgodzisz, pójdę za tobą.

Pomyślała, że nie ma sensu, żeby Myles ją gonił, więc z ociąganiem przystała na propozycję.

Nad jeziorem zatrzymali się i pili wodę. Chwilę obserwowali parę nurkujących łabędzi, potem ruszyli ścieżką w górę zbocza. Maggie ucieszyła się, że Myles nie mówi cały czas, tylko w przyjaznym milczeniu idzie obok. Kiedy z krzaków wybiegł szczur, podskoczyła i złapała Mylesa za ramię, zadowolona z jego obecności.

– Wszystko w porządku?

– Tak. Przepraszam, nie znoszę szczurów.

Było cieplej niż poprzedniego dnia, więc Maggie zdjęła kurtkę i zawiązała w pasie. Słońce coraz mocniej przebijało się przez rzednące drzewa.

– Piękne miejsce! – mruknął Myles, kiedy dotarli na szczyt.

Przed nimi rozciągał się widok na lasy, pola i jeziora.

– Mówiłam, że warto.

– Dziękuję, Maggie.

– Nie ma za co – odparła z uśmiechem.

– Nie chodzi tylko o to, że mnie tu przyprowadziłaś. Dziękuję za ostatnie dwa dni. Bałem się tego wyjazdu do spa, ale twoje towarzystwo... zupełnie wszystko zmieniło!

– Ja też chciałam odwołać pobyt, ale teraz się cieszę, że tego nie zrobiłam.

Nagle ogarnęła ją nieśmiałość. Utkwiła wzrok w oddali, żeby się opanować. Miała nadzieję, że Myles niczego nie zauważył.

– Wracajmy. – Ujął ją za rękę.

Potknęli się i pośliznęli. Przez całą drogę w dół zanosili się śmiechem jak para nastolatków. Maggie śpieszyła się na okłady z wodorostów, Mylesa czekał zabieg pielęgnacji stóp.

Spotkali się przy kolacji. Maggie pozwoliła Mylesowi wybrać wino. Hałaśliwa grupa Amerykanów na drugim końcu sali wypytywała kelnerkę o sposób przyrządzania każdej pozycji z menu.

Myles wzniósł kieliszek.

– Wyglądasz wspaniale.

– Bo powinnam – odparła ze śmiechem. – Ale gdybyś mnie zobaczył oblepioną galaretą z wodorostów... Wyglądałam jak potwór z laguny. Potem ta śliczna dziewczyna z Cork, Hanna, zrobiła mi najcudowniejszy w świecie masaż. Czuję się rewelacyjnie. Odprężona i zrelaksowana.

Zamówili zestaw sushi na przystawkę i delikatną jagnięcinę na główne danie.

— Jutro znowu zacznie się zwykły młyn. — Myles westchnął i nalał wino do jej kieliszka.

— Dzwoniłam do córki. Dzięki Bogu dom jakoś przetrwał imprezę! Sara i jej przyjaciele szampańsko się bawili, ale nic nie zostało zniszczone.

— Na tym polega różnica między synami a córkami, moi chłopcy zrujnowaliby dom. Jak pojechaliśmy z Patricią do Pragi na weekend, po powrocie okazało się, że Alex spalił wszystkie patelnie, bo smażył kiełbaski, i zatkał ubikację. Musieliśmy wezwać hydraulików ze specjalistycznym sprzętem. Straszne.

— No tak. — Maggie się skrzywiła. — Chociaż trzeba im pozwolić na odrobinę szaleństwa. Nie mogę się doczekać opowieści o przyjęciu Sary.

— Chłopcy nigdy nic nie mówią — poskarżył się Myles. — Chyba dlatego tak trudno mi bez Patricii. Tęsknię za rozmowami.

— Wasze małżeństwo było udane... — zaryzykowała Maggie.

— Pasowaliśmy do siebie.

Chwilę się nad tym zastanowiła; w kilku słowach powiedział jej bardzo wiele o swojej żonie. Wzajemnie się uzupełniali, mieli wspólne zajęcia, przez wiele lat o siebie dbali. Tak samo jak Leo i ona. Ich małżeństwo było jak solidna łódź na oceanie, przetrwało niejedną burzę.

— Ja i Leo też świetnie się dobraliśmy. — Gładziła palcami nóżkę kieliszka. — Dlatego bez niego jest mi ciężko. — Westchnęła na myśl o powrocie na plac Przyjemny i samotności, która ją tam czeka.

— Mam nadzieję, że nie uznasz mnie za zbyt natrętnego — zaczął Myles, patrząc jej prosto w oczy — ale czy moglibyśmy pozostać w kontakcie? Wybrać się czasem do kina, teatru albo na spacer?

Maggie zastanowiła się przez chwilę. To wcale nie oznaczałoby braku lojalności wobec Leona, nic na świecie nie zmieni jej miłości do męża, ale byłoby miło znowu zobaczyć się z Mylesem: poszliby do restauracji czy na spacer jak dwoje przyjaciół.

— Zadzwoniłbym do ciebie.

– Oczywiście, Myles. Naprawdę chętnie spotkam się z tobą w Dublinie – zapewniła.

Jagnięcina podana ze słodką miętową galaretką okazała się doskonała. Maggie na deser skusiła się na tartę z gruszkami i migdałami; obiecała Mylesowi, że go poczęstuje. Jedzenie w spa, choć proste, było lepsze niż w większości najelegantszych restauracji Dublina. Nic dziwnego, że przychodzi tu tak wielu okolicznych mieszkańców.

– Masz fotografię Patricii? – zapytała, kiedy kelnerka przyniosła kawę.

Myles wyjął zdjęcie z portfela.

– To z Toskanii, przed małą willą, którą często wynajmowaliśmy. Patricia uwielbiała to miejsce.

Maggie przyjrzała się opalonej kobiecie z krótkimi ciemnymi włosami i wesołymi oczami, z wielobarwnym szalem. Za jej plecami wznosił się rząd wysokich cedrów.

– Wygląda ślicznie. – Oddała mu zdjęcie, a z torebki wyjęła fotografię Leona zrobioną na łodzi pół roku przed jego śmiercią. Oboje próbowali pokierować tą głupią łodzią i nie zawadzić dziobem o brzeg.

– Bratnia dusza – stwierdził Myles. – Trudno się połapać w tym wiosłowaniu, ale jak już to opanujesz, jest świetnie.

– To był zwariowany tydzień – wspominała Maggie. – Okazaliśmy się beznadziejnymi żeglarzami. Na wynajęcie łodzi namówili nas moja siostra Kitty i jej mąż Harry.

Maggie schowała zdjęcie do portfela i westchnęła z ulgą. Już wzajemnie poznali swoją przeszłość i partnerów.

Postanowili wypić strzemiennego – to ostatni wieczór w spa. Maggie wybrała swój ulubiony drink, baileysa z lodem, Myles wolał porto. Z kieliszkami wyszli na pomost, skąd mogli podziwiać ogród. Wciąż było ciepło i nikt im nie przeszkadzał, Amerykanie już się położyli.

Myles przystawił krzesło blisko krzesła Maggie. Oboje wspominali ulubione miejsca, w których spędzali wakacje.

271

– O której jutro wyjeżdżasz? – zapytała.

– O dziesiątej mam spotkanie w mieście, więc chcę wcześnie wstać i o wpół do ósmej wyruszyć.

– A ja nigdzie się nie śpieszę, przed śniadaniem jeszcze popływam.

– Właściwie powinienem już się położyć. – Ziewnął. – Odprowadzę cię do pokoju.

Maggie poczuła, jak policzki zalewa jej rumieniec. Myles chyba nie zamierza do niej pójść.

Jakby czytając w jej myślach, wybuchnął śmiechem.

– Maggie, mam jak najbardziej uczciwe zamiary.

Chichotała, gdy prowadził ją przez wielki hol i oszklony korytarz. Jego pokój znajdował się po drugiej stronie ośrodka.

– Bardzo się cieszę, że cię poznałem. – Ujął jej rękę. – Niedługo zadzwonię.

– Będę czekała – odparła. Pocałował ją w policzek na pożegnanie. – Dobranoc, Myles – szepnęła. Patrzyła za nim, gdy wolno odchodził. Z uśmiechem weszła do pokoju i cicho zamknęła za sobą drzwi.

Rozdział 57

Grace zamurowało, gdy zobaczyła Marka na imprezie u Sary. Próbowała go unikać, ale gdy wziął ją za rękę, wszystkie wątpliwości prysnęły. Była jak ćma, którą przyciąga płomień. Rozmawiali i tańczyli wiele godzin. Na koniec przyjęcia Mark się zirytował, bo nie chciała pójść do niego, tylko została u Sary. Oczywiście, pragnęła z nim być, ale co potem, gdyby się okazało, że traktuje ją lekceważąco. Zniknął na wiele tygodni i prawie się nie odzywał. A teraz oczekuje, że ona przez cały ten czas cierpliwie na niego czekała!?

Zmieniała projekt klimatyzacji w planach dla Raya Carrolla, kiedy do gabinetu weszła Kate z wielkim bukietem kremowych róż.

– Dostarczono to przed chwilą z kwiaciarni. Dwa tuziny róż, Grace! – Podała jej kartę.

Grace dotknęła śliczne jasne płatki i przeczytała: „Myślę o Tobie. Mark".

Piętnaście minut później, kiedy skończyła rozmowę z klientem, zadzwonił Mark.

– Pójdziesz dzisiaj ze mną na kolację? – spytał.

– Z przyjemnością – odparła i podziękowała mu za róże.

– Wpadnę po ciebie około ósmej – oznajmił stanowczo.

Dopiero kiedy odłożyła słuchawkę, zorientowała się, że nie wie, dokąd pójdą.

Przez cały dzień nie mogła się skupić. W co ja się pakuję? – myślała. Randka z Markiem McGuinnessem? Mimo wątpliwości nie potrafiła przestać się uśmiechać.

Jak nastolatka przeglądała swoją garderobę; wyciągnęła z pięć ulubionych strojów. Co włożyć? W końcu wybrała prostą czarną sukienkę z obszyciami z różowej satyny i czarne szpilki. Patrzyła na swoje odbicie w lustrze: jasne włosy do ramion, niebieskie oczy, wyraźne brwi i pełne usta. Kiedy skrapiała się perfumami Armaniego, Mark zadzwonił do drzwi. Zbiegła na dół.

Gdy ją zobaczył, dostrzegła w jego oczach wyraz uznania. Powitali się dość oficjalnie, Mark otworzył jej drzwi samochodu.

– Pomyślałem, że wyjedziemy za miasto i zjemy kolację w restauracji Caravaggio w Sandycove – zaproponował.

– Cudownie, nigdy tam nie byłam.

– Właścicielem jest mój przyjaciel.

Grace nagle poczuła się skrępowana i ogarnął ją strach, że Mark uzna ją za idiotkę, która nie ma nic do powiedzenia. Na szczęście zapytał o Sarę i Evie, mogła więc paplać o rodzinie.

Restauracja mieściła się na piętrze. Kelner poprowadził ich do stolika pod oknem, skąd rozciągał się widok na morze.

– Max zawsze bardzo o mnie dba. – Mark uśmiechnął się, zdjął marynarkę i usiadł obok Grace.

Miał jasnoniebieską koszulę i płócienne spodnie, a pachniał tak przyjemnie, że kusiło ją, by go dotknąć. Złapała menu i skorzystała z okazji, by dyskretnie przyjrzeć się McGuinnessowi. Zamawiając, przyznała w duchu, że zdecydowanie jest w jej typie. Wybrała pomidory z mozarellą i tagliatelle z owocami morza, Mark zamówił krewetki, szpinak ze śmietaną i tortellini z wołowiną.

– Jak idzie remont domu? – zapytała.

– Zamierzam zamontować drugi zbiornik na strychu i urządzenie wspomagające... – Po piętnastu minutach urwał zakłopotany. – Przepraszam, Grace. – Nie przyszłaś do restauracji po to, żeby słuchać o budowie.

– Wszystko w porządku, naprawdę – zapewniła go z uśmiechem.

– Nie, wręcz przeciwnie. – Nalał wina do jej kieliszka. – Opowiedz mi o sobie.

Nabrała powietrza w płuca. Nienawidziła mówić o sobie – owszem, w życiu zawodowym osiągnęła wiele, za to jej życie osobiste nie istniało.

– No cóż, od mojej mamy już usłyszałeś, ile mam lat – zaczęła cicho. – Wiesz, gdzie pracuję, i znasz niektóre osoby z mojej firmy. Byłeś w domu, w którym się wychowałam, poznałeś połowę mojej rodziny, a co więcej, odwiedziłeś mnie w moim mieszkaniu. – Kiedy się teraz nad tym zastanowiła, przeraziło ją, jak dużo Mark o niej wie. – Jestem singielką, interesuję się sztuką i architekturą, lubię gotować i tańczyć, poza tym chyba można mnie nazwać pracoholiczką. Uwielbiam ubrania doskonałej jakości, muesli i Evie. – Uśmiechnęła się z ulgą, że ma za sobą osobiste wyznania. – A ty? – W gruncie rzeczy orientowała się tylko, że McGuinness zostanie sąsiadem jej mamy i umie puszczać latawce.

– Skończyłem trzydzieści siedem lat. Dorastałem w Ratmines, mam siostrę i brata, dwie siostrzenice i trzech szalonych bratanków.

Tata umarł, kiedy skończyłem osiemnaście lat, a mama w zeszłym roku. Na raka jelita.

– Och, Mark, tak mi przykro. – Ujęła go za rękę.

– Polubiłabyś moją mamę, wszyscy ją lubili. Była ważną osobą w moim życiu. Drugą ważną osobą jest mój syn Josh. Ma czternaście lat i mieszka w Nowym Jorku z mamą. Belinda jest Amerykanką. Zwykle widuję go trzy, cztery razy w roku. Kilka ostatnich tygodni było wyjątkiem.

Grace głęboko odetchnęła. Do głowy by jej nie przyszło, że Mark ma syna – w dodatku nastolatka!

Bez słowa wyjął portfel i podał jej fotografię wysokiego roześmianego chłopca z kręconymi włosami, który wymachuje kijem do baseballa.

– Bardzo do ciebie podobny – powiedziała łagodnie.

– Dobry z niego chłopak, ale od zeszłego roku coś mu się poprzestawiało w głowie. Wpadł w złe towarzystwo i zaczął eksperymentować z narkotykami. Został przyłapany na paleniu jointa i piciu tequili. Wyleciał ze szkoły. Lekarze zalecili pobyt w ośrodku odwykowym dla młodzieży... Belinda dobrze go wychowuje. Poznaliśmy się, kiedy tam pracowałem. To był letni romans na Long Island, tylko że Belinda zaszła w ciążę i tak jak Sara postanowiła urodzić dziecko. Chciałem się z nią ożenić, odmówiła. Dziesięć lat temu wyszła za Denisa, inżyniera. Miły facet, między nim a moim synem dobrze się układa. Josh ma przyrodnie rodzeństwo, dziewięcioletnią Katy i pięcioletniego Billa. Wszyscy bardzo się kochają. Ale przez ostatnich kilka miesięcy Belinda musiała zajmować się wyłącznie Joshem. Musiałem być przy nim.

Schował portfel do kieszeni. Grace poczuła dziwne zadowolenie, że był z nią szczery.

– We wrześniu Josh przenosi się do innej szkoły i mam nadzieję, że to przyniesie pożądany skutek. Jeśli nie, przyjedzie do mnie na jakiś czas, żeby Belinda i Denis mogli odpocząć.

– Więc o to chodziło – szepnęła Grace. Widziała wzruszenie w jego oczach.

– Na litość boską, to dopiero czternastolatek. Kiedy pomyślę, jak to się mogło skończyć...

– Wyjdzie na prostą. Ma tatę, który bardzo go kocha, a najważniejsze, że on o tym wie.

Mark wziął ją za rękę.

– Kiedy ja byłem młody, wszystko zupełnie inaczej wyglądało. Pomagałem tacie remontować stare domy. Po college'u przez jakiś czas pracowałem w banku inwestycyjnym. Potem uświadomiłem sobie, że zarabiam pieniądze dla innych, nie dla siebie, więc skoczyłem na głęboką wodę, kupiłem zrujnowany zabytkowy dom na Northside, odnowiłem i sprzedałem.

– To samo zrobisz z domem przy placy Przyjemnym?

– Nie. – Patrzył jej prosto w oczy. – Początkowo miałem taki zamiar, ale teraz chcę tam zamieszkać. Dom bardzo się przyda, kiedy przyjedzie Josh. Nastolatkom potrzeba sporo przestrzeni.

Jedzenie było doskonałe, rozmowa toczyła się swobodnie. Mark opowiadał o swoim konkurencie i jego wpadkach z inspektorami podatkowymi. Zaskoczyło ją, jak wiele mają wspólnych zainteresowań. Oboje uwielbiali film *Commitments* Roddy'ego Doyle'a, a z aktorów najbardziej cenili Jacka Yeatsa.

Restauracja powoli pustoszała. W końcu zostali sami. Kelnerka dyskretnie sprzątała ze stołów. Kiedy Mark zapłacił, wyszli na dwór.

– Jeśli chcesz, możemy przenieść się do jakiegoś klubu – zaproponował.

– Nie przepadam za klubami.

Mark splótł palce z jej palcami. Oboje nie chcieli się jeszcze rozstawać.

W samochodzie pocałował ją i po chwili pieścili się jak nastolatki gorączkowo pragnący poznać swoje ciała.

– Nie wiem, czy to dobry pomysł – mruknął Mark. Z rozbawieniem przyglądał się jej twarzy i zmierzwionym włosom. – Jak tak dalej pójdzie, wylądujemy w areszcie.

Wybuchnęli histerycznym śmiechem i odsunęli się od siebie.

– W takim razie jedźmy do mnie – powiedziała Grace. Wyprostowała się na skórzanym fotelu.

Mark prowadził, jedną dłonią gładząc jej gołe kolano.

W windzie całowali się jak wariaci. Grace waliło serce, a gdy wreszcie zdołała otworzyć drzwi, Mark wziął ją w objęcia. Oboje aż płonęli z pożądania. Ruszyli prosto do sypialni, po drodze zrzucając ubrania. Pierwszy raz był szybki i gorączkowy, drugi wolny i pełen czułości. Mark zasnął, tuląc Grace do siebie.

Leżała potem i patrzyła na jego pierś poruszającą się w rytm oddechu, na czarne rzęsy i ciemne włosy. Wiedziała, że Mark jest tym jedynym.

Ta świadomość ją oszałamiała. Okazał się namiętnym i czułym kochankiem, był jej uzupełnieniem, drugą połówką, o której zawsze mówiła mama. Przestraszona uczuciami szalejącymi w sercu, odwróciła się na bok, ale Mark przez sen objął ją i mocno przytulił. Zapadła w spokojny sen.

Obudziła się o ósmej. Mark, który wziął już prysznic i ubrał się, choć się nie ogolił, stał przy łóżku.

– Budzik zadzwonił czterdzieści minut temu, ale go wyłączyłem – oznajmił wesoło.

– Uhm – mruknęła sennie.

– Jestem umówiony na śniadanie w Four Seasons. Po południu do ciebie zadzwonię.

– Spóźnię się do pracy! – Grace nagle przytomniała. Usiadła i wzięła od niego kubek kawy. – Powinieneś mnie obudzić.

– Thornton się nie zawali – powiedział stanowczo i pochylił się, żeby ją pocałować.

Pogładziła go po zarośniętym policzku.

– Ogolę się w samochodzie – obiecał. – Zobaczymy się po pracy.

Już chciała zaprotestować. Dlaczego Mark zakłada, że ona ma wolny wieczór? Ale widząc w jego oczach pożądanie, zrozumiała, że on nie pozwoli, by cokolwiek przeszkodziło im się spotkać.

– W takim razie do wieczoru.

Uśmiechnęła się do siebie. Jak ona przetrwa cały dzień? Będzie wpatrywała się w zegar, siłą woli poganiała czas, by szybciej nadszedł moment, kiedy znowu zobaczy Marka.

Rozdział 58

Oscar Lynch wykonywał mało obciążające ćwiczenia, które pokazał mu szpitalny fizjoterapeuta. Powoli odzyskiwał siły i sprawność. Przestał dokuczać mu reumatyczny ból w biodrze i mógł wygodnie spać we własnym łóżku. Cieszył się z powrotu do domu, a to, że do pomocy miał Irenę, okazało się prawdziwym darem opatrzności. Elizabeth pochwaliłaby to, że porcelana i szkło w kredensie błyszczą, a pościel, poduchy na sofie i obrusy są świeżo wyprane.

Irena była wspaniałą dziewczyną. Oscar z przyjemnością pomagał jej w nauce angielskiego. Ona z kolei uczyła go wyrażeń ze swojego skomplikowanego języka ojczystego; kiedy Oscar znów zacznie wychodzić do sklepów, restauracji i pubów, będzie mógł zamienić kilka słów po polsku z jej rodakami.

Dom wypełniała muzyka, bo Irena słuchała radia i sama śpiewała, piekąc w kuchni chleb i ciasto, robiąc zupy i potrawki, którymi karmiła go, jakby był dzieckiem. Już przytył trzy kilogramy! Codziennie namawiała go na krótki spacer. Pomagała mu pokonywać schody i okrążać park. Była lepsza niż pielęgniarka albo profesjonalna opiekunka, bo swoim promiennym uśmiechem i niebieskimi oczami ciągle go zachęcała, żeby się starał.

Sąsiedzi bardzo się o niego troszczyli; Maggie wpadała regularnie, a Gerry Byrne zabrał go do pubu na drinka. Młody Szkot Angus przyszedł na partię szachów. Uprzejmie pozwolił Oscarowi wygrać i obiecał rewanż w następnym tygodniu. Oscar czytał gazety, oglądał telewizję, słuchał radia, choć teraz, odkąd Irena z nim zamieszkała, miał coś o wiele więcej. Nie czuł się samotny.

Lubił towarzystwo Polki i często razem oglądali seriale albo te skomplikowane filmy kryminalne, w których zagadkę morderstwa rozwiązują genialni technicy kryminalistyczni. Kiedy Irenę odwiedzali przyjaciele, zawsze przedstawiała ich Oscarowi; rozmawiając z nimi, z zainteresowaniem obserwował, jak ta nowa społeczność znajduje sobie miejsce w Irlandii. Jeden młody gość bywał częściej niż pozostali i nie ulegało wątpliwości, że młody polski hydraulik Adam, zakochał się w Irenie – i trudno się dziwić. Co wieczór spędzali ze sobą dużo czasu, gadali, słuchali muzyki i śmiali się.

Dobrze było słyszeć w domu muzykę i śmiech zakochanych. Może pewnego dnia Irena wyjdzie za tego młodzieńca; ceny nieruchomości w Dublinie były skandalicznie wysokie, młode pary nie mogły sobie pozwolić na kupno własnego lokum, a przecież w jego domu już było idealne mieszkanie dla małżeństwa, dla dzieci też. Oczyma wyobraźni Oscar widział maluchy bawiące się w holu i w ogrodzie. Elizabeth by się to spodobało. Może Oscar odwiedzi adwokata i sporządzi testament. Uśmiechnął się, myśląc o przyszłości, domu i o tym, jak należy postąpić.

Rozdział 59

Myles zadzwonił do Maggie i zaprosił ją na wieczór jazzowy w Pavilion Theatre. Leo nie znosił jazzu, Maggie wręcz przeciwnie, więc biorąc głęboki wdech, zgodziła się pójść. W głosie Mylesa brzmiało wahanie – pewnie musiał zebrać się na odwagę, by zaproponować jej spotkanie.

Natychmiast jak roztrzęsiona nastolatka zatelefonowała do Kitty. Zażądała, by siostra do niej przyszła, bo muszą przedyskutować, czy postępuje słusznie, a jeśli tak, to co powinna włożyć.

Kitty była na diecie przed ślubem. W trakcie rozmowy wypiła trzy kubki czarnej kawy.

– Przecież nie zgodziłaś się wyjść za niego ani uprawiać z nim seksu! – argumentowała, nadając sprawie właściwe proporcje. – Jesteście przyjaciółmi i po prostu idziecie do teatru.

Później Kitty siedziała na łóżku i patrzyła, jak Maggie wyciąga spódnice, bluzki i spodnie.

– Czarne spodnie, kremowa bluzka i kremowy żakiet! – zawyrokowała.

W dzień poprzedzający koncert dręczona wyrzutami sumienia Maggie o mało nie odwołała spotkania. Wyobrażała sobie, jak duch Leona ją straszy, gdy ona siedzi obok Mylesa i słucha muzyki. Ale po przespanej nocy uznała, że Leo nie chciałby, żeby była samotna, i z całą pewnością nie miałby jej za złe, że chwilę przebywa w męskim towarzystwa.

Ponieważ Myles obiecał przyjechać po nią, postanowiła uprzedzić Sarę, żeby córka nie osłupiała ze zdziwienia, gdyby przypadkiem na niego wpadła.

– Czy to ten sympatyczny mężczyzna, którego poznałaś w spa?

– Tak – wykrztusiła Maggie. – Nic nie mów – poprosiła. – Po prostu jak przyjaciele idziemy do teatru.

Nieduża sala była wypełniona po brzegi, ale Maggie i Myles mieli dobre miejsca blisko sceny, skąd wszystko doskonale widzieli i słyszeli. Zespół grał standardy, dźwięki kontrabasu i gitarowy rytm budził w widzach ochotę, by tańczyć albo kołysać się na krzesłach. Myles przytupywał do wtóru.

W przerwie wpadli na Fran i Liama. Fran ledwo zdołała ukryć zaskoczenie, kiedy Maggie przedstawiła im swojego towarzysza. Umówili się po koncercie na drinka do pubu po drugiej stronie ulicy.

Myles doskonale się bawił. Maggie też. Przyjemnie było tworzyć parę! Siedzieli w jego jaguarze i rozmawiali, a na pożegnanie po prostu podała mu dłoń. Ustalili, że w przyszłym tygodniu wybiorą się do restauracji.

Rozdział 60

Klub Mieszkańców placu Przyjemnego w ostatnią sobotę sierpnia urządził corocznego grilla na pożegnanie lata. Maggie nalegała, by zaprosić jej lokatora Angusa Hamiltona i Marka McGuinnessa, bo choć jeszcze nie mieszka przy placu, to przecież był właścicielem tutejszego domu.

Komitet organizacyjny: Gerry Byrne, Jim i Sheila Flannery'owie oraz Hugh i Liz Groganowie, zajął się wypożyczeniem grillów, parasoli, stołów i krzeseł od mieszkańców. Syn Hugh, Dylan, z kolegami z zespołu przygotowali muzykę i sprzęt nagłaśniający w zamian za nieograniczony dostęp do kotletów. W parku rozstawiono lampy ogrodowe. Za drzewami wznosił się czerwono-żółty nadmuchiwany zamek do skakania.

W sobotę dopisała pogoda. Stos ziemniaków w folii piekł się w piekarniku Maggie Ryan. Sara przygotowała cztery blachy skrzydełek kurczaka i olbrzymią miskę sałatki z pomidorów i cebuli. Evie udzieliło się ogólne podniecenie.

– Babcia też ze mną poskacze? – zapytała.

– Nie. – Sara się roześmiała. – Ale Grace, Anna i Angus na pewno chętnie z tobą pójdą.

Grace, ubrana w kremowe bawełniane rybaczki i jasnozieloną koszulkę, wzięła okulary słoneczne i sweter – na wypadek, gdyby wieczorem zrobiło się chłodno. W żadnym razie nie zamierzała opuścić grilla, brała udział w tym sąsiedzkim spotkaniu od wczesnego dzieciństwa. Mark obiecał, że przyjdzie, choć później, bo najpierw ma sprawę do załatwienia.

Anna i Rob przyjechali do Dublina po resztę jej książek, ubrań i innych drobiazgów, które zostały w wynajmowanym domu przy Dodder Row. Maggie wykorzystała więc okazję i zmusiła ich, żeby o dzień przełożyli powrót do Connemary i przyszli na imprezę. Ku zdumieniu wszystkich Anna wzięła rok urlopu z Trinity; nie rezygnowała całkiem z pracy, pięć godzin tygodniowo miała wykładać na uniwersytecie w Galway. Jeszcze kilka godzin ćwiczeń i jakoś zwiąże koniec z końcem.

Anna ubrana była w obcisłą kolorową spódnicę, która podkreślała zgrabną figurę. Z zieloną opaską na brązowych włosach wyglądała ślicznie. Ze śmiechem, swobodnie przedstawiała Roba sąsiadom.

Kiedy przyjechali, skwer zaczynał się zapełniać; głośny śmiech odbijał się echem w letnim powietrzu. Maggie siedziała przy stoliku z Sheilą Flannery, matką olśniewającej Clodagh, oraz kilkoma innymi przyjaciółkami. Gerry Byrne pilnował grilla razem z Hugh Groganem i Oliverem Crowleyem, który przeprowadził się na plac pięć lat temu. Aromat pieczonych kiełbasek, kurczaków i wołowiny drażnił nozdrza uczestników.

– Boże, umieram z głodu! – oznajmiła wesoło Grace, stawiając na stole miskę z grecką sałatką, swój wkład w ucztę.

– Chodźmy przywitać się z mamą i Sarą – powiedziała Anna.

Maggie przedstawiła je przyjaciółkom jako swoje „piękne córki". Oscar, w marynarce z pasiastego lnu i kapeluszu panama, zajmował główne miejsce za stołem. Dla niego przygotowano wygodne drewniane krzesło.

– Teraz chodzę tylko o lasce – oznajmił z dumą.

– Przyniosłam wino i kilka piw. Gdzie je dać? – zapytała Grace.

– Włóż do czerwonej skrzyni z lodem.

Grace wzięła kieliszek z winem, Anna puszkę piwa i obie ruszyły w stronę Sary. Angus stał tuż obok niej.

– Boże, ci dwoje są dla siebie stworzeni – szepnęła Anna. – Idealna para.

– Ciszej – ostrzegła Grace. – Ale fakt, świetnie się dobrali.

– Witam śliczne panie. – Declan Byrne serdecznie pocałował Grace w policzek.

– Dawniej tak nie mówiłeś, kiedy trzymałeś nas w niewoli między tamtymi drzewami – zażartowała.

– Przecież bawiliśmy się wtedy w piratów – przypomniał.

Obecni byli trzej młodzi Byrne'owie, wszyscy mocno zbudowani i silni jak ich ojciec.

Najstarszy, Matthew, przedstawił im swoją żonę Christine – na koniec września spodziewała się dziecka. Barry i jego partnerka Melinda chwalili się synem Danielem, który właśnie smacznie spał w wózku.

– Twój tata to pierwszorzędny kucharz – zauważyła Anna.

– Nie wiem, czy śmiać się, czy płakać – odparł Barry, zniżając głos. – W domu nawet palcem nie kiwnie, wszystko robi kochana staruszka, a teraz on przychodzi tutaj, wkłada fartuch i nagle jest „szefem kuchni"!

Sąsiedzi oklaskami powitali Vince'a Flannery'ego. Pojawił się w szortach surfera i biało-niebieskiej koszuli, z długonogą blondynką u boku.

– Deski w górę! – zakpił Barry.

Vince przez ostatnie dwa lata pracował w Australii. Przedstawił im swoją dziewczynę Katie z Melbourne.

– Na kilka tygodni zatrzymaliśmy się u moich rodziców. Czekamy, aż robotnicy skończą apartament, który kupiliśmy w Carrickmines.

Rozmowa toczyła się swobodnie, muzyka grała. Evie biegała wśród dorosłych z dwiema innymi dziewczynkami.

– Hej, czas się ruszyć, zanim zniknie całe jedzenie – zaproponował Rob.

Grace poszukała Marka, potem dołączyła do kolejki. Nałożyła sobie pierś kurczaka, burgera, pieczony ziemniak mamy i mnóstwo surówek. Potem znalazła miejsce do siedzenia obok Ireny i przystojnego blondyna.

– Wiesz, że poznała nas twoja mama? – zagadnęła Irena. – Oboje z Adamem jesteśmy z Polski, ale musieliśmy przyjechać do Dublina, żeby się spotkać.

Irena namówiła ich, by spróbowali jej wyśmienitej sałatki z ziemniaków i szczypiorku.

– Próbuję przepisy z książek kucharskich Oscara, dlatego ciągle mamy coś nowego na obiad – wyjaśniła.

Kiedy Rob i Anna poszli po kilka następnych puszek piwa, przybiegła Evie i złapała Grace za rękę.

– Proszę, proszę, chodź poskakać ze mną na zamku, ciociu. Mama powiedziała, że się zgodzisz...

Grace spojrzała na zamek: gromada dzieci skakała tam z zapamiętaniem, matki usiłowały podtrzymywać maluchy, a cała konstrukcja chwiała się i trzęsła na wszystkie strony.

– Dobrze, skarbie. – Zrzuciła sandałki z kremowej skóry i pobiegła za siostrzenicą. Podskakiwała z radośnie piszczącą Evie, przypominając sobie, jak rodzice wynajęli podobny zamek na jej jedenaste albo dwunaste urodziny. Zamek stał na podwórku przez dwa dni; Anna, Sara i Grace szalały na nim w piżamach tuż przed zaśnięciem i zaraz po przebudzeniu.

Dylanowi Groganowi i jego dwóm kolegom też przyszła ochota na zabawę. Studenci skakali z taką siłą, że mniejsze dzieci wylatywały w powietrze. Grace mocno złapała Evie za rączkę.

Spojrzała na tłumek przypatrujący się ich szaleństwom i zobaczyła Marka McGuinnessa – uśmiechał się od ucha do ucha. Dziesięć minut później brakowało jej tchu, była czerwona jak burak i strasznie spragniona. Anna przyszła ją zastąpić. Grace zeszła niepewnym krokiem, wpadając prosto w objęcia Marka.

– Chcesz czegoś się napić? – Podtrzymał ją, gdy wkładała buty.

– Woda z lodem, jeśli można – odparła.

Mark jak magik podał jej szklankę z pobliskiego stołu z napojami dla dzieci.

– Ojej, to wcale nie jest takie łatwe, jak się wydaje – wydyszała ze śmiechem. – Chyba trochę przesadziłam z tymi skokami.

– Niezła impreza. – Mark powiódł wzrokiem po tłumie sąsiadów przy stołach i na kocach, po lampach i świecach migoczących w zapadającym zmierzchu.

– Bywam na niej co roku, od urodzin. Wszystkim zależy, żeby przyjść, dlatego są rodzice z dziećmi, starsi ludzie jak Oscar Lynch, no i naturalnie Regina Reynolds. Mieszka w domu z wielką oszkloną werandą na drugim końcu placu. Skończyła chyba dziewięćdziesiątkę i jest głucha jak pień.

– W takim razie miło mi, że zostałem przyjęty do tak szacownego grona.

– Przecież tu mieszkasz – wyszeptała.

Przez chwilę, gdy patrzyła mu w oczy, czuła się tak, jakby znowu skakała na zamku – w piersiach zabrakło jej tchu. Odetchnęła głęboko.

– Chodź – powiedział z uśmiechem. – Napijesz się czegoś mocniejszego.

Sara i Angus prowadzili ożywioną rozmowę. Anna z wysoko podwiniętą spódnicą wciąż skakała z Evie, a Maggie przy następnym kieliszku wina śmiała się do łez w towarzystwie Gerry'ego, Helen i Oscara.

– Mam dla ciebie kieliszek doskonałego burgunda. – Mark poprowadził Grace do ławki.

Wino miało bogaty bukiet i przypominało jej Francję.

– Jadłeś coś?

– Jeszcze nie.

– W takim razie idziemy – rozkazała, biorąc dla niego talerz. – Póki coś jeszcze jest.

Stanęli w kolejce do grilla, gdzie Dylan i jego koledzy prosili o burgery.

– To już piąty! – upomniał Dylana ojciec, nakładając mięso na talerz.

Kurczaków zabrakło, więc Mark wziął stek, burgera i kilka poczerniałych kiełbasek, ziemniaki i trochę surówek. Miał na sobie dżinsy i jasnoniebieską koszulę – ładnie podkreślała jego opaleniznę.

– Chcesz kiełbaskę? – zapytał.

Grace zanurzyła kawałek w ketchupie, muskając przy tym jego dłoń. Kiedy złapał ją za rękę, dotyk jego skóry rozpalił w niej pożądanie. Zakłopotana napiła się wina. Na litość boską, to przecież sąsiedzki piknik!

– Chodź, poznasz sąsiadów – powiedziała, kiedy skończył jeść.

Czarujący i uprzejmy cierpliwie odpowiadał na pytania o renowację domu, kiedy przedstawiała go Gerry'emu i Helen, Jimowi i Sheili O'Flannerym, Oscarowi i Reginie.

– Kiedy się wprowadzasz? – zapytała Regina. Uniosła ku niemu pomarszczoną twarz i swoim zwyczajem, bez ceregieli przeszywała go przenikliwym wzrokiem.

– Mam nadzieję, że szybko – odparł głośno, żeby starsza pani go usłyszała. – Bardzo szybko.

– Przyda się nam trochę świeżej krwi. – Regina pokiwała głową i poklepała nowego sąsiada po dłoni.

Grace ucieszyła się, że seniorka polubiła Marka.

Kilka osób ruszyło do tańca.

– Grace, mogę prosić?

Uwielbiała z nim tańczyć, więc się nie opierała, gdy pociągnął ją na prowizoryczny parkiet. Anna, która tańczyła z Robem, uniosła brwi na ich widok. Leciały piosenki Beatlesów, Abby, Thin Lizzy i Boomtown Rats. Potem muzyka zwolniła i rozległ się głos Vana Morrisona. Mark przyciągnął Grace mocniej ku sobie. Przez koszulę czuła bicie jego serca i ciepło skóry.

– Możemy już iść? Chcę ci coś pokazać – szepnął.

Robiło się późno, sąsiedzi zaczynali się rozchodzić, grille stygły. Pożegnali się i przez park ruszyli do domu numer 29.

Migotliwy rząd małych świeczek oświetlał ścieżkę i schody do drzwi.

– Wreszcie jest gotowy. – Mark wyjął z kieszeni klucz.

Zdenerwowana Grace przez chwilę wahała się w progu. Nie była pewna, czy chce zobaczyć zmiany w starym domu O'Connorów. Ale on objął ją i wprowadził do środka. Włączył światło.

– Och, Mark! – westchnęła. Wodziła wzrokiem po całkowicie odmienionym wnętrzu. – Jak tu pięknie!

Pokazał jej hol, salonik i jadalnię. Wyglądały dokładnie tak, jak Grace sobie wyobrażała. W starym holu odnowiono oryginalną balustradę; dębowa podłoga została wypolerowana i naprawiona, ściany i listwy miały kolor matowej żółci, powieszono też oryginalny kandelabr z kryształu Waterford. Mark trzymał Grace za rękę, gdy chodzili z pokoju do pokoju.

W salonie pozostało niewiele śladów po O'Connorach, wyjątkiem był odrestaurowany kominek z białego marmuru. Ściany pomalowano na stare złoto, na odnowionej drewnianej podłodze pysznił się drogi, ręcznie tkany dywan. Wielka sofa w kremowo-złoty wzór stała przed kominkiem, a w wykuszu uwagę przyciągała antyczna komoda.

W jadalni dominowały podobne kolory, mahoniowy stół, krzesła i prosty kredens tworzyły ciepłą atmosferę. Na tyłach domu mieściła się przestronna kuchnia z dobudówką ze szkła i drewna, która wychodziła na ogród. To najdoskonalsza kuchnia, jaką Grace w życiu widziała, marzenie projektanta! Malowane na kość słoniową szafki, solidny blat, drogie niemieckie sprzęty, a na środku wielki stół, tak jak w jej rodzinnym domu.

Na piętrze Mark pokazał jej pokój przygotowany dla Josha, elegancką łazienkę z podwójnym prysznicem i minijacuzzi, pokój gościnny oraz pokój dla dziecka z czerwonymi latawcami i niebieskimi chmurkami podpiętymi do sufitu. Grace brakowało tchu, gdy poprowadził ją do głównej sypialni.

– Nasz pokój.

Wszędzie były białe róże i świece! Wielkie łoże przypominało wyspę, wystrój utrzymany w jasnym brązie, kremie i bieli sprawiał, że człowiek czuł się tu miło i swobodnie. W lustrzanych drzwiach do garderoby i łazienki Grace złapała swoje i Marka odbicie.

– Perfekcyjnie! Po prostu cudownie! Wszystko dopracowane w najmniejszym szczególe! – powiedziała. Zdumiało ją, ile wysiłku, energii i miłości włożył w ten piękny stary dom.

Mark ujął ją za rękę i wyprowadził do nowo zaprojektowanego ogrodu – świece w białych szklanych uchwytach wisiały na gałęziach drzew, pośród krzewów, lawendy i ziół. Grace ucieszyła się, że stare jabłonie wciąż rosną pod murem, a świeżo pomalowany domek dla ptaków został na gałęzi.

I właśnie tam, gdy stali w świetle księżyca, Mark wyznał, że bardzo ją kocha i nie wyobraża sobie bez niej życia.

– Wyjdziesz za mnie, Grace? – zapytał ze wzruszeniem. – Zamieszkasz w tym domu, zostaniesz moją żoną?

Pogładziła go po twarzy, ucałowała i powiedziała: tak.

Mark wsunął na jej palec pierścionek z białego złota z pojedynczym brylantem. Pasował idealnie.

Rozdział 61

Maggie Ryan dziękowała Bogu za piękny pogodny wrześniowy dzień. Na ślub Orli i Liama nieba nie zasłaniała ani jedna chmurka. Wszystkie modły zostały wysłuchane.

Zadzwoniła do Kitty. W domu Hennessych panowało totalne szaleństwo. W tle usłyszała krzyki Harry'ego, który szukał złotych spinek i muszki. Maggie mogła przygotować się bez pośpiechu. Założyła śliczną jedwabną suknię koloru terakoty, kupioną na tę okazję. Spokój zburzyła dopiero Evie. Mała przybiegła pochwalić się jasnoróżową, obficie marszczoną sukienką i pąkami róż w ciemnych włosach. Goniła za nią Sara, próbując przypiąć kwiaty spinkami.

– Evie, dzisiaj musisz być grzeczna, żadnego biegania po kościele, bo ciocia Kitty i Orla bardzo się na ciebie rozgniewają. – Sara znacząco spojrzała na Maggie. – Naprawdę, dziś nie można jej okiełznać.

Sara zaszalała i kupiła fantastyczną suknię Karen Millen, w której wyglądała olśniewająco. Okręciła się na pięcie, żeby zademonstrować się w pełnej krasie.

– No, szybciutko, mamo. Angus boi się, że utkniemy w korkach i nie przyjedziemy na czas.

Przed małym kościółkiem w Kilternan zbierali się goście. Maggie serdecznie witała siostrzeńców i ich rodziny. Kitty promieniała:

z piękną fryzurą, w zielonej garsonce i prostym nakryciu głowy ze szmaragdowego jedwabiu wyglądała cudownie.

– Kitty, jesteś rewelacyjna – powiedziała Maggie, podając siostrze chusteczkę do otarcia łez.

Ławki powoli się zapełniały. Maggie przy drzwiach witała krewnych i czekała na Mylesa Sweeneya. W końcu się pojawił, niezwykle przystojny w smokingu. Był trochę zdenerwowany perspektywą poznania krewnych Maggie, ale Kitty zawyrokowała, że ślub to idealna okazja do przełamania lodów i przedstawienia go rodzinie.

Grace i Mark usiedli obok nich. Tworzyli ładną parę i poza sobą świata nie widzieli. Grace z błyszczącymi oczami trzymała narzeczonego za rękę. Maggie wciąż nie mieściło się w głowie, że do ślubu córki zostało tylko osiem miesięcy. Ceremonia miała odbyć się w kościele Donnybrook, a przyjęcie w prywatnym klubie przy St. Stephen's Green, którego Mark był członkiem.

Ślub w rodzinie Ryanów! Już niedługo to Maggie będzie biegać po sklepach w poszukiwaniu idealnego stroju na wielki dzień w życiu Grace. Od pierwszego spotkania polubiła Marka i podejrzewała, że byłby doskonałym partnerem dla jej najstarszej córki. Nie pomyliła się. Grace straciła dla niego głowę, a on uczynił ją bardzo szczęśliwą. Maggie zawsze wiedziała, że Grace nie chce przez życie iść sama. Niedaleko nich Liam i jego bracia żartowali nerwowo, a ich rodzice kłaniali się gościom.

Sara pilnowała Evie i Amy, żeby nie rozsypały wszystkich płatków róż przed pojawieniem się panny młodej. Wokół nich krążył dumnie Angus z aparatem cyfrowym.

Kiedy Anna i Rob usiedli obok matki, zagrała muzyka. Kolejny ślub, uśmiechnęła się Maggie. Choć dopiero po narodzinach dziecka. Ciąża ich zaskoczyła, ale oboje bardzo się ucieszyli, że zostaną rodzicami, i snuli plany na przyszłość. Zależało im na prostej ceremonii w Roundstone w obecności najbliższych.

Wszyscy wstali, gdy śpiewaczka zaczęła pieśń. Evie, Amy i dwie druhny, Sheena i Melanie, koleżanki Orli ze szkoły, poprowadziły orszak – każda miała na sobie powiewną różową suknię. Maggie usiłowała zachować powagę, patrząc na Evie sypiącą płatki na czerwony dywan. Harry, który wyglądał świetnie w eleganckim garniturze, starał się zapanować nad emocjami, gdy prowadził córkę nawą.

Orla wyglądała prześlicznie w klasycznej dopasowanej kremowej sukni z gołymi ramionami, perłową tiarą w jasnobrązowych włosach i okrągłym bukietem kremowych róż w dłoni. Była piękną panną młodą, a kiedy Harry oddał ją Liamowi, nikt nie miał wątpliwości, że młody człowiek jest po uszy w niej zakochany.

Ceremonia wszystkich poruszyła. Kitty i matka Liama zaniosły dary na ołtarz, a Conor, Gavin, Sheena i kilku innych przyjaciół zmieniało się przy pulpicie, by czytać fragmenty z Pisma Świętego i odmawiać modlitwy. Na koniec ksiądz pobłogosławił zgromadzonych. Orla i Liam szli od ołtarza przy akompaniamencie okrzyków na cześć szczęśliwej pary.

W hotelu w Kildare przyjęto ich po królewsku. Ta rodzinna uroczystość sprawiła Maggie prawdziwą przyjemność. Jedzenie było doskonałe, Myles z apetytem pochłaniał pieczoną wołowinę. Harry po wygłoszeniu tradycyjnej mowy ojca panny młodej mógł wreszcie się odprężyć i zanim zaczęły się tańce, wypił z nimi kilka drinków w barze. Kitty nie posiadała się z radości, że wszystko przebiegło gładko, bez żadnych nieprzewidzianych katastrof. Uściskała Grace, podziwiając jej pierścionek, a Markowi powiedziała, że wielki z niego szczęściarz, skoro znalazł sobie taką dobrą dziewczynę na żonę. Maggie ledwo powstrzymała łzy na myśl, że będzie miała ich blisko, że przy placu Przyjemnym pojawi się nowa rodzina. Anna i Rob też stanowili idealną parę. Nigdy dotąd Maggie nie widziała swojej średniej córki tak szczęśliwej. Ciąża dobrze jej służyła. Anna była w świetnej formie, bo codziennie pływała i chodziła na spacery po plaży z psem. Maggie patrzyła, jak Angus przytula Sarę na parkiecie. Rozmawiali, śmiali się i planowali przyszłość... być może najbardziej szczęśliwi ze wszystkich.

Myles zakaszlał, by zwrócić uwagę Maggie, i poprosił ją do tańca. Ruszyli na zatłoczony parkiet. Myles był dobrym człowiekiem; odkąd się poznali, przeżyli wiele wspólnych kolacji, koncertów, cudowne przyjęcie u Fran i niedzielny obiad u jego syna, gdzie poznała całą rodzinę. Myles z wahaniem pokazał jej folder reklamujący wiosenną wycieczkę „Ogrody Francji". Program przewidywał zwiedzanie Wersalu, ogrodu Moneta w Giverny, ogrodu rzeźb, lawendowych pól Prowansji oraz noclegi we francuskich zamkach. Leo nie znosił ogrodów i ogrodnictwa, Myles je uwielbiał. Ten siedmiodniowy wyjazd zapowiadał się wspaniale, obojgu sprawiłby przyjemność, więc Maggie porzuciła wątpliwości i zgodziła się na propozycję Mylesa. Życie i upływ czasu nauczyły ją jednego: na świecie jest za dużo samotnych ludzi, jeśli więc serdeczny, miły i dobry mężczyzna pojawia się i bierze cię za rękę, pozostaje ci tylko pójść za nim!

Podziękowania

Dziękuję Francesce Liversidge, mojej cudownej redaktorce, za nieustanne zachęty i za to, że pisanie i wspólna praca były wielką przyjemnością.

Lucie Jordan, Rebecce Jones i Richendzie Todd: specjalne podziękowania za pomoc przy pisaniu powieści. Wyrazy wdzięczności także dla pozostałych członków zespołu Transworld.

Dziękuję Caroline Sheldon, agentce, za ciężką pracę i wsparcie. Wszystkim w Gill Hess w Dublinie za opiekowanie się mną i moimi książkami. Są to: Gill i Simon Hessowie, Declan Heaney, Geoff Bryan i Helen Gleed O'Connor.

Mojej drugiej połowie, Jamesowi, dziękuję za to, że zawsze przy mnie jest.

Mojej rodzinie: Mandy, Laurze, Fionie i Jamesowi, zięciom Michaelowi Hearty'emu i małej wnuczce Holly. Dziękuję, że wnieśliście w moje życie tyle szczęścia i materiału do pisania!

Mojej siostrze Gerardine, jej mężowi Blaine oraz ich dzieciom Rachel i Grahamowi.

Trzem bardzo wyjątkowym ciociom: Angeli Conlon, Unie Doyle i Genevieve McKennie, które od samego początku mojej pisarskiej kariery okazywały mi wielkie wsparcie i pomoc.

Les girls: Ann, Grace, Karen, Yvonne, Helen i Mary. Dziękuję za cudowny czas i przyjaźń, która łączy nas od lat. Vive la France!

Anne Frances Doorly za to, że przez większość mojego życia potrafiła mnie rozbawić.

Sarah Webb za jej dobroć, przenikliwość i dar przyjaźni.

Caherine Harvey za to, że jest mądrą i cudowną przyjaciółką.

Anne O'Connell za przeczytanie pierwszego rozdziału i zachęty do napisania dalszego ciągu.

Wszystkim przyjaciołom pisarzom z PEN Clubu Irlandii *– wspaniale należeć do takiego klubu.*

„Irlandzkim Dziewczynom", moim koleżankom pisarkom za wspaniałe promocyjne lunche i kolacje oraz regularne spotkania.

Księgarzom i księgarniom, którzy łączą pisarzy i czytelników i którzy udzielili mi niezwykłego wsparcia.

Moim cudownym czytelnikom, zwłaszcza tym, którzy towarzyszą mi od samego początku.

Wszyscy zaangażowani w publikację i sprzedaż tej książki – przyjmijcie serdeczne podziękowania od wdzięcznej autorki.

Od autorki

„Swatanie" zawsze stanowiło część wielkiej irlandzkiej tradycji. Świadczą o tym zarówno „festyny kawalerskie" w Lisdoonvarze, jak i uwagi wielkiego Johna B. Keane'a w Matchmaking.

Ale przestało ono być wyłącznie domeną spragnionych miłości rolników i starych panien, bo w dzisiejszych czasach idealnych kandydatów do małżeństwa szukają też dwudziesto- i trzydziestoletni mieszkańcy wielkich miast, Dublina, Cork, Galway.

Pomysł na powieść narodził się, kiedy obserwowałam swoje trzy córki i ich przyjaciółki – nowoczesne dziewczyny, które mają wszystko: karierę, pieniądze, domy, ciekawe życie, a mimo to często omija je uczucie.

Czekając na rycerza w lśniącej zbroi, który przybędzie i porwie je w objęcia, zapominają, że wokół nich też są cudowni mężczyźni. Cóż więc powinna zrobić dobra matka?

Pomóc córkom znaleźć tego jedynego!

To jest powieść o miłości, ale też o matkach i córkach, samotności i przyjaźni, poszukiwaniu osoby, która da nam szczęście.